S0-BRQ-610

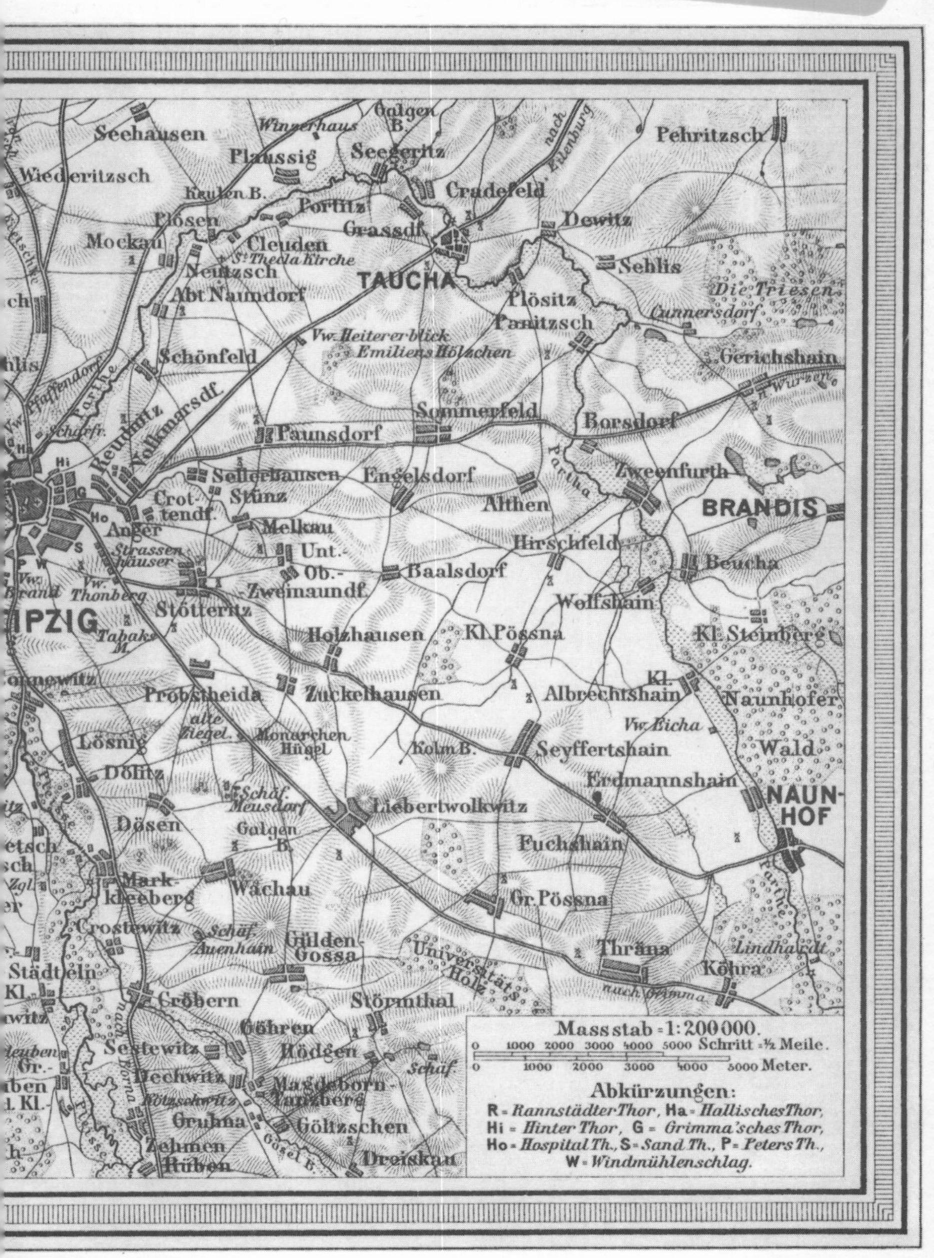
Seehausen
Winzerhaus
Galgen B.
Plaussig
Seegeritz
nach Eilenburg
Pehritzsch
Wiederitzsch
Keulen B.
Portitz
Cradefeld
Plösen
Grassdf.
Dewitz
Mockau
Cleuden
St. Thecla Kirche
Neutzsch
Sehlis
TAUCHA
Die Triesen
Abt Naundorf
Plösitz
Cunnersdorf
Panitzsch
Vw. Heitererblick
Emiliens Hölzchen
Gerichshain
Schönfeld
Parthe
Pfaffendorf
nach Wurzen
Volkmarsdf.
Sommerfeld
Reudnitz
Borsdorf
Scharfr.
Paunsdorf
Hi
Sellerhausen
Engelsdorf
Zweenfurth
Stünz
Parthe
BRANDIS
Crottendf.
Althen
Ho
Anger
Melkau
Hirschfeld
S
Strassenhäuser
Unt.-
Beucha
P
W
Ob.-
Baalsdorf
Vw. Brand
Vw. Thonberg
Zweinaundf.
Wolfshain
IPZIG
Stötteritz
Tabaks M.
Holzhausen
Kl. Pössna
Kl. Steinberg
Connewitz
Kl.
Probstheida
Zuckelhausen
Albrechtshain
Naunhofer
alte Ziegel.
Vw. Eicha
Lösnig
Monarchen Hügel
Kolm B.
Seyffertshain
Wald
Dölitz
Erdmannshain
NAUNHOF
Schäf. Meusdorf
Liebertwolkwitz
Dösen
Galgen B.
Fuchshain
Markkleeberg
Wachau
Gr. Pössna
Parthe
Crostewitz
Schäf. Auenhain
Gülden-Gossa
Universität Holz
Thräna
Lindhardt
Städteln
Kl.
Cröbern
Störmthal
Köhra
nach Grimma
Göhren
Seestewitz
Hödgen
Schäf.
Gr.-
Dechwitz
Magdeborn-
nach Borna
Rötzschwitz
Tanzberg
Kl.-
Gruhna
Göltzschen
Zehmen
Rüben
Pleisse
Gösel B.
Dreiskau
Mass stab = 1 : 200 000.
0 1000 2000 3000 4000 5000 Schritt = ½ Meile.
0 1000 2000 3000 4000 5000 Meter.
Abkürzungen:
R = Rannstädter Thor, Ha = Hallisches Thor,
Hi = Hinter Thor, G = Grimma'sches Thor,
Ho = Hospital Th., S = Sand Th., P = Peters Th.,
W = Windmühlenschlag.

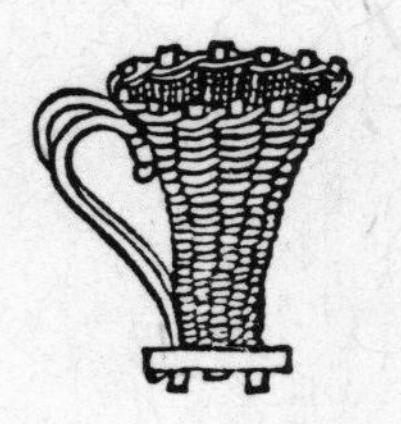

CARL A. RUDISILL LIBRARY
LENOIR-RHYNE COLLEGE

*Radetzky*

Franz Herre

# Radetzky

Eine Biographie



Kiepenheuer & Witsch

Schutzumschlag Hannes Jähn, Köln
unter Verwendung eines Bildes vom Heeresgeschichtlichen Museum, Wien, Lessing, laenderpress
Gesamtherstellung Bercker Graphischer Betrieb, Kevelaer
ISBN 3 462 01486 2

# *Inhalt*

# *Radetzkymarsch*

Berühmt wurde er erst mit Zweiundachtzig, der längst pensionsreife k. k. Feldmarschall Johann Josef Wenzel Graf Radetzky von Radetz. 1848/49 schlug er den König von Sardinien, unterdrückte den Aufstand im Lombardo-Venetianischen Königreich. Die von Radetzky geführte Armee erhielt dem Kaiser von Österreich die italienischen Provinzen, ließ die kaiserlich gesinnten Österreicher hoffen, daß die Revolution besiegt und das Vielvölkerreich bewahrt werden könnte.

»Glück auf mein Feldherr, führe den Streich!
Nicht bloß um des Ruhmes Schimmer,
In deinem Lager ist Österreich,
Wir andern sind einzelne Trümmer.«

So hatte ihn Franz Grillparzer ermuntert, der größte österreichische, jedenfalls der österreichischste Dichter. 1848 drohte die Revolution in Italien und Ungarn, in Prag und sogar in Wien das Haus Österreich zum Einsturz zu bringen, nur nationale Trümmer vom übernationalen Gebäude übrig zu lassen. In dieser Gefahr erwies sich die von Soldaten aller Nationalitäten gebildete und von kaisertreuen Offizieren geführte Armee als Retterin des Reiches, mehr noch: als das Abbild dessen, was es zu retten galt:

»Aus Torheit und aus Eitelkeit
Sind wir in uns zerfallen.
In denen, die du führst zum Streich,
Lebt noch ein Geist in allen ...

Die Gott als Slav' und Magyaren schuf,
Sie streiten um Worte nicht hämisch,
Sie folgen, ob deutsch auch der Feldherrnruf,
Denn: Vorwärts ist ung'risch und böhmisch.«

Grillparzers Gedicht »Feldmarschall Radetzky«, in Tausenden von Exemplaren verbreitet, wirkte als gegenrevolutionäre Propaganda. Die Portraits des »Heldengreises«, die fast wie Heiligenbilder verehrt wurden, zeigten ihn hoch zu Roß, in hechtgrauem Rock und grünem Federhut, als Sieger par excellence. Zu Fuß hätte er weniger imposant ausgesehen: der kleinste in seiner Umgebung, untersetzt, ja gedrungen, den Kopf tief im Nacken – ein Verteidiger eher als ein Angreifer, ein Österreicher eben.

Lobredner erinnerten daran, daß Graf Radetzky als Generalstabschef des Fürsten Schwarzenberg, des Oberbefehlshabers der verbündeten österreichischen, preußischen und russischen Armeen, 1813/14 Napoleon besiegt hatte – den französischen Imperator und revolutionären Ideologen. Der Ritter schien zum zweiten Mal denselben Feind bezwungen zu haben, den dreiköpfigen Drachen der Ideen von 1789: »Freiheit, Gleichheit, Brüderlichkeit«, die dreifache Forderung nach dem Verfassungsstaat, dem Sozialstaat und dem Nationalstaat.

Schwarz-gelbe, habsburgtreue Offiziere sahen es so, anders die Geschlagenen von 1848/49: rot-weiß-grüne Ungarn, die unabhängig sein, grün-weiß-rote Italiener, die eine neue Nation haben und schwarz-rot-goldene Deutsch-Österreicher, die das alte Reich wiederhaben wollten. Und liberale Bürger, die gegen die Adelsherrschaft aufbegehrten, und demokratische Republikaner, die gegen die Monarchensouveränität und für die Volkssouveränität kämpften.

Die Einheit wurde gewahrt, doch nicht die Gespaltenheit aufgehoben, im Vielvölkerreich wie in vielen Österreichern. Auch in Grillparzers Brust stritten zwei Seelen miteinander. Er freue sich, mit seinem Lobgesang auf Radetzkys Armee seine »Pflicht als Mensch und Staatsbürger getan und mit den Resten eines in Abnahme begriffenen Talents Heldenherzen erquickt zu haben, deren unbezwungenen Mut nicht nur unser Vaterland, sondern vielleicht das ganze gebildete Europa seine Rettung vor den Greueln des Umsturzes und der Barbarei verdankt«, schrieb er im Mai 1850 dem Feldherrn, »mit dem innigsten Ausdrucke der Ehrfurcht und Bewunderung«.

»Bin beim Marschall Radetzky gewesen und nichts weniger als befriedigt fortgegangen«, hatte derselbe Franz Grillparzer bereits im September 1849 in sein Tagebuch geschrieben. »Er hat mich auch wirklich umarmt, geküßt, hat geweint, aber trotz dieses Rührungsbeiwerkes war die Mitte leer und kalt. Hat sich auch während seines übrigen Aufenthaltes nicht mehr um mich gekümmert. So bequem mir das war, so hat es mich doch unangenehm berührt. Ich hatte mir ihn als einen echten Menschen gedacht und muß ihn nun, unbeschadet der Dankbarkeit für seine Verdienste, als einen Schlaukopf betrachten, der alles zu seinen Zwecken benutzt, selbst die Poesie, solange er sie braucht.« Der pro-liberale und anti-reaktionäre Grillparzer verfaßte die – nicht veröffentlichte – Glosse:

»Feldmarschall oder Feldwebel,
Sie schätzen doch nur den Säbel.
Soll die Dichtkunst sich ihnen empfehlen,
Ist's der Branntwein für die Seelen.«

Auch die Musikkunst empfahl sich als politisches Stimulans. Während Johann Strauß der Jüngere, der spätere Walzerkönig, 1848 als Kapellmeister der Wiener Nationalgarde die »Marseillaise« spielte und einen »Revolutionsmarsch« komponierte, hielt sich Johann Strauß Vater, der k. k. Hofballmusikdirektor, an Kaiser und Feldmarschall. Als Opus 228 schuf er den »Radetzkymarsch, zu Ehren des großen Feldherrn für das Pianoforte komponiert und der k. k. Armee gewidmet«. Johann Strauß dirigierte ihn zum ersten Mal bei einem Volksfest auf dem Wasserglacis, am 15. August 1848. Militärkapellen spielten ihn erstmals am 22. September 1849, auf dem Josefstädter Glacis, bei der für Radetzky abgehaltenen Parade.

Der Radetzkymarsch. Was wie ein feuriger, fast fröhlicher Avanciermarsch klang, wurde zum Präsentiermarsch der Armee, in deren Reihen Österreich war und blieb, zum Defiliermarsch der Habsburgermonarchie, die von Niederlage zu Niederlage paradierte, schließlich der Trauermarsch für ein Reich, dessen Reichtum erst nach seinem Untergang erkannt und geschätzt wurde.

Alles, was Österreich einmal war und immer sein sollte, erklang im Radetzkymarsch. »Alle Platzkonzerte – sie fanden unter dem Balkon des Herrn Bezirkshauptmanns statt – begannen mit dem

Radetzkymarsch. Obwohl er den Mitgliedern der Kapelle so geläufig war, daß sie ihn mitten in der Nacht und im Schlaf hätten spielen können, ohne dirigiert zu werden, hielt es der Kapellmeister dennoch für notwendig, jede Note vom Blatt zu lesen. Und als probte er den Radetzkymarsch zum erstenmal mit seinen Musikanten, hob er jeden Sonntag in militärischer und musikalischer Gewissenhaftigkeit den Kopf, den Stab und den Blick und richtete alle drei gleichzeitig gegen die seiner Befehle jeweils bedürftig scheinenden Segmente des Kreises, in dessen Mitte er stand. Die herben Trommeln wirbelten, die süßen Flöten pfiffen, und die holden Tschinellen schmetterten. Auf den Gesichtern aller Zuhörer ging ein gefälliges und versonnenes Lächeln auf, und in ihren Beinen prickelte das Blut. Während sie noch standen, glaubten sie schon zu marschieren.«

In Mähren, wo der Roman *Radetzkymarsch* beginnt, und in Galizien, woher der Autor Joseph Roth stammt, erklang der Radetzkymarsch bis 1918, ebenso wie in Budapest und Prag, Innsbruck und Agram, Czernowitz und Triest. In Mailand war er schon 1859, in Venedig 1866 verklungen.

Es war der Huldigungsmarsch für Feldmarschall Radetzky, der 1848/49 die Lombardei nur ein Jahrzehnt, Venetien nicht ganz zwei Jahrzehnte, das Gros Österreichs aber noch fast ein dreiviertel Jahrhundert lang für Habsburg erhielt – dem fünften Kaiser, dem er diente, nach Joseph II., Leopold II., Franz I. und Ferdinand I. schließlich Franz Joseph I., mit dem das alte Österreich in der Kapuzinergruft bestattet wurde.

# *Der Kürassier*

DER FELDHERR, in dessen Lager Grillparzer Österreich sah, war von Haus aus ein echter, ein übernationaler Österreicher. Die Ursprünge der tschechischen Familie werden in Ungarn und Polen gesucht, in der Verwandtschaft stößt man auf den deutschen Namen Waldstein, den italienischen Arco, den französischen Briamont.

Die Geschichte der Familie Radetzky von Radetz spiegelt die Geschicke des Hauses Österreich wider. Der Stammsitz, die Burg Radetz, lag bei Chomutic in Nordostböhmen, im späteren Königgrätzer Kreis, unweit des Schlachtfeldes von 1866, auf dem Preußen und mit ihm der deutsche Nationalismus über Österreich und den Universalismus siegten. Die Stammburg war im 15. Jahrhundert zerstört worden, in den Hussitenkriegen, einer ersten Kundgebung der mit religiöser Inbrunst artikulierten Nationalität.

Ein ritterliches Wappen hatte das Geschlecht noch vom ersten Böhmenkönig aus dem Hause Luxemburg verliehen bekommen, im Jahre 1329 – ein halbes Jahrhundert, nachdem sich Rudolf von Habsburg in Österreich festgesetzt hatte. 1526 fiel Böhmen endgültig an die Habsburger. 1684 erhob Leopold I. den Hauptmann des Kauřimer Kreises, Johann Georg Radetzky, in den Freiherrenstand, 1764 Maria Theresia den Hauptmann der Kreise Moldau und Kauřim, Wenzel Leopold Radetzky, in den Grafenstand.

Das gräfliche Wappen deutete auf eine friedliche Bestimmung hin: ein von oben nach unten gleich geteilter Schild, das rechte Feld rot, das linke Feld blau, darin eine schrägrechts gestellte holzfarbene Schaufel mit silbernem Beschlag. Doch mancher Radetzky hatte zum Schwert gegriffen, für Österreich gekämpft. Peter Eusebius, der Sohn des ersten Freiherren, focht unter dem Prinzen Eugen. Wenzel Leopold, der erste Graf, zog gegen die Bourbonen in Italien zu Felde. Dessen Sohn Peter Eusebius machte den Siebenjährigen Krieg mit.

Urgroßvater, Großvater und Vater des berühmtesten Radetzky, des späteren Feldmarschalls, waren Soldaten gewesen. Der Vater, Peter Eusebius, zog sich als k. k. Hauptmann auf sein Gut Třebnic zurück, 60 Kilometer südlich von Prag. Třebnic gehörte zur katholischen Pfarrei Dublowitz, in deren Kirchenbuch Bedeutsames eingetragen wurde:

»Am 4. November 1766 wurde in der Hauskapelle des Schlosses Třebnic von dem hochwürdigen Herren Johann Josef Mayer, Dechant von Sedlczan und Hofvikär, getauft: Johann Josef Wenzel Anton Franz Karl, ehelicher Sohn des hochgeborenen H. H. Peter Eusebius Grafen Radetzky von Radetz, Herren des Guten Třebnic, und seiner hochgeborenen Gemahlin, Maria Venantia, geb. Freifrau Bechinie von Lažan ... Geboren ward er am 2. November 1766.«

SIEBZEHNHUNDERTSECHSUNDSECHZIG. Der Franzose Bougainville begann seine Entdeckungsreise zu den Antipoden, den Südseeinseln, auf denen Rousseaus Lehre vom Glück der Menschen im Naturzustand bestätigt zu sein schien. Im entgegengesetzten Teil der Erde, im Frankreich Ludwigs XV., begann die Agonie des Ancien régimes, einer überzüchteten Zivilisation, der feudalistischen Gesellschaft und des absolutistischen Regierungssystems.

In England stand der erste Hochofen, begann die Industrielle Revolution. In Nordamerika widersetzten sich britische Kolonisten der Stempelsteuer, dem Versuch des Mutterlandes, die Neue Welt an den Kosten der Händel der Alten Welt zu beteiligen.

Das Ende des Siebenjährigen Krieges hatte einen Einschnitt in der Geschichte Amerikas, Europas und Deutschlands markiert. Großbritannien war im Zweikampf mit Frankreich Sieger geblieben, um Kanada größer, die erste Weltmacht geworden. Preußen hatte das Österreich entrissene Schlesien behalten, sich als Großmacht behauptet, die erste Runde im Kampf um die Vorherrschaft in Deutschland gewonnen.

1766. In Österreich regierte die neunundfünfzigjährige Maria Theresia im siebenundzwanzigsten Jahr. Sie trauerte um ihren 1765 verstorbenen Mann, Kaiser Franz I., und mißtraute ihrem fünfunddreißigjährigen Sohn Joseph II., der Kaiser des Heiligen Römischen Reiches Deutscher Nation und Mitregent in den österreichischen Erblanden, in Ungarn und in Böhmen geworden war.

Die Mutter war eine strenge Katholikin, eine Reformerin mit Augenmaß und begrenzten Zielen. Der Sohn war ein doktrinärer Aufklärer, dem es nicht schnell und weit genug mit Reformen gehen konnte, ein junger Mann, der immer den zweiten Schritt vor dem ersten tue, wie der Preußenkönig Friedrich der Große spottete, den Joseph II. als Regent wie Feldherr zu erreichen und als Menschenfreund zu übertreffen suchte. 1766 öffnete er den Wiener Prater, der bisher den Lustbarkeiten des Adels vorbehalten gewesen war, der Erholung und dem Vergnügen des Volkes.

Noch hatte Maria Theresia die Zügel in der Hand. Als Familienmutter und Landesmutter, als Mater Austriae regierte sie ihr Reich. Es erstreckte sich von Böhmen nach Kroatien, von Tirol bis Siebenbürgen, Mailand gehörte dazu und das heutige Belgien. Unter Maria Theresia gingen Schlesien, Parma, Piacenza und Guastalla verloren, wurden Galizien, Lodomerien, die Bukowina und das Innviertel gewonnen. Am Ende ihrer Herrschaft zählte Österreich zehntausend Quadratmeilen und 24 Millionen Einwohner: Deutsche, Magyaren, Tschechen, Slowaken, Polen, Ruthenen, Rumänen, Kroaten, Serben, Slowenen, Italiener, Wallonen, Flamen.

Es war ein Reich im wahren Sinne des Wortes: die Zusammenfassung einer Fülle von Nationalitäten und Territorien unter der Krone der Habsburger. Die Wurzeln lagen im Mittelalter, in Jahrhunderten war es zusammengewachsen, im Zeitalter des Barock hatte es den höchsten Gipfel der Macht erreicht, den schönsten Ausdruck in der Kunst gefunden. Das Rokoko war nun eine überreife Spätblüte. Und mit Aufklärung und Klassizismus begann eine neue Entwicklung, die das alte Reich in Frage stellte – in Kultur, Gesellschaft und Staat.

Und im Militärwesen, das der Lebensinhalt des 1766 geborenen Johann Josef Wenzel Graf Radetzky von Radetz werden sollte. In seinem Geburtsjahr war der k. k. Feldmarschall Leopold Joseph Graf von Daun gestorben, den sie den »österreichischen Fabius Cunctator« nannten, weil er Friedrich den Großen nur hinhalten, doch nicht vom Sieg im Siebenjährigen Krieg abzuhalten vermochte. Aber war der Römer Fabius, der Hannibal mit einer flexiblen Kriegsführung aufhielt, den die einen den Schild Roms, die anderen einen Zauderer nannten, nicht der Archetypus des Österreichers? Entsprach das Cunctari, das im Handeln Zögern, eher aus Bedachtsamkeit denn aus Unschlüssigkeit, die Bevorzugung des Verweilens statt des Vorwärtsgehens nicht den Notwendigkeiten des alten Österreichs?

Seine Strategie war das Erhalten, seine Taktik das Hinhalten. Es stand in der Defensive gegen moderne Bewegungen, seine Existenz sollte im Prinzip immer schwerer zu verteidigen, in der Praxis immer mehr auf Zeitgewinn bedacht sein müssen. Der hinhaltende Widerstand wurde Österreichs Lebensgesetz.

Das Heer, das Radetzkys Heimat werden und das Lager Österreichs bilden sollte, war bis zuletzt vom Geiste Dauns geprägt, seiner Manövrierkunst und seines Organisationstalents. Der 1766 geborene und 1858 gestorbene Radetzky blieb – bei aller Aufgeschlossenheit gegenüber neuen Entwicklungen und Erfordernissen – dem 18. Jahrhundert verhaftet: dem Heeresvater Daun und der Landesmutter Maria Theresia.

Noch die Handschrift des Greises war theresianisch: großzügig und verschnörkelt zugleich, klar und leserlich. Er blieb ein gläubiger Katholik, in der Substanz wie in der Form, die wichtig schien, für immer wichtiger gehalten wurde. Humanität war für ihn eine persönliche Haltung, nicht eine dogmatische Forderung. »Es ist klüger, sich mit dem geistigen Fortschritt zu verbinden, als denselben zu bekriegen«, konnte er sagen, aber das war eher Taktik als Bekenntnis.

Maria Theresias Einrichtungen seien brauchbar geblieben, schrieb er noch 1850, wobei er nicht ausschloß, daß sie reformiert werden könnten und sollten – behutsam freilich: »Es dürfte geratener sein, das schon Bestehende sorgsam im Auge zu haben und den sich klar darstellenden Gebrechen nach und nach durch zweckmäßige Mittel abzuhelfen, denn ein System, das man nicht mit eigener kräftiger Hand selbst durchführen kann, erlischt schon beim Entstehen.«

Das war theresianisch, nicht josephinisch. Joseph II. gehörte nicht zu seinen Vorbildern – der ungestüme Reformer, der weder die Geduld noch die Umsicht hatte, »allmählich mit dem Takt den

Nagel auf den Kopf zu treffen«. Er sei popularitätssüchtig gewesen und habe alles übertrieben, meinte Radetzky, nahm ihm sein Verfahren in religiösen Dingen übel, und natürlich auch, daß er »einen sogenannten neuen Adel entstehen und den alten Adel fast ganz schwinden ließ. Der neue Adel, mit größeren Mitteln ausgestattet, wollte den alten durch Luxus verdrängen. Dieser Nachteil für die Regierung bringt aber auch ein noch größeres Übel im allgemeinen hervor – dies ist der immer mehr zunehmende Egoismus! Dieses krebsartige Übel ist bereits in die untersten Schichten der Menschen gedrungen.«

In der Epoche Maria Theresias war Radetzky verwurzelt, im alten Glauben, in der feudalen Gesellschaft und im monarchischen Staat. Und in der im Habsburgerreich traditionellen und im kosmopolitischen 18. Jahrhundert aktuellen Übernationalität, die im 19. Jahrhundert verworfen und erst wieder im 20. Jahrhundert verstanden werden sollte.

DIE MUTTER starb bei der Geburt, der Vater zehn Jahre später. Der Großvater holte ihn nach Prag, in sein Haus in der Heinrichsgasse, nahe dem Roßmarkt. Wenzel Leopold Graf Radetzky war Witwer, stand selber unter einer Art Vormundschaft: Die resolute Baronin Břensky verwaltete das Geld, führte die Wirtschaft, nahm sich auch des Waisenknaben an.

Bei den Piaristen ging er in die Volksschule, dann in das Gymnasium in der Herrengasse. Der Großvater suchte ihn in der Theresianischen Militärakademie unterzubringen. Ein Regimentschirurgus machte einen Strich durch die Rechnung: »Der junge Herr Graf ist viel zu schwach, um die Beschwerden des Militärdienstes auch nur einige Jahre ertragen zu können. Als Arzt und gewissenhafter Mann möchte ich Euer Hochgeboren empfehlen, den jungen Herrn weder jetzt noch später den Fatiguen des Soldatenlebens auszusetzen.«

1781 starb der Großvater, »in welchem ich meinen ersten Erzieher verehre«, wie der Enkel 1855 schreiben sollte – mit Neunundachtzig noch aktiver Militär, im einundsiebzigsten Dienstjahr. Auch der neue Vormund, Onkel Wenzel Ignaz Graf Radetzky, war Soldat, k. k. Hauptmann, doch nicht unbedingt ein

Vorbild: Er verschwendete vierzigtausend Gulden aus dem Vermögen seines Mündels, verschaffte ihm immerhin einen Stiftungsplatz im Brünner Collegium nobilum. In diesem Internat wurden junge Adelige als künftige Beamte und Diplomaten geschult. Hauptfächer waren Geschichte, damit sie den Aufbau des Hauses Habsburg verstanden, Sprachen, damit sie sich im Vielvölkerreich verständigen, und Reiten, Fechten und Tanzen, damit sie immer und überall eine standesgemäße Figur machen konnten.

Eine Uniform hatte der Fünfzehnjährige nun, die Schuluniform des Collegium nobilum. Und das Militärische begann ihn zu fesseln, zunächst die Militärgeschichte, die er wie einen Abenteuerroman verschlang. Helden waren sie für ihn alle, von Hannibal und Cäsar bis Malbourough und Turenne, seine Lieblingshelden aber wurden die Feldherren Österreichs, Wallenstein und Prinz Eugen, Daun und Laudon. Er träumte von den Kriegen gegen Protestanten, Türken, Franzosen und Preußen, und was die Phantasie beschäftigte, begann er in der Wirklichkeit zu suchen: »Über alles ging ihm ein flinker Husar, ein hochgewachsener Grenadier, sowie der Donner des Geschützes, ein Feldmanöver, eine große Parade oder eine Leichenfeier« – wie einer seiner militärischen Biographen berichtete.

Mehr als in Brünn gab es davon in Wien zu sehen, wohin der Sechzehnjährige 1782 kam, als das Collegium nobilum mit dem Theresianum vereinigt wurde, der von Maria Theresia gegründeten Ritterakademie. Die Gesetzesparagraphen, die er lernen sollte, und die zopfigen Professoren, die sie lehrten, waren nicht nach seinem Geschmack: »Ein Schwall schöner Worte kann wohl dazu dienen, die Zeit vorübergehen zu machen, und dies schienen sich die damaligen Professoren, ehrenwerte Ausnahmen abgerechnet, zur Hauptaufgabe gestellt zu haben.«

Besser gefiel ihm der Dienst als Edelknabe bei Hof. Das brachte Taschengeld, vier Dukaten monatlich, und eine fesche Uniform, aber auch Verdruß: Als Schleppträger der Herzogin Elisabeth von Württemberg verhedderte sich der Page, der mit dem Kopf stets bei den Soldaten war, mit den Beinen in der Schleppe, was ihm einen Rüffel Kaiser Josephs II. eintrug.

Und die Soldaten wollten ihn zum zweiten Mal nicht haben. 1783 bewarb er sich beim Infanterieregiment Brechainville, doch der Oberst befand, der Siebzehnjährige sei zu jung. Er entkam nicht der Jurisprudenz, doch er ertappte sich öfter dabei, wie er statt Rechtssätze Grundrisse von Befestigungen zu Papier brachte. Und er versuchte sich in der Schilderung von Feldzügen und Gefechten.

Der Onkel, der ihn in Wien besuchte, fand ihn in der Reitschule, sah einen guten Reiter. »Geben Sie ihn doch zu den Kürassieren. Er ist wohl nicht groß, aber kräftig entwickelt«, meinte der Begleiter des Vormunds. Irgend etwas mußte man mit ihm anfangen, denn 1784 wurde das Theresianum aufgelöst, von Joseph II., der immer schnell bei der Hand war, Einrichtungen Maria Theresias abzuschaffen.

Im dritten Anlauf schaffte es der nun Achtzehnjährige, Soldat zu werden. Am 1. August 1784 trat er »gegen Erlag des Monturgeldes«, auf eigene Kosten, als »Ex-propriis-Kadett« in das Kürassierregiment Caramelli ein. »Ich war elternlos, ohne Heimat«, erinnerte er sich am Ende seiner Karriere. »Ich wählte den Stand des Soldaten und habe es nimmer bereut. In ihm fand ich meine Heimat.«

KÜRASSIERE gab es in Österreich seit Kaiser Maximilian I., dem letzten Ritter. Sie glichen mittelalterlichen Rittern, diese schweren Reiter, die noch im Zeitalter der Aufklärung einen sieben Kilogramm schweren Küraß trugen und einen drei Kilogramm schweren Säbel führten.

Man mochte sie für die klassische Kavallerie Österreichs halten: traditionsreich und traditionsbeladen, gepanzert und schwerfällig, eher für die Defensive als für die Offensive geeignet. Jedenfalls schien der stämmige Radetzky für Ausrüstung und Aufgabe eines Kürassiers geeignet zu sein. Er liebte seine Waffengattung auf den ersten Blick, und die Liebe hielt ein Leben lang. »Seit meiner ersten Dienstzeit war die Kavallerie diejenige Waffe, für die ich stets die meiste Vorliebe hatte, weil ihre Eigentümlichkeit und ihr taktisches Wirken in meinen Neigungen und meinem Charakter den meisten Anklang fanden.«

Die erste Garnison war weniger ansprechend: Jász-Berény in Ungarn. In diesem Nest lag der Stab des Kürassierregiments

Caramelli; die Eskadronen waren auf die umliegenden Ortschaften verteilt. Am 8. August 1784 trat der Kadett seinen Dienst an, erhielt die Listennummer 141, wurde der Majors-Division, 1. Eskadron, zugeteilt, die Rittmeister Anton Otto von Ottenfeld führte. Kommandeur des tausend Mann starken Regiments war Oberstleutnant Wenzel von Seddeler.

Des Dienstes ewig gleichgestellte Uhr, die genaue Einteilung der Zeit und die planmäßige Verrichtung der Dinge, die stetige Wiederkehr des immer Gleichen – was der Feldmarschall als Disziplinierungsmittel und Ordnungsfaktor schätzen sollte, konnte dem Kadetten kaum gefallen. Noch sah er darin geisttötende Routine, und er bemerkte das Mißverhältnis zwischen den Anforderungen an die Mannschaft und dem »herrschenden Schlendrian« bei den Offizieren. Sie »hatten die Rangstufe, auf der sie standen, mühsam erklommen. Sie wollten nun Ruhe haben und nach überstandenen physischen Fatiguen der Gemächlichkeit pflegen.«

Es wurde gebechert und gewürfelt, doch ein Kadett konnte und durfte ja nicht mithalten. Seiner Konduitenliste kam das zugute: »Dem Trunk ergeben: Nein! Spieler: Nein! Schuldenmacher: Nein! Zänkerer: Nein!« Er war fast allein. Wer ihm gefiel, wie der Leutnant Dorfelder, der sich aus dem Soldatenstand hochgedient hatte, war für den Grafen kein Umgang. Und der Baron Ettenau, mit dem man von gleich zu gleich hätte verkehren können, war nie da, entfloh nach der Eintönigkeit des Dienstes in der dienstfreien Zeit der Einöde der Garnison.

Das Abc des Soldaten lernte er durchaus: Exerzieren und Marschieren, das Verhalten im Gefecht, den Umgang mit Pferden: »Ihr jungen Grasteufel betrachtet immer das Pferd zuerst beim Kopf, mit den Füßen muß man beginnen!« Anderes, was im Kavallerieреglement stand, wurde unterschlagen, etwa daß ein Offizier »in verschiedenen Wissenschaften als zum Exempel in der Feder, in der Arithmetik und besonders in dem Geniewesen bewandert« sein sollte.

Darauf hätte der Kadett besonderen Wert gelegt, weil er – der auf keiner Militärakademie gewesen war – einiges nachzuholen hatte. Seine Beförderung hinderte das nicht: 1786 wurde er Unterleutnant, 1787 Oberleutnant. Was ihm in der Theorie fehlte, lernte er in der Praxis – im Krieg. Schließlich gelangte er zu der

Erkenntnis: »Der Krieg ist offenbar eine Kunst und keine Wissenschaft, eine Kunst, bei welcher das Sublime wie bei allen Künsten nicht gelehrt werden kann.« Radetzky, der keine Kriegsschule absolviert hatte, sollte ein Kriegskünstler werden.

IM TÜRKENKRIEG, der 1788 begann, zog Radetzky zum ersten Mal ins Feld, gegen seinen ersten Feind, der für Österreich als Erbfeind eigentlich schon ausgedient hatte. Zuletzt hatten die Türken 1683 vor Wien gestanden, Karl von Lothringen und Prinz Eugen hatten sie zurückgedrängt, die Südostgrenze des Habsburgerreiches war gesichert und das Osmanische Reich mit sich selbst beschäftigt.

Da trat Rußland auf den Plan. Stets auf Vergrößerung bedacht, die Schwächen der Nachbarn nutzend, hatte es am Nordufer des Schwarzen Meeres gelegene Randgebiete der Türkei an sich gerissen, griff nach dem Balkan und visierte Konstantinopel an. Das konnte für das Habsburgerreich gefährlich werden. Schon drückte der Koloß auf die Ostgrenze, würde zunehmend auf die Südostgrenze drücken. Joseph II. wollte nicht untätig bleiben, Katharina der Großen das Feld nicht allein überlassen. Er hielt es für klüger, Arm in Arm mit ihr türkische Beute zu machen und diese zwischen Österreich und Rußland zu teilen.

Das entsprach der Staatsraison wie dem Drang Josephs II. nach Ruhm und Größe, schien auch seinem Streben nach Aufklärung und Humanisierung gemäß zu sein. Sein Kriegsziel sei, die Welt von einem Barbarengeschlecht zu reinigen, erklärte er hochgemut, und hörte mit Befriedigung das allenthalben gesungene Lied vom Prinzen Eugen, dem edlen Ritter, der dem Kaiser wiederum Stadt und Festung Belgrad kriegen wollte.

Höchstpersönlich übernahm er den Oberbefehl über seine Armee von 245 000 Mann, darunter 36 500 Reiter, 898 Feld- und 252 Belagerungsgeschütze. Nie zuvor war ein so gewaltiges Heer gegen die Türken aufmarschiert, stolz wurden die kaiserlichen Feldzeichen vorangetragen, und auch die Caramelli-Kürassiere sahen stattlich aus mit ihren weißen Röcken, pickelhaubenartigen Zischäggen, Schnurrbärten und Zöpfen.

Der Schein trog. Die Hälfte der Offiziere des stolzen Regiments war »für Feldfatiguen nicht mehr fähig«. Radetzky verdankte diesem Umstand seine rasche Beförderung, und die Erkenntnis, daß mit solchen Offizieren, aber auch mit Soldaten, die nur in geschlossenen, ein Davonlaufen verhindernden Formationen zusammengehalten und vorwärts gebracht werden konnten, kein Staat mehr zu machen und kein Krieg mehr zu gewinnen war.

Es war »eine durch Disziplin zusammengehaltene Maschine, in der die Bewegung, das ist der Geist, fehlt«. Feldmarschall Franz Moritz Graf von Lacy hatte die Maschine zwar nach dem Muster der Armee Friedrichs des Großen überholt, aber diese war auch schon nicht mehr up to date, und die Kopie war schlechter als das Original. Es war die Armee des Ancien régimes, die so veraltet und erstarrt war wie dieses selbst.

Soldaten, die zum Dienst gepreßt worden waren, mußten wie Untertanen, die sich nicht frei entfalten durften, durch eiserne Disziplin und eine umfassende Vorbeugung in Reih und Glied gehalten werden. Die Österreicher wollten ganz sicher gehen: Sie stellten *vor* die Karrees der Schlachtordnung Spanische Reiter, mit Stacheldraht bespannte Gerüste – damit niemand nach vorne ausbrechen könnte, was anscheinend für katastrophaler gehalten wurde als nach hinten.

Eine solche Armee war für den Stellungskrieg, nicht für den Bewegungskrieg geeignet. Die Strategie war entsprechend, und der dreiundsechzigjährige Feldmarschall Lacy, der eigentliche Befehlshaber hinter Joseph II., war darin Altmeister. Wie sollte man eine Front von 1500 Kilometern Länge, von der Adria bis zum Pruth, selbst mit dem respektablen Aufgebot von 245 000 Mann halten? Man setzte auf die gewohnte, wenn auch nicht unbedingt bewährte Kordon-Aufstellung: Truppen wurden wie Knoten in einer Schnur an Punkten der Frontlinie verteilt und verzettelt. Das war Limes-Denken, das im günstigsten Fall der Grenzbewachung dienlich sein konnte, keinesfalls aber einen entscheidenden Angriff mit geballter Kraft ermöglichte, was der eigentliche Zweck dieses Feldzugs war.

Die verbündeten Russen griffen massiert die Türken an, eroberten Otschakow, Bender und Ismail. Die Österreicher hatten zwar ein »Generals-Reglement«, das vor einer Zersplitterung der Kräfte warnte, und eine vom Hofkriegsrat erlassene »Verhaltensanmerkung«, die der Generalität nahelegte, rasch zu operieren, »die Gelegenheit zu suchen, den Feind anzugreifen, durch eine glückliche Bataille aus dem Feld zu schlagen«. Aber Feldmarschall Lacy, der Schüler Dauns, suchte den Lehrer im bedächtigen, zaghaften Manövrieren zu übertreffen. Und Joseph II., Oberbefehlshaber, aber nicht Oberkommandierender, der sich in einfacher Uniform ohne jedes Rangabzeichen in den Biwaks zeigte, schien eher als Soldatenkaiser denn als Schlachtenlenker in die Geschichte eingehen zu wollen.

Radetzky, vorübergehend Ordonnanzoffizier bei Lacy, lernte fürs Leben, wie man es nicht machen dürfte. Im ersten Schwung hatte die Hauptarmee die Festung Šabac, die auf dem Weg nach Belgrad lag, genommen. Dann blieb sie zwischen Donau und Save liegen, verlor weit mehr Soldaten durch Krankheiten als durch Verwundungen. Die Türken durchbrachen den Kordon, fielen in das Banat ein. Die Hauptarmee rückte ihnen entgegen, sah sich aber bald zum Rückmarsch auf Karánsebes gezwungen.

Die Nacht vom 20. auf den 21. September 1788 wurde für die Österreicher eine »Nacht des Trübsals«, dem Oberleutnant Radetzky bot sie die erste Gelegenheit, sich auszuzeichnen. An der Brücke von Slatina stritten sich österreichische Husaren und Freikorpsleute um eine Branntweinfuhre, Schüsse fielen, die Kolonnen gerieten in Verwirrung, aus dem Rückmarsch wurde eine Flucht. Die Türken stießen nach, und es hätte eine Katastrophe geben können, wenn die Spahis nicht von der Kavallerie-Nachhut aufgehalten worden wären – nicht zuletzt vom Kürassierregiment Caramelli, bei dem Radetzky wieder Dienst tat. Er habe im Rückzugsgefecht Beweise seines Mutes und seiner Umsicht gegeben, hieß es in einem Bericht.

Die Österreicher zogen ins Winterquartier, der Kaiser, enttäuscht und krank, ging nach Wien zurück. Für den Feldzug 1789 schickte er einen neuen Oberkommandierenden, den zweiundsiebzigjährigen Feldmarschall Ernst Gideon von Laudon, der bereits in den Schlesischen Kriegen zupackender als Daun und Lacy gewesen war und nun den verfahrenen Türkenfeldzug voranbringen sollte. Auch Radetzkys Erwartungen enttäuschte er nicht: »Es zeigte sich sogleich Unternehmungsgeist.« Die Spanischen Reiter verschwanden vor dem Karree, das beweglicher wurde, und mit der Taktik die Strategie. »Die Ordnung ward tüchtig gehandhabt.«

Radetzky wurde ständiger Ordonnanzoffizier bei Laudon. Bei ihm lernte er, wie man es besser machen konnte. Man stieß bis Belgrad vor, nahm die Festung nach sechsundzwanzigtägiger Belagerung am 8. Oktober 1789. Die Österreicher unter Prinz Josias von Koburg waren bis Bukarest vorgedrungen.

Joseph II. konnte sich nicht lange an diesen Erfolgen erfreuen: Er starb am 20. Februar 1790. Sein Nachfolger Leopold II. schloß den Frieden von Sistova, in dem Österreich das Eroberte, auch Belgrad, herausgab, nur Alt-Orsova behielt, während Rußland im Frieden von Jassy Otschakow und das Gebiet zwischen Dnjepr, Bug und Dnjestr erhielt.

Für Österreich hatte sich der Aufwand seines letzten Krieges gegen den alten Erbfeind Türkei nicht gelohnt. Es war ein Krieg zur falschen Zeit, am falschen Ort, gegen den falschen Gegner. Der eigentliche, der weit gefährlichere, wuchs seit 1789 im Westen heran: Frankreich, das nicht mehr allein der machtpolitische Rivale war, sondern durch die Französische Revolution zum Erzfeind des Habsburgerreiches wurde.

# *Gegen die Revolutionsarmee*

IM WESTEN wurde Radetzky mit den neuen Ideen und einer neuen Kriegsführung konfrontiert, denen das alte Österreich nichts Gleichgewichtiges entgegensetzen konnte. Auch Österreichs letztes Mittel, die totale Defensive, nützte nichts mehr, auch nicht der Festungsbau, dem sich der Kürassier Radetzky zwischen den Feldzügen, in Garnisonen in Mähren und Ungarn, theoretisch zugewandt hatte.

Am 20. April 1792 erklärte das revolutionäre Frankreich den Krieg an Franz II., der dem plötzlich verstorbenen Leopold II. nachgefolgt war. Das Heilige Römische Reich Deutscher Nation und Österreich, das dessen Würde und Bürde immer noch trug, galten dem neuen Frankreich als Inbegriff des Feudalen, Klerikalen, Monarchischen, als das Überlebte und Umzustürzende schlechthin.

Diejenigen, die beseitigt werden sollten, taten sich zusammen, selbst der Kaiser und der König von Preußen. Doch wie um zu beweisen, daß sie überfällig waren, setzten sich die verbliebenen Armeen des Ancien régimes schwerfällig in Bewegung. Und als sie – bei Valmy in der Champagne – auf Widerstand stießen, traten sie am 20. September 1792 den Rückzug an. »Von hier und heute geht eine neue Epoche der Weltgeschichte aus, und Ihr könnt sagen, Ihr seid dabei gewesen«, sagte der Weimarer Geheimrat und deutsche Dichter Goethe, der als Kriegsberichterstatter dabei war.

Österreich wie Preußen »verkannten die Wurzel des Übels«, kommentierte der Berufssoldat Radetzky, der einen Blick fürs Politische hatte. »Ohne daß man mit Klarheit weiß, was man zu tun hat, gelingt keine Handlung, am wenigsten eine kriegerische.« Er übte fachliche Kritik: Es fehlte ein »feststehender Operationsplan«, die »sich ergebenden Ereignisse bestimmten die zeitweise sich ergebenden Operationen«, die »ewige Defensive« habe alles gelähmt.

Radetzky wußte, wovon er sprach, denn er war dabei gewesen, an der Front wie im Stab. Im Juli 1793 kam sein Kürassierregiment, dessen Inhaberschaft nach dem Tode Caramellis auf den Erzherzog Franz Josef von Este übergegangen war, in die österreichischen Niederlande. Sie waren schon vorübergehend in den Händen von belgischen Revolutionären wie der französischen Revolutionsarmee gewesen, sollten Österreich bald endgültig abhanden kommen.

Mit Limes-Denken, der Kordon-Methode, wollten sie die Österreicher halten. Die Erzherzog-Franz-Kürassiere hatten die Grenze bei Arlon zu decken, vereint mit, wenn auch kaum verstärkt durch eine Art Landsturm – eine politisch halbherzige und militärisch unzureichende Konzession an den Geist der »Levée en masse«, der die französischen Revolutionsarmeen konstituierte und beflügelte. Und die herbeigeholte kroatische Grenzinfanterie, eine tüchtige Truppe durchaus, war auf den türkischen Erbfeind eingeschossen, zeigte sich dem revolutionären Erzfeind nicht gewachsen.

Eine aus Grenzern, Landsturm und Kürassieren gemischte Vorpostenabteilung befehligte Oberleutnant Radetzky, der die Defensive offensiv anging: Er lockte ein französisches Streifkorps in eine durch seine geschickt verteilte Fußtruppe gebildete Falle und ließ es durch Kürassiere niederreiten.

Der Korpskommandant wurde auf den ebenso verwegenen wie verschlagenen Kavalleristen aufmerksam, ernannte ihn zu seinem ständigen Ordonnanzoffizier. Feldmarschalleutnant Jean Pierre de Beaulieu war Wallone, verteidigte seine unmittelbare Heimat, mit einer für einen Achtundsechzigjährigen erstaunlichen Beweglichkeit, aber auch mit der ihm in Fleisch und Blut übergegangenen Taktik des Ancien régimes. Und dies bedeutete, daß er trotz gelegentlichen Angriffsgeistes »stets auf Rückzug bedacht« blieb.

Nach den Schlachten bei Fleurus, am 16. und 26. Juni 1794, gingen die Niederlande endgültig für Österreich verloren. In der ersten half Radetzky mit, durch ein Umgehungsmanöver den Feind zurückzudrängen. Von der zweiten berichtete eine Regimentsgeschichte: »Oberleutnant Graf Radetzky, welcher zwei leichte Kopfwunden erhielt, wurde wegen seiner Verwendbarkeit am Schlachttage (26. Juni) zum Rittmeister befördert. Der auf allen Punkten geschlagene Feind hatte sich in seine Hauptstellung zurückgezogen. Zum Angriff auf diese Stellung kam es jedoch nicht, da Prinz Koburg (der österreichische Oberkommandierende) die Meldung erhalten hatte, daß Charleroi bereits am Abend vorher (am 25. Juni) kapituliert hatte. Oberleutnant Radetzky hatte mit drei Mann des Regiments (Erzherzog-Franz-Kürassiere) und drei Mann von Wurmser-Husaren freiwillig die Sambre durchschwommen und diese Meldung gebracht.«

Das Reiterstückchen hatte sich als konterproduktiv erwiesen. Da das Kampfziel der Entsatz der Festung Charleroi gewesen, diese aber – wie der Spähtruppführer Radetzky meldete – bereits gefallen war, brach Prinz Koburg die von ihm schon fast gewonnene zweite Schlacht von Fleurus ab und begab sich auf den Rückzug.

»Wir waren ganz in der Verfassung, den Feind über die Sambre zurückzuwerfen und ihm Charleroi wieder abzunehmen«, klagte Radetzky. »Dem Gelingen dieser Unternehmung, wenn sie mit Ernst geführt wurde, stand wenig entgegen. Unerwartet kam daher der Befehl zum Rückzug. Der Feind war über unsere Haltung offenbar selbst überrascht und ließ uns abziehen, ohne uns auch nur durch einen Schuß zu belästigen.«

Die Armee blieb erhalten, die Niederlande wurden preisgegeben, der Rückmarsch kam erst hinter dem Rhein zum Stehen. Das linke Ufer war von den Österreichern de facto, wurde von den Preußen de jure abgeschrieben. Am 5. April 1795 schlossen sie mit den Franzosen den Sonderfrieden von Basel, erklärten sich für neutral und mit der definitiven Abtretung des linken Rheinufers einverstanden. Die Fahnenflucht des Königs von Preußen aus den Reihen der Gegenrevolution schwächte diese entscheidend, »verlieh der Revolution Kraft«, führte ein »unglückliches Zeitalter« herauf, wie Radetzky resümierte.

Auch die Rheinlinie war nicht lange zu halten. Zwar konnte Mainz – die Schlüsselfestung – den Franzosen ein zweites Mal entrissen werden; beim Sturm auf die Schanzen am 29. Oktober 1795 wurde Radetzky durch einen Prellschuß am linken Schenkel verwundet. Aber schon setzten die Franzosen zur Zangenbewegung gegen Österreich an, in Süddeutschland und Oberitalien.

Die Südflanke sollte der zum Feldzeugmeister beförderte Beaulieu decken. Als Adjutant ging Rittmeister Radetzky mit – in das Land, das für ihn und für das er zum Schicksal werden sollte.

ITALIEN gefiel ihm auf den ersten Blick, die Landschaft vor allem: die lombardische Ebene, reichbewässert, wohlangebaut, fruchtbar, die von Weinreben umrankten Maulbeerbäume, was idyllische Lauben ergab, hinter denen die schneebedeckten Alpen wie eine schützende Mauer standen.

Seinem geschulten Auge entging indes nicht, daß dieses von Hecken durchzogene, von Flüssen und Kanälen zerschnittene Land kein ideales Gelände für Truppenbewegungen war, was jedoch Staufer und Habsburger, Orléans und Bourbonen nicht daran gehindert hatte und Franzosen wie Österreicher nicht davon abhalten sollte, es zu einem europäischen Schlachtfeld zu machen.

Pavia, wo Beaulieu sein Hauptquartier aufgeschlagen hatte, war die erste italienische Stadt, die er kennenlernte. Sie war die Hauptstadt der Langobarden gewesen, von denen die Lombardei Namen wie Bedeutung ableitete. Das Mittelalter war noch mit Mauern und Türmen präsent. Der Dom, im Frührenaissancestil begonnen, war unvollendet geblieben – ein Hinweis darauf, daß dem, was als Wiedergeburt begonnen hatte, in Kunst wie Politik, zwar ein erster Höhepunkt, aber kein anhaltendes Wachstum beschieden war.

Pavia war mit dem Herzogtum Mailand 1535 an die spanischen Habsburger gefallen, und 1714, nach dem Spanischen Erbfolgekrieg, an die österreichischen Habsburger. Mailand und Mantua bildeten die österreichische Lombardei – was dem Land und seinen Bewohnern mehr Nutzen als Schaden brachte.

Maria Theresia sorgte sich um ihre italienischen Landeskinder. Der theresianische Kataster förderte die Landwirtschaft, die Halbierung der Zölle auf Waren aus der Lombardei nach den übrigen österreichischen Ländern begünstigte die Textilmanufaktur. In Mailand erstanden die Scala und der Palazzo Reale, in Monza die Villa Reale. Im Mailänder Brera-Palast wurden die Accademia di Belle Arti und die öffentliche Bibliothek eröffnet. An der Universität Pavia wirkte der Physiker Alessandro Volta, der Pionier auf dem Feld der Elektrizität, an der Akademie zu Mailand der Marchese Cesare Beccaria, der die Humanisierung des Strafrechts forderte, Gleichheit aller vor dem Gesetz, Abschaffung der Folter und Beschränkung der Todesstrafe.

Kein Wunder, daß der Aufklärer Joseph II. ein Faible für die aufgeklärten Lombarden hatte. Unter ihm wurden in Mailand 700 Straßenlaternen angebracht, Klöster aufgehoben, der erste Montgolfier-Ballon hochgelassen, ein Werkhaus für Arbeitslose und Arbeitsscheue errichtet, und ein Zuchthaus. Denn Joseph II. war ein Despot der von ihm für gut befundenen Sache, ein Absolutist und Zentralist. Er beseitigte die auf dem Prinzip der Selbstverwaltung beruhende Verfassung der Lombardei, faßte die Oberbehörden in einem Consiglio di Stato zusammen und erhöhte die Steuern. So kam es, daß Maria Theresia, die zu verbessern ohne zu verletzen versucht hatte, den Lombarden noch lieber und teurer wurde.

Mehr an seiner Mutter Maria Theresia als an seinem Bruder Joseph II. orientierte sich Leopold II., der die Italiener besser kannte als jene und sie behutsamer zu behandeln verstand als dieser. Als Regent der habsburgischen Sekundogenitur hatte er sich ein Vierteljahrhundert lang bemüht, das Großherzogtum Toskana zu einem Musterstaat im Sinne des aufgeklärten Absolutismus zu machen, mit weiser Gesetzgebung, tüchtiger Verwaltung, geordneten Finanzen und einer blühenden Wirtschaft. Von seinem Wohlwollen und seiner Erfahrung profitierten nun die Lombarden, doch nicht lange, denn er war nur zwei Jahre Kaiser.

Sein Sohn und Nachfolger, Franz II., war zwar in Florenz geboren, hatte aber schon in jungen Jahren in Wien die österreichische Staatsraison schätzen gelernt, in der er – 1796 immerhin schon achtundzwanzig – immer noch dilettierte. Dabei war sie ernstlich von der französischen Revolutionsaktion bedroht. Denn diese verlangte nicht nur Freiheit des Staatsbürgers und Gleichheit aller Staatsbürger, was lediglich die gegenwärtige österreichische Gesellschafts- und Regierungsform in Frage stellte. Ihre weitere Forderung nach nationaler Brüderlichkeit, nach Errichtung eines Nationalstaates für jede Nationalität, stellte das übernationale Österreich, das Reich als solches zur Disposition.

Die Ideen von 1789 hatten in Norditalien Wurzeln geschlagen; eine revolutionäre Gesinnung wuchs heran. Die österreichische Herrschaft war schon ohne Einwirkung von außen gefährdet, durch einen Eingriff der französischen Revolutionäre konnte sie beseitigt werden.

Gesellschaftliche Ansätze für eine revolutionäre Umgestaltung hatte die österreichische Reformpolitik geschaffen. Der Feudalismus war abgeschliffen worden, schon wurden Adelige und Bürger gleich besteuert, mit wachsendem Wohlstand mußten sich die gesellschaftlichen und darüber hinaus die politischen Ansprüche des »Dritten Standes« steigern. Andererseits mußte auch die Sorge der Besitzenden vor einer sozialen Umwälzung zunehmen, und da es in der Lombardei bereits relativ viele Besitzende gab, hatte die alte Ordnung verhältnismäßig viele Anhänger.

Doch Revolutionen werden von Minderheiten gemacht, zumindest begonnen. Schon gab es Jakobinerklubs, nicht nur in Mailand, sondern auch in kleineren Städten der Lombardei. Sie waren noch eher gemäßigt als radikal, diskutierten über Steuererleichterungen und Verfassungseinrichtungen, und schon darüber, ob Italien föderalistisch oder unitarisch zusammengefaßt werden sollte. »Italien« wurde zu einem politischen Begriff, und auch eine italienische Fahne gab es bereits, die grün-weiß-rote Trikolore nach dem Muster der blau-weiß-roten Trikolore Frankreichs.

Doch ehe die italienische noch entrollt war, wurde die französische auf italienischem Gebiet aufgepflanzt, was nicht einmal italienischen Patrioten, geschweige denn den Regierungen in Italien gefallen konnte. Denn die französischen Republikaner verspürten denselben Eroberungsdrang wie die französischen Könige, verstanden es darüber hinaus, ihn durch die Ideale von 1789 zu weihen und durch einen revolutionären Missionarismus wirkungsvoll zu machen.

Unter Berufung auf die angeblich »natürlichen Grenzen« Frankreichs wurden 1792 Savoyen und Nizza annektiert. Das traf in erster Linie Sardinien-Piemont, dessen König Viktor Amadeus III. vergeblich versucht hatte, eine italienische Liga gegen Frankreich und die Revolution zustande zu bringen. So hielt er sich an Österreich, die einzige Großmacht in Italien und den Bannerträger der Gegenrevolution in Europa.

Viel Nutzen brachte ihm das nicht. 1793 scheiterte ein Versuch der verbündeten Österreicher und Sardinier, Savoyen zurückzuerobern. 1794/95 drangen die Franzosen in Ligurien ein, bedrohten Piemont von Süden her. Viktor Amadeus III. fragte in Paris nach dem Preis eines Sonderfriedens, fand ihn zu hoch: Zustimmung zur Annexion von Savoyen und Nizza, gegen die vage Aussicht auf eine Entschädigung durch das österreichische Mailand, das die Franzosen erst hätten erobern müssen. Sardinien-Piemont blieb – bis auf weiteres – an der Seite Österreichs.

Das war die Lage, als Rittmeister Radetzky im Februar 1796 als Adjutant des Feldzeugmeisters Beaulieu in die Lombardei kam. Sein Oberbefehlshaber war Einundsiebzig, ehrwürdig und überständig wie das alte Österreich, das es zu verteidigen galt. Der französische Oberkommandierende war der siebenundzwanzigjährige Napoleon Bonaparte, ein General, auf den zutraf, was Radetzky an den Feldzeugmeistern vermißte: »Eine mit Klarheit gestellte Aufgabe in die Hand eines erfahrenen, geistig kräftigen Mannes gelegt und diesen an die Spitze einer für den Krieg vorbereiteten Armee gestellt, sind Bürgschaften für das Gelingen.«

BONAPARTES ITALIENISCHE ARMEE schien für ein Kriegsgelingen nicht besonders präpariert zu sein: 30 000 Mann, schlecht genährt, dürftig gekleidet, unzureichend bewaffnet. Aber ihr genialer General, nicht durch zuviel Erfahrung im Handeln gehemmt, wußte, was er wollte und wie er seinen Haufen zusammenhalten und vorwärts bringen konnte: »Ich führe euch in die fruchtbarsten Ebenen der Welt: große Städte, überreiche Provinzen werden in Eure Hände fallen!«

57 000 Mann sollten sie aufhalten, 32 000 Österreicher unter Beaulieu und 25 000 Piemontesen unter Colli. Es gab weder ein gemeinsames Oberkommando noch einen verbindlichen Operationsplan. Generalquartiermeister, also Generalstabschef, war Oberst Anton von Zach, vormals Mathematikprofessor, Verfasser von Schriften wie *Die Elemente der Manövrierkunst* und *Von der Feldbefestigung* – ein angesehener Militärtheoretiker, aber alles andere als ein Militärpraktiker.

Der dreißigjährige Rittmeister Radetzky, der Grünschnabel im

Hauptquartier, kritisierte alles und jeden: Den Generalstabschef, der sich »nie mit dem höheren Kriegswesen befaßt« und »in den Jahren schon weit vorgerückt sei« – er war Neunundvierzig. Die Generalstabsoffiziere, »denen es platterdings an Fähigkeit, kräftigem Willen und Dienstkenntnis gebrach«. Diesen und jenen kommandierenden General, der glaubte, »seine Pflicht zur Genüge geleistet zu haben, wenn er seine in den verschiedenen Schlachten verteilten Truppen mit seiner Hauptmacht vereinigen und den Rückzug antreten konnte«. Und den Oberbefehlshaber selber, Beaulieu, der sich für einen Caesar hielt: »Sehen, schlagen und siegen, das ist meine Sache!«

Beaulieu ergriff denn auch die Offensive, stieß nach Ligurien vor, in »wütender Kühnheit«, wie Bonaparte zweideutig lobte. Bei Voltri, in der Nähe von Genua, besiegte er am 10. April 1796 eine französische Brigade. Radetzky zeigte dabei, daß er nicht nur kritisieren, sondern auch richtig handeln konnte. Er umging mit seiner Kolonne den Feind und trieb ihn zurück. Er könne den Rittmeister, der »die Truppen zum Angriff aufmunterte«, so Beaulieu, »nicht genug anrühmen«.

Von da an gab es kaum mehr Rühmenswertes zu berichten. Bonaparte schlug zurück, besiegte die Österreicher bei Montemotte, die Piemontesen bei Millesimo. König Viktor Amadeus bat den republikanischen General um Waffenstillstand, verzichtete im Separatfrieden auf Savoyen und Nizza, lieferte seine Festungen aus, ließ den Franzosen freien Durchmarsch.

Die Österreicher retirierten in die Lombardei, Bonaparte stieß nach, so schnell, daß die Brücke über die Adda bei Lodi nicht mehr rechtzeitig zerstört werden konnte. »Alles war auf die Abbrennung der Brücke berechnet«, berichtete Radetzky, »die Truppen rechts und links derselben aufgestellt, aber die Besetzung der Insel nahe seitwärts der Brücke vergessen worden. Der Feind, diesen Umstand benutzend, okkupierte dieselbe und feuerte von dort aus lebhaft auf die zum Anzünden der Brücke aufgestellte Mannschaft, in demselben Augenblick, als die französische Kolonne im Sturmschritt über die Brücke defilierte, so daß diese ungeachtet unseres lebhaften Feuers nicht mehr angezündet werden konnte und der Feind unsere aufgestellten Truppen teils niedermetzelte, teils samt dem Geschütze gefangennahm.«

Bonaparte zog in Mailand ein, erhob eine Kontribution von zwanzig Millionen Lire, beschlagnahmte Kirchenschätze und Kunstwerke, ließ Freiheitsbäume aufrichten, an denen die italienische Trikolore gehißt wurde – unter der französischen Trikolore.

Die Österreicher zogen sich an den Mincio zurück, erwarteten den Feind in Kordon-Aufstellung, 20 000 Mann verzettelt zwischen Gardasee und Mantua. Man war wieder auf die bloße Verteidigung nach nicht bewährter Methode verfallen.

Der Versuch Radetzkys, die Defensive wenigstens an einem Punkt und für kurze Zeit offensiv zu führen, blieb eine Episode. Mit zwei Eskadronen Husaren und einer Kavalleriebatterie warf er sich der Vorhut der auf Vallegio anrückenden Franzosen entgegen, auf dem rechten Mincio-Ufer, das von der österreichischen Nachhut bereits aufgegeben worden war. Im Reiterkampf fielen drei Offiziere und 37 Husaren, der Rest wich auf das linke Ufer zurück; Radetzky mußte den Mincio durchschwimmen. Immerhin hatte er den Feind so lange aufgehalten, daß sein in Vallegio krank im Bett liegender Oberbefehlshaber Beaulieu in einem Wagen weggeschafft werden konnte.

Die Reste der österreichischen Armee verzogen sich ins Etschtal, wo sie ein neuer Oberbefehlshaber erwartete: der k. k. Feldmarschall Dagobert Siegmund Graf von Wurmser, ein gebürtiger Elsässer, der aus den Diensten des Königs von Frankreich in die des Kaisers übergewechselt war und einige Erfolge gegen die französischen Republikaner erzielt hatte. Inzwischen war er Zweiundsiebzig geworden, erschien wie ein letztes Aufgebot. Einen »ganz abgelebten Greis« sah Radetzky vor sich, »gehörlos, alt und ohne Willen«. Immerhin hatte er noch so viel Energie, daß er den Generalstab umkrempelte. Radetzky – inzwischen Major – kam in die Detailkanzlei. Ihn zog es zur Truppe zurück, zum Pionierkorps, zu dessen Kommandant er kurz vorher ernannt worden war. Es bestand erst aus vier Kompanien, aber es war eine Waffengattung, die Zukunft hatte.

Die Generals-Gerontokratie operierte wie gehabt. Die Festung Mantua, in der sich eine österreichische Besatzung hielt, sollte entsetzt werden. Der erste Vorstoß scheiterte, auch der zweite, worauf sich Wurmser nicht mehr anders zu helfen wußte, als sich selber in die Festung zu werfen, die er eigentlich von der Umzingelung hätte befreien sollen. Der Festungskommandant erhob vergebens Einspruch: Man könne schon die vorhandenen 16 000 Mann kaum mehr verpflegen, geschweige denn den Zuwachs von 20 000 Mann. Bald zahlte man zehn Kronen für eine Portion Katze. Ausfälle gegen die zahlenmäßig weit schwächeren Franzosen wurden unternommen, aber nicht, um die Belagerer zu vertreiben, sondern um die Belagerten zu verproviantieren.

Auch Radetzky saß in Mantua fest. Seine Pioniere verstärkten Verschanzungen und schlugen Brücken für die Ausfälle. Inzwischen schmolzen die Belagerten durch Seuchen zusammen. Zwei österreichische Heere, die zum Entsatz heranrückten, wurden von Bonaparte geschlagen: bei Arcole und bei Rivoli. Am 3. Februar 1797 kapitulierte die seit 7. Juni 1796 eingeschlossene Festung. Von den Österreichern war nur die Hälfte übrig geblieben; die Verluste betrugen 16 333 Mann und 3828 aufgegessene Pferde. Der Rest erhielt freien Abzug, davon 500 Mann und 200 Reiter mit Waffen und Bagage. Wurmser und Radetzky waren darunter.

Der Feldmarschall wurde vom Kaiser Franz II. geehrt, von Major Radetzky kritisiert: Er habe ohne festen Plan operiert, mit zersplitterten Kräften und zu langsamen Bewegungen. »So wurden in einem Zeitraum von nicht ganz zehn Monaten dem Hause Österreich die ganze Lombardei, drei Armeen und Mantua, das letzte Bollwerk in Italien, verloren.«

Schon hatte Bonaparte, auf dem Marsch nach Wien, Villach und Klagenfurt passiert. Da schlossen die um ihre Hauptstadt bangenden Kaiserlichen am 18. April 1797 den Vorfrieden von Leoben, dem ein halbes Jahr später der Friede von Campo Formio folgte. Österreich verzichtete auf Belgien und die Lombardei, erhielt das Gebiet von Venedig.

Österreich verlor seine Vormachtstellung in Italien, doch seine Diplomaten gratulierten sich, das Beste aus einer verlorenen Sache gemacht zu haben. Italienische Patrioten beklagten das Los ihrer venetianischen Brüder, begrüßten die Cisalpinische und die Ligurische Republik als Urkantone eines nationalen Verfassungsstaates und verdrängten den Umstand, daß sie zu Satelliten des französischen Imperiums geworden waren.

Der k. k. Major Graf Radetzky war unzufrieden, mit Freund und Feind, konnte jedoch nicht umhin, Bonaparte Respekt zu zollen, dessen jugendlicher Tatkraft und frischem Zupacken. Wenn auch Hofräte und Feldzeugmeister das nicht begreifen mochten – er nahm sich vor, von einem solchen Gegner einiges zu lernen.

Im Friedensjahr 1798 vermehrte er sein militärisches Wissen und vergrößerte sein Pionierkorps, mit dem er in Venetien Straßen baute und Befestigungen errichtete.

Und der Einunddreißigjährige vermählte sich am 22. April 1798 mit der siebzehnjährigen Franziska Romana, Tochter des Grafen Leopold Strassoldo-Graffenberg. 1799 kam das erste Kind, Josef Franz, dem sieben weitere folgen sollten.

Siebzehnhundertneunundneunzig war schon wieder Krieg. Österreich, Rußland, England, Portugal, Neapel und die Türkei hatten die zweite Koalition gegen das immer noch revolutionäre und schon imperialistische Frankreich gebildet. Die Gelegenheit schien günstig: Bonaparte war in Ägypten engagiert, was zumindest in Italien – neben den Niederlanden, Süddeutschland und der Schweiz Hauptschauplatz des Krieges – den Verbündeten Erleichterung, wenn nicht Erfolg versprach.

Und die Russen kamen nach Oberitalien, 35 000 Mann, Kosaken, die mit ihren Pferden verwachsen schienen, und Infanteristen, die für den Bajonettangriff gedrillt waren. Ihr Oberbefehlshaber war Generalfeldmarschall Alexander Wasiljewitsch Graf Suworow, ein siebzigjähriger Veteran des Siebenjährigen Krieges und der Türkenkriege, doch immer noch ein »Marschall Vorwärts«, ein respektabler Feldherr und respektierter Soldatenvater, und ein Russe, der Franzosen Abscheu und Schrecken einjagte: Er aß Rettich mit Essig und Öl, trank mit allen aus einer Branntweinflasche, schlug in jedem Quartier mit der Faust die Spiegel ein, weil er sich selber nicht mehr sehen und leiden mochte.

Der Kaiser in Wien machte ihn in der Not zum Feldmarschall und Oberkommandierenden der russisch-österreichischen Armee. Er unterstellte ihm den k. k. General Michael von Melas, einen Siebziger, der ein Feldherr der alten Schule geblieben war und gegen den unkonventionellen und unberechenbaren Suworow einen Stabskrieg zu führen begann.

Er sehe Suworow kaum, und wenn er ihn sehe, käme er nicht

zum Reden, beschwerte sich Melas am 26. April 1799 beim Hofkriegsratspräsidenten in Wien. Die Russen machten, was sie wollten, plünderten nicht nur die italienische Bevölkerung, sondern auch ihre österreichischen Verbündeten aus. Um »der täglich sich vergrößernden Unordnung« einigermaßen entgegenwirken zu können, brauche er Rückhalt in Wien und ein paar ordentliche Männer in seiner Umgebung, beispielsweise den Grafen Radetzky, um dessen Ernennung zum Oberstleutnant und Generaladjutanten er bitte.

Das sei »wenig vergnüglich«, befand Kaiser Franz, doch einen Generaladjutanten könne er Melas nicht geben, weil ihm, »da er nicht en chef kommandiere, kein Generaladjutant zustehe«. Am 11. Juni 1799 wurde Radetzky unter Beförderung zum Oberstleutnant dann doch Generaladjutant, aber Melas hatte nach wie vor zu klagen: »Ich finde mich in der schrecklichsten Lage meines Lebens, muß die von oben veranlaßte Unordnung ungestraft geschehen lassen und die herrlichsten Siege mit den empfindlichsten Folgen mir entrissen sehen.«

Denn anzugreifen verstanden diese Russen, und die Österreicher mitzureißen, von Sieg zu Sieg, deren Lorbeeren sie für sich allein beanspruchten. Radetzky tat das Seine, damit die Österreicher nicht ganz leer ausgingen. Seine Pioniere sorgten bei Cassano für einen reibungslosen Übergang über die Adda, so daß die Österreicher am 27. April 1799 noch vor den Russen in Mailand waren. Vor den Toren erwartete sie der Erzbischof an der Spitze einer Deputation. »Mehr herzliches Entgegenkommen«, berichtete Radetzky, »mehr Händedrücken und häufigeres Abwischen des Schweißes von den Gesichtern der Grenadiere durch festlich Angezogene des schönen Geschlechtes und größere Geld- und Weinspenden mögen wohl selten einer Truppe zuteil geworden sein.«

Am 27. Mai war man in Turin, wobei sich Radetzky um die Turiner verdient machte: Er veranlaßte die von der Zitadelle auf die Stadt schießenden Franzosen zur Einstellung des Feuers. In der Schlacht an der Trebbia, vom 17. bis 19. Juni, führte Radetzky eine Kolonne in den Rücken der Franzosen, was den Russen und Österreichern den Sieg ermöglichte.

Melas beantragte für ihn den Maria-Theresien-Orden, mit der

Begründung: »Radetzky hat unausgesetzt Beweise seines militärischen Talents und seiner Bravour ... gegeben, ... daß er mir in den Dispositionen auf dem Champ de Bataille, wo der unbefangene Mann die meiste Geistesgegenwart verraten muß, die wesentlichsten Dienste geleistet und durch seine behende und geübte Übersicht des Ganzen meine Aufmerksamkeit auf mehrere Punkte gezogen, wo nur durch eine plötzliche Hilfe auffallender Nutzen verschafft werden konnte. Ich kann den Eifer, mit welchem er die vorrückenden Truppen an ihrer Spitze auf die gefährlichsten Punkte brachte und bei welcher Gelegenheit ihm auch ein Pferd getötet wurde, nicht genug rühmen.«

Am 15. August 1799 siegten Suworow und Melas bei Novi – und Radetzky zeichnete sich wiederum aus. Er riet zu einem Umgehungsmanöver, führte den Rat selber aus, indem er zwei Brigaden in die rechte Flanke des Feindes brachte und ihn zum Rückzug zwang. Dafür erhielt Radetzky – doch erst am 18. August 1801 – das Ritterkreuz des Militär-Maria-Theresien-Ordens. Am 5. November 1799 – drei Tage nach seinem dreiunddreißigsten Geburtstag – wurde er zum Obersten befördert.

Oberitalien war den Franzosen entrissen. Die Russen rückten in die Schweiz ab, ließen die Österreicher allein zurück, die sich wieder untereinander streiten konnten. Der Generaladjutant und der Generalquartiermeister gerieten sich in die Haare. Radetzky riet von einem Winterfeldzug über die Apenninen an die ligurische Küste ab, Zach wollte stante pede an die Riviera. Der Generaladjutant hatte zwar das Ohr des Oberbefehlshabers, der Generalquartiermeister aber einen Brief aus Wien, in dem die unverzügliche Fortsetzung des Krieges gefordert wurde. Melas bot seinen Rücktritt an, der Kaiser nahm ihn nicht an, entschied jedoch, »den Feldzug an die Riviera bis zu einem tunlicheren Moment zu verschieben.«

So wurde erst wieder im April 1800 marschiert, von Erfolg zu Erfolg: Genua wurde eingeschlossen, Nizza erreicht. Schon dachte Melas daran, über den Var zu gehen, in die Provence einzufallen.

Da stellte sich heraus, daß weder der Zeitpunkt der Operationen tunlich noch die gewonnenen Positionen günstig waren. Am 8. Oktober 1799 war Bonaparte aus Ägypten zurückgekommen, am 9. November 1799 hatte er in Paris das Direktorium gestürzt und sich zum Ersten Konsul erhoben. Mitte Mai 1800 stieg er mit einer neuen Armee über die Alpen, in die Poebene hinab. Am 2. Juni war er in Mailand – im Zentrum Oberitaliens, im Rücken der an der Riviera stehenden Österreicher. Sie eilten zurück, einer entscheidenden Niederlage entgegen.

Bei Marengo in Piemont, in der Nähe von Alessandria, stieß Melas am 14. Juni 1800 auf Bonaparte. Es kam zu einer Schlacht, die in die Kriegsgeschichte einging: als Musterbeispiel der Unterlegenheit eines Heeres des Ancien régimes gegenüber einer Revolutionsarmee.

Die französischen Soldaten waren Wehrpflichtige, die als freie Bürger für ihr gemeinsames Vaterland kämpften, Freiwillige, die nicht nur die Ideen von 1789 verbreiten, sondern auch Frankreich vergrößern wollten. Bonaparte hatte allen Ruhm und Beute versprochen, und jedem gesagt, er trage den Marschallstab im Tornister, könne bei Frontbewährung bis zum höchsten Rang aufsteigen. Dem neuen Geist entsprach eine neue Taktik: Als Individuen angesprochene und behandelte Soldaten konnten als Schützen, Plänkler, Tirailleurs eingesetzt werden, in zerstreuter Ordnung, in aufgelockerter Schützenlinie, im Schützenschwarm – jeder einzelne ein Einzelkämpfer, der im Rahmen der gegebenen Befehle aus persönlicher Initiative und in eigener Verantwortung handelte.

Die österreichischen Soldaten waren Söldner, die zwar zur Fahne geschworen hatten, aber an dem, wofür diese Fahne stand, Monarchie und Feudalherrschaft, nicht sonderlich interessiert waren, dafür sich nicht besonders engagieren wollten. Im Frieden mußten sie durch monotonen Drill und drakonische Strafen diszipliniert werden, im Krieg konnte man sie nur in befohlener Richtung, geschlossenen Reihen, in gleichem Schritt und Tritt avancieren lassen. Und da die Kommandierenden das alte Miteinander für wirksamer hielten als das neue Durcheinander, blieben sie siegessicher.

Noch am Vorabend der Schlacht bei Marengo hieß es im Armeebefehl des k. k. Generals Melas: »Es wird sich hauptsächlich darum handeln, mit konzentrischen Kräften dem Feind entgegenzugehen, folglich sich auf keine Art in Plänkler aufzulösen, sondern selbst in Verfolgung des fliehenden Feindes, der selbst in der Flucht sich sammelt und seinen Angriff erneuert, geschlossen zu bleiben. Ich befehle es ausdrücklich, daß unter keinem Vorwand die Fahnen aus dem Treffen geschickt, sondern, es mag was für immer ein Wetter sein, mit fliegenden Fahnen und klingendem Spiel vorgerückt werden soll . . .«

Verfasser dieses Armeebefehls war Generaladjutant Radetzky. Er konnte sich von der alten Taktik nicht lösen, versuchte jedoch, sie à la Bonaparte zu beleben: Der »mühsam erworbene Ruhm einer so ausgezeichneten Armee« gründe sich nur auf »Mut, Tapferkeit und Standhaftigkeit«. Das Vaterland sei in Gefahr, müsse von jenen gerettet werden, die »zu den Fahnen geschworen« haben – durch eine entschlossen en front vorrückende Truppe, mit anfeuernder Militärmusik und flatternden Feldzeichen.

So marschierte denn auch – am Morgen des 14. Juni 1800 – das österreichische Heer den Franzosen entgegen. Der Feind zog sich auf den Meierhof Marengo zurück, fand Deckung im Fontanove-Graben. Daran brach sich der Frontalangriff.

Radetzky, von Anfang an auf Umgehungsmanöver bedacht, unternahm eine Flankenbewegung. Er entdeckte – mit Hauptmann Anton Graf Hardegg – eine Grabenstelle, an der man unbemerkt in die Seite des Feindes gelangen konnte. Pioniere stiegen in den Graben, dessen Wasser ihnen bis zur Brust reichte, stellten sich hintereinander auf, jeder legte die Hände auf die Schultern des Vordermannes, alle beugten die Köpfe nieder – und über diesen lebendigen Steg und weitere nach diesem Muster gebildete Stege drang Infanterie mit trockener Munition und intaktem Gewehr in die Flanke des Feindes.

Um die Mittagsstunde konnte Kavallerie zum entscheidenden Stoß ansetzen, die Franzosen zurückwerfen. An der Seite von Melas ritt Radetzky, dessen Rock von fünf Kugeln durchlöchert wurde, der das Pferd unter dem Leibe verlor. Ein Sieg über Bonaparte war errungen, und die Österreicher gedachten ihn zu genießen. »Die Affaire ist zu Ende«, erklärte Melas und begab sich um ein Uhr in sein Quartier nach Alessandria. Generalquartiermeister Zach triumphierte: »Nun, da haben wir ja den großen Bonaparte, wo ist denn dieses seltene Genie?«

Ein paar Stunden später war er wieder da. Verstärkt durch die unverbrauchte Division Desaix, fiel Bonaparte über die siegestrunkenen Österreicher her, schlug sie in die Flucht. Sie verloren an diesem 14. Juni 1800 nicht nur 238 Offiziere und 9000 Mann, sondern auch – nach den von Bonaparte diktierten Bedingungen des Waffenstillstands vom 15. Juni – das im Feldzug von 1799 Errungene: Ligurien, Piemont und die Lombardei.

Napoleon Bonaparte hatte sich wiederum als Feldherr bewährt und seine neue Stellung als Erster Konsul gefestigt. Und eine gastronomische Legende geschaffen. Um den Sieger zu sättigen, habe sein Koch alles, was er in dieser beinahe kahlgefressenen Gegend Piemonts auftreiben konnte, zu einem Gericht komponiert: Hühner, Eier, Flußkrebse, Tomaten, Olivenöl, Knoblauch und Anchovis. Das »Poulet Marengo« war kreiert, eine selbst für Österreicher nicht unangenehme Erinnerung an ein für sie unglückliches Ereignis.

Melas, der Feldherr ohne Fortune, wurde des Oberkommandos enthoben. Generalquartiermeister Zach war in französische Gefangenschaft geraten. Generaladjutant Radetzky wurde zur Armee in Deutschland versetzt.

Die Abberufung seines Generaladjutanten sei mit dem Schein einer Allerhöchsten Ungnade und Bestrafung verbunden, die dieser brave Offizier nicht verdient habe, schrieb Melas an den Kaiser. Und ersuchte ihn, auf Radetzkys Schicksal »allergnädigste Rücksicht zu nehmen«, ihn »Eurer Majestät Allerhöchster Huld und Gnade anempfohlen sein zu lassen«.

In die Akten des Wiener Kriegsarchivs kam Radetzkys Beurteilung: »Ein geistvoller, unternehmender Mann, ein in jeder Rücksicht vollkommener Offizier, voll Tätigkeit in seinem Bureau sowie auf dem Schlachtfeld, kühn und unerschrocken, dabei voll Leutseligkeit, wodurch er sich die Liebe der ganzen Armee erwarb, und wenn er nicht den durchdringenden Verstand der anderen hatte, so war sein Äußeres doch empfehlend, auch war Radetzky mehr im eigenen Verstand Krieger, und wenn man an ihm etwas zu tadeln hatte, so war es dieses, daß er zu vielen Leuten ein Gehör gab und zu sehr jedermanns Freund war.«

So sollte er sein ganzes Leben lang bleiben, dieser österreichische Graf und österreichische Soldat – so wie der Vierunddreißigjährige nach den Lehrjahren in Italien auf einem anderen Kriegsschauplatz einen neuen Abschnitt begann, der von Napoleon Bonaparte bestimmt blieb.

# *Napoleon triumphiert*

Der Abschied von Oberitalien fiel ihm nicht leicht, vom Felde seiner Waffentaten und auch von seiner jungen Frau. Sie hatten freilich meist getrennt gelebt; die Schwiegermutter, die ihre Tochter nicht schnell genug unter die Haube bringen konnte, war dagegen gewesen, daß sie wie eine bessere Marketenderin durch die Feldlager zog. Ins Elternhaus zurück wollte hinwiederum die junge Frau nicht. Sie begab sich nach Verona, »wo unsre Barschaft zugesetzt werden mußte«, zunächst tausend, dann zweieinhalbtausend Dukaten – keine allzu große Summe, doch alles, was sich der Gatte erspart hatte.

Oberst Radetzky übernahm das Kommando des 3. Kürassierregiments Herzog Albert von Sachsen-Teschen, das bei Steyr in Oberösterreich lag. Er war nun wieder bei seiner Stammwaffe, der Kavallerist, der auch als Generalstabschef stets zu Reiterstückchen aufgelegt geblieben war. Aber er gehörte zur Cavalleria austriaca, die in der nächsten Zeit mehr Rückzüge zu decken als Attacken zu reiten hatte.

Die Franzosen unter Moreau waren durch Süddeutschland bis München vorgedrungen. Nach einem mehrmonatigen Waffenstillstand machten sie sich auf den Marsch nach Wien. Der achtzehnjährige Erzherzog Johann sollte sie aufhalten, ein Bruder des Kaisers Franz, der es später zwar bis zum von der deutschen Nationalversammlung in Frankfurt gewählten Reichsverweser bringen, doch nie ein Feldherr werden sollte.

Bei Hohenlinden, unweit von München, wurden die Österreicher unter Erzherzog Johann von den Franzosen unter Moreau vernichtend geschlagen, am 3. Dezember 1800. Der Kürassieroberst Radetzky vermochte auch in der Niederlage wieder Lorbeeren zu sammeln. Er attackierte mit Bravour, was jedoch das Blatt nicht wenden konnte, ihm jedoch eine Belobigung seines

Divisionärs, des Feldmarschalleutnants Fürst Johann Liechtenstein eintrug: seines Mutes beim Angriff wie seiner Umsicht beim Rückzug.

Es schneite, als die geschlagenen Österreicher Richtung Heimat abmarschierten, von den Franzosen verfolgt, bis Salzburg und Linz. Von den 60 000 Mann, die bei Hohenlinden gefochten hatten, waren nur 25 000 Mann übriggeblieben. Es existiere überhaupt keine Armee mehr, »sondern nur Reste von aufgelösten und versprengten Bataillons und Regimentern«. Dies konstatierte Erzherzog Karl, der neunundzwanzigjährige Bruder des Kaisers Franz, der einzige in der Familie, der militärisches Talent besaß, sich als Feldherr bereits bewährt hatte – und nun als Oberbefehlshaber Wien vor den Franzosen retten sollte.

Mit einem solchen Haufen sei das nicht möglich, erklärte er dem kaiserlichen Bruder. »Die Truppe bleibt vor dem Feind gar nicht mehr stehen, und sie könnte zum Halten keineswegs mehr gebracht werden.« Es blieb nichts anderes übrig, als – am 20. Dezember 1800 – den Waffenstillstand von Steyr und – am 9. Februar 1801 – den Frieden von Lunéville zu schließen. Der Friede von Campo Formio, dessen für Österreich ungünstige Bedingungen man hatte revidieren wollen, wurde bestätigt. Darüber hinaus mußte auf das Großherzogtum Toskana zugunsten von Parma verzichtet und der Rhein als Grenze zwischen Frankreich und Deutschland anerkannt werden.

Bei der Lage der Dinge bleibe »vorderhand nichts anderes übrig, als alles und alles anzuwenden, um in die Truppe einen anderen Geist, andere Stimmung zu bringen«, erklärte Erzherzog Karl, und ging – nun Feldmarschall, Hofkriegsratspräsident und Kriegsminister – daran, das österreichische Heerwesen zu reformieren.

Er begann die notwendige »Reform an Haupt und Gliedern« beim Haupte. Der Hofkriegsrat – laut Suworow eine Schildkröte, die man nicht in ein Rennpferd verwandeln könne – wurde dem Kriegsministerium eingegliedert. Und der Zopf wurde abgeschafft, das Sinnbild militärischer Sinnlosigkeit, für den nun auf die Vierzig zugehenden Radetzky freilich auch eine, wenn auch zwiespältige Reminiszenz an seine alte Soldatenzeit: »Da habe ich manche Nacht mit der Stirne auf meinen Stock gestützt zugebracht, damit mein Zopf schön bleibt. Ich war auch einmal eitel auf meinen langen Zopf, da er aber die vorgeschriebene Länge überschritt, mußte ich mich immer nach vorne beugen, wenn man mit einem Maße die Länge des Zopfes kontrolliert hat.«

Nun war das von ihm befehligte Kürassierregiment das erste Reiterregiment, das ohne Zopf daherritt, bei der Vorführung der neuen »Ideen für das Manövrieren der Infanterie und Kavallerie« auf der Simmeringer Heide. Die »Sachsen-Kürassiere« galten als Musterregiment, ihr Oberst – der 1801 aus der Hand des Kaisers das Ritterkreuz des Militär-Maria-Theresien-Ordens erhalten hatte – als ein Musterkommandant.

Nach Ödenburg in Ungarn, westlich vom Neusiedlersee, wo das 3. Kürassierregiment Herzog Albert zu Sachsen-Teschen in Garnison lag, kamen Abordnungen anderer Kavallerieeinheiten, um vom Lehrregiment zu lernen. Sie sahen Verbesserungen auf dem »Gebiet der Reiterei, Zäumung, Sattlung und Deckung«, praktischen wie theoretischen Reitunterricht in der ersten gedeckten Reitschule Ungarns, und ein Lesekabinett für Offiziere, den Kern einer Regimentsbibliothek.

Und Radetzky mußte von Ödenburg nach Wien reisen, berufen in eine Kommission, die sich mit Reformen bei der Reiterei befaßte. Sein Regiment, in dem das verbesserte Exerzieren und Manövrieren erprobt wurde, durfte vor Kaiser Franz paradieren, in Preßburg und in Laxenburg.

Der Oberst in Ödenburg tat das Seine, die Friedenspause zu nutzen, die Armee für einen neuen, unvermeidlichen Krieg mit Frankreich instandzusetzen. Mit Sorge sah er indessen, daß Erzherzog Karl – dem es nicht an Durchblick, doch an Durchsetzungsvermögen mangelte – im ersten Anlauf steckenblieb.

Es genügte nicht, die Militärverwaltung zu reorganisieren, das Militär selber mußte reformiert, angepaßt werden an die neue Gefechtsausbildung und Gefechtstaktik der Franzosen, mit Anleihen bei jenem Geist, der nicht nur das Staatswesen, sondern auch die Kriegsführung revolutioniert hatte. »Nebstbei war die Erhaltung und Förderung des in unserem Stand so unerläßlichen Gemeingeistes, der nebst der Liebe zum Vaterland und der Treue zum Monarchen allein zu großen Taten begeistert, einer jener Gegenstände, dem er die vollste Aufmerksamkeit widmete« – so interpretierte ein späterer Generalskamerad, Friedrich Heller von Hellwald, die damaligen Intentionen Radetzkys.

Eine Neuschöpfung der österreichischen Armee, an welcher der Regimentskommandeur in seinem kleinen Wirkungskreis mitzuwirken versuchte, kam nicht zustande. Man wußte, daß man Neues wagen mußte, wenn man überleben wollte. Aber man getraute sich nicht so recht an das Alte heran, nicht an das Gewohnte beim Militär und schon gar nicht an das Überkommene in Staat und Gesellschaft. Man verlegte die Neuschöpfung lieber in das Reich der Kunst, wo man sie ohne Reue genießen konnte.

Es war symptomatisch: Auch in der Kleinstadt Ödenburg wurde Joseph Haydns Oratorium »Die Schöpfung« aufgeführt, von der »Adeligen Musikgesellschaft«. Das Paradies wurde besungen, das man nicht verlieren wollte. Die Rolle der Eva hatte die Gräfin Radetzky übernommen, die Gemahlin des Regimentskommandeurs.

DIE ALTE WELT geriet derweilen aus den Fugen. Am 2. Dezember 1804 krönte sich Bonaparte als Napoleon I. zum Kaiser der Franzosen, »par la grace du Dieu«, was eine Geste gegenüber den Franzosen war, die nach wie vor an Gott glaubten und nun dem Imperator als dem von ihm Gesandten und Gesalbten gehorchen sollten. Und »par la volonté nationale«, durch den Willen des Volkes, was gleichzeitig eine Absage an den Radikalismus der Französischen Revolution war wie ein Bekenntnis zu ihren bleibenden Errungenschaften.

Das neue Imperium sollte sich auf den Trümmern des alten erheben, des Heiligen Römischen Reiches Deutscher Nation. Napoleon hatte ihm, am Rhein und in Oberitalien, Grenzen gesetzt; nun ging er daran, das immer noch respektable Verbliebene zu zerstören.

Der erste Streich war der Reichsdeputationshauptschluß von 1803. Die Bezeichnung war ein Omen. Eine Reichsdeputation war ein zur Erledigung bestimmter Angelegenheiten ernannter, von Delegierten der Reichsstände beschickter Ausschuß. Ihre Beschlüsse wurden Reichsgesetz. Der Reichsdeputationshauptschluß vom 25.

Februar 1803 machte Schluß mit Existenzbedingungen des römisch-deutschen Reiches: geistlichen Herrschaften und freien Reichsstädten, die weltlichen Landesherren zugeschlagen wurden, als Entschädigung für Gebiete, die sie auf dem linken Rheinufer an Frankreich verloren hatten.

Es war nicht nur ein Umbruch der Landkarte, es war ein Umsturz der Reichsverfassung, so etwas wie eine deutsche Revolution. Die Landesherren, seit jeher Gegenspieler von Kaiser und Reich, näherten sich ihrem Ziel, der vollen Fürstensouveränität. Ihre Länder wurden zu Staaten, zunächst mit indirekter und dann mit direkter Hilfe Napoleons. Sie konnten sich dabei auf den Geist der Zeit und Erfordernisse des neuen Jahrhunderts berufen – auch wenn sie längst nicht alles, was in Frankreich theoretisiert und praktiziert wurde, zu übernehmen gedachten.

Der Kaiser in Wien stand auf verlorenem Posten. Das Heilige Römische Reich Deutscher Nation war ein Relikt des Mittelalters, das nun zur Ruine wurde. Der Habsburger trennte sich ungern von der alten Würde, auch wenn sie zunehmend zur Bürde geworden war. Aber auch er wollte den Anschluß an die neue Entwicklung nicht versäumen, zumal sie für den Herrscher Österreichs, wenn auch nicht für den römisch-deutschen Kaiser, Vorteile versprach.

Der Habsburger, der beides war, schaute wie sein Wappentier, der Doppeladler, nach zwei Seiten. Einerseits beanspruchte er noch Titel und Mittel eines römisch-deutschen Kaisers. Andererseits bereicherte auch er sich an der Konkursmasse des römisch-deutschen Reiches, betrieb alte Hauspolitik wie neue Staatspolitik. Und proklamierte sich am 11. August 1804 zum »Kaiser von Österreich und Teutschland«.

Aus dem Miteinander von Österreich und dem Reich war ein Nebeneinander geworden, wobei der ambivalente Kaiser wußte, daß das zweite dem Tod geweiht war und das erste erhalten werden mußte und konnte: als österreichischer Kaiserstaat.

Ohne Krieg schien das angesichts eines zum Dauerkrieg entschlossenen Napoleons kaum möglich zu sein. Rußland und Großbritannien boten sich als Koalitionspartner an. Erzherzog Karl warnte den kaiserlichen Bruder: Erstens, die österreichische Armee sei noch nicht wieder kampffähig. Zweitens, die französische Armee sei zu stark, mittels eines »eisernen Konskriptionsgesetzes«, das »keine Rücksichten auf Stände und Verhältnisse nimmt und keine Exzeptionen kennt – ein System, welches in dem Umfange Euer Majestät in Allerhöchstdero Staaten nie einführen werden«. Drittens, auf Rußland und Großbritannien sei kein Verlaß. Ergo: Es gelte den Frieden mit Frankreich zu erhalten und die Friedenszeit zu einer Reorganisation Österreichs zu nützen, damit man eines Tages mit Aussicht auf Erfolg gegen Frankreich antreten könnte.

Doch Kaiser Franz, der im Bruder einen Jakobiner witterte, schlug die Warnung in den Wind. Er entmachtete den Reformer und entwertete die Reformen, reaktivierte beziehungsweise galvanisierte den Hofkriegsrat, baute auf Rußland und Großbritannien, und rüstete – so recht und schlecht, wie es im erschöpften Österreich möglich war.

Im September 1805 brach der dritte Koalitionskrieg aus. Die österreichische Hauptarmee marschierte, ohne auf die Russen zu warten, donauaufwärts, den Franzosen entgegen. Das Kommando hatte der Kaiser übernommen, überließ es jedoch seinem Generalquartiermeister, dem Feldmarschalleutnant Mack. Der Feldmarschall Erzherzog Karl wurde auf den Nebenkriegsschauplatz in Italien abgeschoben.

Auch der Oberst Radetzky hatte sich nach Italien zu verfügen, wo er – unter Beförderung zum Generalmajor – das Kommando einer leichten Brigade übernahm: zwei Bataillone Warasdiner Kreutzer, zwei Bataillone Oguliner, acht Schwadronen des 5. Husarenregiments und eine Kavalleriebatterie, insgesamt 5000 Mann. Der neununddreißigjährige Radetzky war glücklich, daß er die Vorhut übernehmen, wieder Reiterstückchen unternehmen konnte. Zunächst stand er auf Vorposten an der Etsch, zwischen Legnago und Masi. Und da er es nicht erwarten konnte, an den Feind zu kommen, stieß er auf eigene Faust vor, durchschwamm mit einer Handvoll Husaren den Fluß, überfiel einen französischen Posten und brachte dreißig Gefangene zurück.

Seine Vorgesetzten hätten es lieber gesehen, wenn er Aufgaben wahrgenommen hätte, die einem Generalmajor eher anstanden. Doch Radetzky wollte weder dem britischen General Moore bei dessen geplanter, aussichtsloser Invasion in der Bretagne als

Generalstabschef beigegeben, noch als österreichischer Militärbevollmächtigter ins russische Hauptquartier abkommandiert werden. Er wollte als Reitergeneral seinen Mann stehen.

Inzwischen hatte Napoleon die österreichische Donauarmee vernichtet. Mack war ihm bei Ulm in die Falle gelaufen, mußte am 17. Oktober 1805 mit 23 300 Mann kapitulieren. Der Sieger urteilte: »Mack ist einer der untauglichsten Menschen, die es gibt. Und dazu kommt noch, daß er Unglück hat.« Sein eigener Kaiser ließ den General, der in seinem Namen den Oberbefehl so unfähig und unglücklich ausgeübt hatte, durch ein Kriegsgericht zum Tode verurteilen und begnadigte ihn zu Festungshaft.

Die in Norditalien operierende österreichische Armee wurde nun daheim gebraucht. Erzherzog Karl verschaffte sich durch seinen Sieg bei Caldiero Luft für den Rückmarsch. Radetzky wurde mit dem Ulanenregiment Erzherzog Karl vorausgeschickt, mit dem Auftrag, das Drautal vor den von Norden in die Steiermark vorstoßenden Franzosen zu erreichen und es für den Rückmarsch der Österreicher zu sichern.

»Radetzkys Raid« war noch lange Gesprächsstoff in den k. k. Offiziersmessen. Die 321 Kilometer lange Strecke von Codroipo am Tagliamento bis Marburg an der Drau bewältigte er mit seinen Ulanen in vier Tagen. An die achtzig Kilometer waren täglich zu reiten, bei Höhenunterschieden von 53 bis 882 Meter, über vereiste Wege, bei starker Bora, dem kalten Nordwind.

Und kaum waren die Ulanen in Marburg, trieb sie Radetzky weiter vorwärts, in Richtung Graz, den anrückenden Franzosen entgegen. Am 21. November 1805 warf er ihre Avantgarde an der Murbrücke bei Ehrenhausen. Die Franzosen zogen sich auf Graz zurück, in der Annahme, auf einen starken Gegner gestoßen zu sein. Sie hatten sich von Radetzkys Reiterstückchen täuschen lassen, und von den Böllerschüssen des Landsturms, den er mit Erfolg als mehr akustische denn militärische Unterstützung aufgeboten hatte.

Die aus Tirol anrückenden Truppen des Erzherzogs Johann wie die aus Oberitalien nachrückenden Truppen des Erzherzogs Karl konnten sich vereinigen, Richtung Westungarn marschieren, zur Verstärkung des russisch-österreichischen Heeres. Da kam die Nachricht, daß diese Hauptarmee der dritten Koalition am 2.

Dezember 1805 bei Austerlitz entscheidend geschlagen worden sei.

In der Dreikaiserschlacht triumphierte der Kaiser der Franzosen. Der Kaiser von Rußland, Alexander I., trat den Rückzug an. Der Hauptverlierer blieb der »Kaiser von Österreich und Teutschland«. Am 26. Dezember 1805 mußte er den Frieden von Preßburg schließen, der ihn drei Millionen Untertanen und 60 000 Quadratkilometer kostete. Venetien fiel an das neue Königreich Italien, Tirol und Vorarlberg gingen an das neue Königreich Bayern.

Habsburg war nun von Italien wie von Deutschland abgeschnitten, die beide dem französischen Imperium angestückelt wurden. Am 12. Juli 1806 schlossen sich sechzehn süd- und westdeutsche Fürsten unter französischem Protektorat zum Rheinbund zusammen, traten am 1. August 1806 aus dem Reich aus. Dem Rheinbund schlossen sich weitere dreiundzwanzig Fürsten aus Mittel- und Norddeutschland an. Und Preußen, die andere deutsche Macht, wurde noch im Jahr 1806 von Napoleon geschlagen und halbiert.

Dem »Kaiser von Österreich und Teutschland« blieb nichts anderes übrig, als Deutschland wie den deutschen Titel abzuschreiben, auf die römisch-deutsche Kaiserwürde zu verzichten, am 6. August 1806. Und sich – als Kaiser von Österreich – Franz I. zu nennen, und nicht mehr Franz II., »von Gottes Gnaden erwählter römischer Kaiser, zu allen Zeiten Mehrer des Reiches, Erbkaiser von Österreich, König in Germanien«.

Es sei spät, aber nicht zu spät, das geschlagene Österreich an Haupt und Gliedern zu reformieren, bedeutete ihm Erzherzog Karl, auf den der kaiserliche Bruder nicht hatte hören wollen und den er nun notgedrungen zum Generalissimus ernennen und zum Generalreformer bestellen mußte.

Dabei konnte er auf Radetzky zählen, der ihm schon als Regimentskommandeur in Ödenburg geholfen hatte und nun als Brigadier in Wien zur Verfügung stand.

Radetzkys Beitrag zur Heeresreform blieb auf Sonderaufgaben beschränkt, die seinem Erfahrungsbereich als Kavallerist wie seinem Wirkungskreis als Brigadier angemessen waren. Der Hofkriegsrat befand, der Herr Generalmajor habe »nicht nur bei dem Tierarzneiinstitut, sondern auch bei den übrigen in das Kavalleriefach einschlagenden Branchen die Aufsicht zu übernehmen und die Ordnung und Beförderung des Dienstes nach den bestehenden Regulamenten, Normalien und von Zeit zu Zeit ergehenden Verordnungen wohl zu handhaben«.

So wirkte er in der Kommission zur Verbesserung des »Tierarznei- und Tierspitalinstituts« und zur Errichtung der »Militärequitationsschule«, in der Pferde zugeritten und Reiter herangebildet werden sollten. Auch an der Reorganisation des Militärfuhrwesens arbeitete er mit, verfaßte eine »Instruktion für das Fuhrwesen- und Beschälerkorps«, wurde vom Hofkriegsrat für Vorschläge belobigt, die »ohne nachteilige Folgen des Ärarii«, der fast leeren Staatskasse, zu verwirklichen waren.

Weitergehende Reformen konnte er nur mit Denkschriften begleiten. Die 1808 geschaffene Landwehr, eine Art Miliz, beurteilte er zwiespältig: Der ganzen Nation werde dadurch ein Aufschwung gegeben, die Zahl der Bewaffneten vermehrt – doch wohl nur die Quantität. Der Berufssoldat hatte kein Zutrauen zu den an Sonn- und Feiertagen dem Soldatenspiel obliegenden Zivilisten. An der Befähigung zum Kriegführen haperte es, nicht an der Begeisterung, die sich in Wien wie immer musikalisch äußerte. In den »Liedern österreichischer Wehrmänner« hieß es:

»Habsburgs Thron soll dauernd stehen,
Öst'reich soll nicht untergehen.
Auf, ihr Völker, bildet Heere!
An die Grenzen, fort zur Wehre.«

Von Nationalromantik, wie sie nicht nur in Deutschland, sondern auch in Deutsch-Österreich Gemüter zu bewegen begann, war der Theresianer Radetzky nicht angeweht. Er blieb skeptisch gegenüber den mehr ins Reich der Poesie gehörenden als den prosaischen Möglichkeiten Österreichs entsprechenden Aufrufen, Revanche für Austerlitz zu nehmen, den spanischen Guerilleros nachzueifern, den Volkskrieg gegen den Unterdrücker der europäischen Völker zu beginnen – wie es das in ganz Österreich gesungene Lied verlangte:

»Wohlauf, ihr Brüder, die Zeit ist da,
Die Zeit, sich als Mann zu bewähren.
Die Kette klirrt, die Knechtschaft ist nah;
Laßt mutig uns gegen sie wehren!
Wenn Vaterland, Freiheit man entbehrt,
Bleibt diesem Leben ja doch kein Wert.«

Von solchen Emotionen ließ sich die österreichische Außenpolitik des Idealisten und Revanchisten Johann Philipp von Stadion treiben. Dem Erzherzog Karl wie dem Generalmajor Radetzky wäre es lieber gewesen, wenn sie von der Vernunft geleitet gewesen wäre. Denn der große wie der kleine Militärreformer wußten, daß Österreich noch lange nicht so weit war, einen neuen Waffengang mit Napoleon wagen zu können.

Als dann 1809 die österreichischen Napoleonhasser und Möchtegern-Befreier Deutschlands den Krieg mit Frankreich begannen, erklärte ihn Erzherzog Karl für verfrüht und Radetzky ihn »schon im Entstehen verunglückt«.

Die in diesen Kampf investierten Gefühle reichten nicht hin, das Genie des Imperators und das Potential des Imperiums zu bezwingen. »Wir kämpfen, um die Selbständigkeit der österreichischen Monarchie zu behaupten – um Deutschland die Unabhängigkeit und die National-Ehre wieder zu verschaffen«, hieß es im »Aufruf an die deutsche Nation«, mit dem Österreich den Krieg eröffnete. »Nehmt die Hilfe an, die wir Euch bieten! Wirkt mit zu Eurer Rettung!« Doch die Deutschen im Rheinbund wie in dem am Boden liegenden Preußen erhoben sich nicht. Nur die Tiroler standen auf, gläubig und tapfer, mit Anfangserfolgen gegen die französische und bayerische Besatzungsmacht – aber mit der düsteren Aussicht, daß eine Gesamtniederlage Österreichs ihre Sondersiege zunichte machen würde.

Die Nation, der neu entdeckte Bundesgenosse, erwachte nicht, und die alten Alliierten kamen nicht: Preußen konnte nicht, und Rußland wollte nicht, nützte die Gelegenheit, nach dem österreichischen Galizien zu greifen. Und die k. k. Armee stand erst am Anfang der längst fälligen Reorganisation.

Immerhin gelang es Erzherzog Karl, dem Generalissimus, 200 000 Mann zusammenzutrommeln, das Hauptheer nach Bayern zu führen, bis München. Radetzky war dabei, als Kommandeur einer leichten Brigade beim 5. Armeekorps. Sie umfaßte zwei Bataillone der slawonischen Gradiskaner Grenzinfanterie und acht Eskadronen der Erzherzog-Karl-Ulanen, zählte 3179 Mann.

Zuerst war Radetzky bei der Vorhut, wo er am liebsten ritt und stritt. Doch bald schon mußte er wieder die Nachhut bilden, den Rückzug decken. Denn Napoleon war von Spanien nach Bayern geeilt, wie der Blitz in die Österreicher gefahren, hatte sie bei Abensberg, Landshut, Eggmühl und Regensburg geworfen, in zwei Heerhaufen getrennt, zum Rückmarsch Richtung Wien gezwungen: den des Erzherzogs Karl über Böhmen und den des Feldmarschalleutnants Hiller donauabwärts.

Radetzky hatte den Rückzug Hillers zu sichern, dessen Vereinigung mit Erzherzog Karl ermöglichen zu helfen. Er hatte sich daran gewöhnt, en arrière genau so mutig und umsichtig zu kämpfen wie en avant. Und er zeichnete sich wieder aus. Bei Wels hielt er den weit überlegenen Gegner so lange auf, bis die Division Schustekh, die in Gefahr war, abgeschnitten zu werden, wieder Anschluß gefunden hatte. Er tat dies auf eigene Verantwortung, denn ihm war befohlen worden, sich möglichst rasch zurückzuziehen.

Für diese Tat am 2. Mai 1809 erhielt Radetzky am 8. April 1810 das Kommandeurkreuz des Maria-Theresien-Ordens. Er habe es für seine Pflicht gehalten, um der Rettung einer Division willen von seinem Befehl abzuweichen, hatte Radetzky gemeldet. Der gerettete Schustekh wußte zu rühmen: »Er machte unvermutet eine entschlossene und kühne Attacke und verschaffte mir dadurch die Möglichkeit, meinen Rückzug fortsetzen zu können.«

Schon sah man in ihm einen österreichischen Leonidas, denn ähnlich wie der Spartaner die Perser, hielt er die Franzosen auf, deckte den Traun-Übergang bei Ebelsberg und den Donau-Übergang bei Mautern. Bei Ebelsberg wäre er beinahe in Gefangenschaft geraten; in letzter Minute konnte er sich über die Brücke retten.

So oder so war es ihm nicht vergönnt, in der Schlacht bei Aspern dabeizusein, an diesem Sieg über Napoleon teilzuhaben.

Erzherzog Karl und Hiller hatten sich bei Wien, auf dem Marchfeld vereinigt. Napoleon, der Wien bereits besetzt hatte, wollte vom rechten auf das linke Ufer der Donau übersetzen. Als erst ein Drittel seiner Hauptmacht drüben war, bei den Dörfern Aspern und Eßling stand, griff Erzherzog Karl mit seiner ganzen Armee an, am 21. Mai 1809, einem Pfingstsonntag. Obschon am nächsten Tag das Gros der Franzosen auf dem linken Ufer eingesetzt war, konnte sich Napoleon nicht halten, mußte er den Rückzug nach der Donauinsel Lobau antreten.

Radetzky war zwar nicht weit, doch weg vom Schuß. Mit seiner Brigade hatte er das linke Donauufer zwischen Korneuburg und Stockerau zu sichern. Er konnte die Schlacht nur beobachten und schließlich feststellen, »daß der Zweck demnach, den Feind über den Fluß zurückgeworfen zu haben, somit erfüllt sei. Vorderhand sucht die Armee Erholung und sich zu einem Übergang selbst zu rüsten.« Die Pause dauerte ihm indessen zu lang: »Wir ließen den Sieg ungenutzt, und vier Wochen verliefen in Untätigkeit.«

Immerhin: ein Siegesbericht konnte in der Sprache von Anno 1809 verfaßt und verbreitet werden: »Seine Kaiserliche Hoheit der Erzherzog Karl hat am 21. und 22. Mai die Franzosen bei Stadt Enzersdorf geschlagen, ihre Brücke verdorben, achtzehn Pontons davon abgerissen. Eilet, brave Österreicher! Schließt Euch gleich den Tirolern an Eure braven Krieger an, und helfet die Feinde, die Räuber und Plünderer Eures Vaterlandes, vertilgen. Graf Radetzky, Generalmajor.«

Einen Nachteil brachte Napoleon die Niederlage bei Aspern. Der bis dahin Unbesiegte war geschlagen worden, und dieser Beweis seiner Besiegbarkeit galt allen seinen Gegnern als Pfingstbotschaft, die den Geist des Widerstandes stärkte und den Glauben an den Sieg der eigenen Sache verbreitete.

Den strategischen Nachteil vermochten die Franzosen rasch wieder wettzumachen, und sie konnten sich dafür bei den Österreichern bedanken, die ihren Vorteil nicht ausgenützt hatten. Eineinhalb Monate später bewies Napoleon durch seinen Sieg bei Wagram, daß der Löwe noch die Pranken zu gebrauchen wußte.

In dieser Schlacht war Radetzky dabei. Am 27. Mai zum Feldmarschalleutnant befördert, kommandierte er eine Division des vom Fürsten Franz Rosenberg-Orsini geführten 4. Armeekorps. Es sollte im Brennpunkt der Schlacht eingesetzt werden, eine wichtige, wenn auch keine rühmliche Rolle spielen.

Der Schauplatz lag unweit von Aspern, am linken Donauufer, auf dem Marchfeld. Am 5. Juli 1809 griffen 177 000 Franzosen mit 600 Geschützen 110 000 Österreicher mit 450 Geschützen an. Der erste Tag brachte keine Entscheidung; sie fiel am 6. Juli. Erzherzog Karl hatte den Gegenangriff befohlen. Der rechte Flügel kam bis zu den Lobaubrücken, der linke Flügel jedoch, das 4. Korps Rosenberg-Orsini, wich vor einem französischen Gegenstoß zurück – bevor das von Preßburg heranmarschierende Korps des Erzherzogs Johann, zu dem es die Verbindung hätte herstellen sollen, eingetroffen war. Die Österreicher traten einen geordneten Rückzug nach Mähren an.

»Die Truppen des linken Flügels haben in der gestrigen Schlacht das nicht geleistet, was ich von ihnen zu fordern berechtigt war«, tadelte Erzherzog Karl am 7. Juli. »Diesen Truppen ist das Mißlingen der Schlacht zuzuschreiben.« Den im 4. Korps, auf dem linken Flügel kämpfenden Divisionär Radetzky nahm er von diesem Tadel aus: Noch auf dem Schlachtfeld ernannte er ihn »zum Beweise der vollen Zufriedenheit mit dessen ausgezeichnetem Benehmen« zum zweiten Inhaber des 4. Kürassierregiments. Und einen Monat später beförderte ihn Kaiser Franz I. zum ersten Inhaber des 5. Husarenregiments.

Radetzky hatte sich so benommen, wie man es von ihm gewohnt war und erwarten konnte: rastlose Tätigkeit, kalte Entschlossenheit, schneller Überblick und richtige Beurteilung, »verbunden mit ausgezeichnetster Tapferkeit«, wie er belobigt wurde. Auch bei Wagram war er zunächst ein österreichischer »General Vorwärts« gewesen, hatte Terrain gewonnen, dann – wie befohlen – eine zurückgenommene Stellung behauptet und schließlich den allgemeinen Rückzug gedeckt, ein »General Rückwärts« nun.

Wenn er auch das Blatt nicht wenden konnte – sein Lebtag beschäftigte ihn die Beurteilung der Schlacht bei Wagram im Buche der Kriegsgeschichte. Sie sei durch die französische Umgehung des linken Flügels entschieden worden, bemerkte er. Die leichte Reiterei sei kreuzbrav gewesen, doch hirnlos eingesetzt worden: »Statt mit der Masse zu wirken, attackierte man bloß in einzelnen Regimentern.« Auch bei einem rechtzeitigen Eintreffen des von Erzherzog Johann geführten Armeekorps hätte Erzherzog Karl die Schlacht nicht gewinnen können – angesichts »der genialen, des tiefsten Studiums würdigen Kräfteverteilung Napoleons, welche dessen hervorragenden Feldherrengeist am deutlichsten bekundet«.

Und Radetzky wußte, daß bei Wagram mehr als eine Schlacht verlorengegangen war. Durch Napoleons Friedensdiktat, am 14. Oktober 1809 in Wien, verlor Österreich 100 000 Quadratkilometer Land (Salzburg, Krain, den Villacher Kreis, Görz, Triest, einen Teil von Kroatien, Dalmatien sowie Teile von Galizien) mit dreieinhalb Millionen Einwohnern. Die Großmacht Österreich war eine Mittelmacht geworden, vom Meer abgeschnitten, mit ungeschützten Landesgrenzen – und mit einer Armee, die auf 150 000 Mann beschränkt bleiben sollte.

# *Der Generalstabschef*

DIE NEUE SITUATION erforderte neue Männer. Außenminister Johann Philipp von Stadion, der Österreich in einen Krieg getrieben hatte, den es nicht gewinnen konnte, mußte gehen. An seine Stelle trat der bisherige Botschafter in Paris, Klemens Wenzel Lothar Graf Metternich.

Ein Romantiker wurde von einem Realisten abgelöst. Der sechsunddreißigjährige Kavalier extemporierte gern, das heißt, er redete und handelte aus dem Stegreif, wie er es zum jeweiligen Zeitpunkt und in der betreffenden Situation für angebracht hielt. Der Diplomat aus Begabung und von Beruf verlegte sich aufs Temporisieren, versuchte für das angeschlagene, erholungsbedürftige Österreich Zeit zu gewinnen. In schweren Krisen, meinte Metternich, bliebe dem Politiker wie dem Arzt oft nichts anderes übrig, als abzuwarten, wie die Dinge sich entwickelten, und in einem glücklichen Augenblick wieder den Eingriff beziehungsweise den Angriff zu wagen.

Vorerst empfahl der neue Außenminister Metternich seinem Monarchen »Anschmiegung an das triumphierende französische System«, auch im buchstäblichen Sinn: durch die Vermählung der Kaisertochter Maria Luise, einem Sprößling des altehrwürdigen Stammes Habsburg, mit Napoleon I., dem Parvenue aus Korsika. Auch die Kritik der Legitimisten und Revanchisten vermochten Metternich nicht von seiner Erkenntnis abzubringen, daß man einen Feind umarmen müsse, den man nicht treten und schlagen könne.

An den Tag der Abrechnung dachte auch er. Doch man mußte warten, bis sich die Mächtekonstellation zuungunsten Frankreichs und zugunsten Österreichs geändert hatte, das vorerst allein dastand: ohne Verbündete, umstellt von Feinden, den französischen Satellitenstaaten in Deutschland, Italien und Polen, und im

Osten Rußland, das sich bereits österreichisches Land genommen hatte und noch mehr begehrte.

Und Voraussetzung für einen Wiedergewinn des Verlorenen war ein Wiedererstarken des Militärs. Das sollten neue Männer bewirken – aber konnten sie es? Erzherzog Karl war nach der Schlacht bei Wagram als Generalissimus zurückgetreten. Den Oberbefehl übernahm Feldmarschall Fürst Johann von Liechtenstein, der aber nach dem Wiener Frieden resignierte. Zu einem Revirement hatte er noch Zeit gefunden. Chef des Generalquartiermeisterstabes war Maximilian von Wimpffen gewesen, ein schwerblütiger Westfale, der keine Schwierigkeiten gehabt hatte, ein allzu bedächtiger Österreicher zu werden. An seine Stelle trat Feldmarschalleutnant Graf Radetzky.

Er hatte sich nicht danach gedrängt, im Gegenteil. Die Gründe seiner anfänglichen Weigerung, »einen solch wichtigen Posten zu versehen, besonders in einer Zeit, wo der Geist der Armee nach verlorenen Schlachten so gesunken ist«, legte er Liechtenstein dar: »Immerwiederkehren der nämlichen Ereignisse, der nämlichen Ursachen, des nämlichen Verlangens nach Verbesserung und einer gleich großen Abneigung, die Mittel dazu anzuwenden« – in Österreich sei es immer dasselbe. »Man bemerkt bei jedem Anfang eines Krieges ein Mißverhältnis der Mittel zum Zweck; die Armeen, welche ins Feld rücken, sind entweder nicht stark genug oder nicht hinlänglich gerüstet. Nach jeder Schlacht, welche die Tapferkeit der Truppen gewinnt, ist die Armee zu schwach, die Früchte des Sieges zu ergreifen und sie festzuhalten; nach jeder verlorenen Schlacht muß sie in der Flucht oder in einem Waffenstillstand ihr Heil suchen.« Und am Ende jedes Krieges werde mit derselben Eile, mit der man am Anfang ein Heer zusammengerafft habe, dasselbe wieder aufgelöst, alles abgebaut, »was dasselbe beim nächsten Kriege wieder bedarf«.

Radetzky, seit fünfundzwanzig Jahren Soldat, in fünf Kriegen dabei gewesen, redete sich aufgestauten Unmut vom Herzen: Österreich habe den Frieden immer nur genießen, nie durch eine notwendige Rüstung erhalten wollen, und den unvermeidlichen Krieg durch mangelnde Vorbereitung im Frieden nie richtig führen können. »Nie wird ein Feldherr des Erfolges seiner Unternehmungen sicher sein, wenn er nicht mit Gewißheit auf alle dazu nötigen Mittel rechnen kann, und diese werden ihm bald mehr bald weniger gewiß fehlen, sooft der Feldherr nur ein Werkzeug und nicht ein sehr geehrtes, mit vollem Vertrauen begabtes Mitglied der Staatsverwaltung ist.«

Das waren die grundsätzlichen Gründe für sein Widerstreben: die gemachten Erfahrungen mit der schwerfälligen Militärmaschinerie und die geringe Hoffnung, daß sie sachgerecht und zeitgemäß zum Laufen gebracht werden könnte. Denn der Antrieb, die Folgen der Niederlage zu überwinden, wurde durch eben diese Folgen gebremst: Österreich stand vor dem Staatsbankrott. Und der Hofkriegsrat, die »Schildkröte«, war immer noch da, nach dem Weggang des Erzherzogs Karl, der sie auch nicht schneller fortzubewegen vermocht hatte, noch gespenstischer und widerspenstiger als zuvor.

Selbst wenn klüger administriert worden wäre – hätte die Armee denn wirklich reformiert werden können? Das Dilemma war offenkundig: Eine wirksame Reorganisation der Armee war ohne eine grundlegende Reform des Staates nicht möglich. Das wußte der Österreicher Radetzky so gut wie der Preuße Scharnhorst. Aber in Österreich durfte eine Staatsreform im Sinne der modernen nationalen und demokratischen Ideen noch weniger weit als in Preußen gehen. Denn hier wäre nicht nur die monarchische Staatsform und die feudale Gesellschaftsstruktur, sondern das Vielvölkerreich als solches in Frage gestellt worden.

Radetzky hatte auch persönliche Gründe, die ihn zurückscheuen ließen, Chef des Generalquartiermeisterstabes, also österreichischer Generalstabschef zu werden. In kleineren, der Truppe näheren Stäben hatte er öfter und nicht ungern gedient. Aber er war lieber Troupier gewesen, als Reiterführer hatte er sich in seinem Element gefühlt, und nur zu gern hätte er weiter eine Division und vielleicht schon bald ein Korps kommandiert.

War er überhaupt der richtige Mann für den großen Generalstab – er, der nie eine Kriegsschule besucht hatte, der kriegstheoretische Autodidakt, der militärische Selfmademan? Konnte ein Haudegen zum Pläneschmied bestellt werden? Ließ sich der Reitergeneral zum Schreibtischgeneral umfunktionieren? Radetzky sollte die richtige Synthese finden – was er nicht voraussehen konnte, nicht einmal annehmen wollte.

Private Einwände kamen hinzu. Die steigenden Einkünfte des Arrivierenden hatten seine Gattin zu immer größerem Schuldenmachen verleitet. Das Leben in Wien war ohnehin teuer, und auch der Gatte hatte seine Ausgaben, denn er war in keiner Beziehung ein Kostverächter. Er habe Schulden, meldete Radetzky, und bis zum Kaiser drang das Gerede, der Feldmarschalleutnant wäre ein Spieler und Schürzenjäger.

Franz I. nahm dies nicht krumm, ließ Radetzky wissen: »Daß Sie nicht mit Absicht Dummheiten leisten werden, bürgt mir Ihr Charakter, und machen Sie gewöhnliche Dummheiten, so bin ich die schon gewöhnt.« Und befahl ihm, am 21. August 1809 den Posten des Generalstabschefs anzutreten.

Immerhin bestünde die Möglichkeit, »an eine künftig innigere Verbindung der Staatsverwaltung im Frieden mit den Staatsbedürfnissen im Kriege zu denken«. Mit diesem Selbstzuspruch begab er sich auf den Posten, »zu dem ich gerufen bin, den ich – ich gestehe es offenherzig – mit Bedenken betreten habe und nicht mit Vergnügen bekleide, nur aus Gehorsam fortwandle« – zu persönlichem Erfolg und mit Nutzen für die Sache, wie es sich ergeben sollte.

Eine Kärrnerarbeit hatte er übernommen, beim Neubau der Armee. Nur noch ein 150 000-Mann-Heer durfte Österreich haben, aber selbst dieses zusammenzubringen und zusammenzuhalten, war eine schier unlösbare Aufgabe.

Mit den abgetretenen Gebieten hatte man sechs kroatische Grenzregimenter, eine Elitetruppe, verloren, sowie die Werbebezirke für sechs Infanterieregimenter, die aufgelöst wurden. Der Mannschaftsbestand der verbliebenen Einheiten wurde reduziert, auf 50 Soldaten per Kompanie und 100 per Eskadron. Die dritten Bataillone der deutschen Infanterieregimenter wurden bis auf die Kader entlassen. Die Landwehren waren so still auseinandergelaufen wie sie lärmend zusammengetreten waren.

Und nicht einmal für das Verbliebene reichte das Geld. 75 Millionen Gulden kassierten die Franzosen als Kriegskontribution. Die Staatsschuld wuchs von 440 Millionen Gulden im Jahr 1806 auf 1060 im Jahr 1811; der Staatsschatz, auf sechs Millionen Gulden geschmolzen, verdiente diesen Namen nicht mehr. Im März 1811 wurden die im Umlauf befindlichen Bankozettel eingezogen und durch Einlösescheine von einem Fünftel des Nominalwertes ersetzt; das Papiergeld sank schließlich auf ein Siebzehntel des Wertes. Es war nicht nur eine Abwertung, es war der Staatsbankrott.

1810 hatte die Armee statt 85 zunächst 40, dann 63 Millionen Gulden bekommen. Die Hofkammer war bei Militärausgaben schon immer knauserig gewesen; nun konnte und wollte sie für eine Streitmacht, die sie für überflüssig hielt, kaum mehr etwas herausrücken. Denn, wie ihr Präsident, der Finanzminister Graf Wallis erklärte: Österreich sei in den nächsten zehn Jahren, vielleicht sogar 30 Jahren nicht imstande, an einen neuen Krieg zu denken. »Graf Wallis schlug der Armee nicht weniger Wunden als Napoleon selbst«, kommentierte Generalstabschef Graf Radetzky. Und kritisierte, daß die »komplizierte Verwaltung« einen großen Teil des kargen Militärbudgets verschlang.

Denn der Hofkriegsrat, die oberste Behörde für das gesamte Heerwesen, das verkörperte Ancien régime, war wieder auferstanden und behinderte die Wiederbewaffnung: durch »Kompliziertheit des Geschäftsganges«, Pedanterie, Bürokratie, in »kleinlicher Formalität« und »buchhalterischer Zensur«, durch die Unterordnung der Heeresleitung unter die Heeresverwaltung. Es nützte nichts, daß der Generalstabschef zum »wirklichen Hofkriegsrat«, zum Referenten für alle militärischen Angelegenheiten bestellt wurde. Denn im Gegenzug errichtete der Hofkriegsrat ein eigenes Militärdepartement, dessen Leiter nur ein Oberst sein durfte, ein Befehlsempfänger der Hofkriegsräte, die alle im Generalsrang standen.

Der Vorrang der verwaltenden Behörde vor der zu verwaltenden Sache blieb erhalten, mit dem Einfluß der Militärs wurde die Stellung des Generalstabschefs geschmälert. Im Grunde war er zuständig für alle strategischen und operativen Angelegenheiten, mußte »nach dem Kommandierenden die höchste über alle anderen Generale erhobene Stelle einnehmen«. Das war, trotz der Beschränkungen durch den Hofkriegsrat, schon einiges, und Radetzky ging daran, diese Position auszubauen.

Zunächst reorganisierte er das Generalstabskorps, verringerte die Quantität – von 191 auf 64 Offiziere – und hob die Qualität. 1810 gab er ihm eine neue und genaue Geschäftseinteilung: Landesaufnahme und Landesbeschreibung, Dienst bei Generalkommandos und Divisionen, Kundschafts- und Nachrichtenwesen, Dienst bei Gesandtschaften. 1811 formulierte er Leitsätze »Über die bessere Einrichtung des Generalquartiermeisterstabes«:

Befehle sollten nicht nur genauestens befolgt, sondern auch bestmöglich ausgeführt werden; »im Krieg ist seltener strafwürdig, was getan – als das, was unterlassen worden ist«. Generalstabsoffiziere sollten bei allen Truppenverbänden eingesetzt werden, die ihrer am meisten bedürften; denn »dort wird eigentlich Krieg geführt, dort ist die echte Schule der Erfahrung, das Mittel zur höheren Ausbildung«. Der Generalstab dürfe nicht »ein fruchtbarer Boden für Glückspilze sein«; es genüge nicht, »ein gutes Mundwerk, die Reitkunst und einen großen Vorrat an Kunstwörtern zu besitzen, um für den Generalstabsdienst tauglich gehalten zu werden«.

Radetzky, der es stets mehr mit der Praxis als mit der Theorie hielt, beließ es nicht bei Richtlinien: 1811 eröffnete er einen ständigen »Lehrkurs über die Hauptzweige des Generalquartiermeisterdienstes«, legte den Grundstein zu der – freilich erst 1852 – errichteten Kriegsschule. Den militärdiplomatischen Dienst begann er mit der Entsendung des Generalstabsmajors Tettenborn nach Paris; denn auch und gerade beim Gegner könne und müsse man lernen. Radetzkys »Instruktionen für einen bei einer auswärtigen Gesandtschaft zugeteilten Offizier des Generalquartiermeisterstabes« blieb im wesentlichen bis zum Ende der Habsburgermonarchie in Kraft.

Die beobachtenden Militärattachés genügten ihm nicht; man müßte auch – wie Frankreich und Rußland – »Kundschafter« haben. Und zwar Experten, die man honorig behandeln und anständig bezahlen sollte, nicht zweifelhafte »Spione«. Denn: »Ein Spion bleibt immer ein Lump, und wenn man ihn gebraucht hat, so muß man ihn entweder unschädlich machen oder sehr gut versorgen.« Trotz der schlechten Finanzlage setzte er 1812 die Erhöhung der »Kundschaftsmittel« von 60 000 auf 100 000 Gulden durch.

Radetzky hatte sich sein Fachwissen mühsam selber angeeignet;

anderen wollte er bessere Möglichkeiten dazu bieten. Die Kadetten sollten Mathematik betreiben, meinte er in seiner Stellungnahme zu einem Lehrplanentwurf. Und Geschichte, vornehmlich die vaterländische. Die Schule des Lebens kenne keine Ferien; der Kadett müsse ständig lernen und der Offizier sich fortbilden. Er entstammte einem pädagogischen Jahrhundert, dessen individuelles Bildungsstreben er verallgemeinern wollte, in der Armee, die für ihn so etwas wie eine Schule des Volkes war.

Das alles war wichtig, aber für einen Generalstabschef nicht das eigentliche. Seine Hauptaufgabe war die Bewältigung der Konsequenzen des französischen Friedensdiktats: Das 150 000-Mann-Heer mußte so organisiert werden, daß es diesen Folgen entsprach, sie eines Tages jedoch überwinden könnte. Der Außenminister Metternich mochte vorerst vom Frieden sprechen, der Generalstabschef Radetzky mußte stets an den Krieg denken.

Die Vorstellungen des Österreichers glichen jenen der preußischen Militärreformer, die sich in einer ähnlichen Zwangslage befanden. Hier wie dort war ihr Positives abzugewinnen: die Einsicht in die Notwendigkeit des Umdenkens und Umrüstens.

»Wohl hat die Monarchie durch diesen Krieg an Ländern verloren«, stellte Radetzky fest, aber doch »an Ansehen der Armee und an Charakter der Untertanen gewonnen ... Die Armee allein als jene, welche die Unabhängigkeit des Vaterlandes bewacht und fördert, bleibt somit die alleinige Grundlage des öffentlichen Vertrauens.« Daraus schöpfte er die Hoffnung, daß man »endlich die Armee zu dem ihrer Bestimmung entsprechenden kraftvollen Körper bildet, der bei günstiger Änderung der politischen Verhältnisse die Wiedereroberung der gegenwärtig verlorenen Provinzen mit hinlänglicher Gewißheit eines glücklichen Erfolges unternehmen kann«.

Die Preußen Scharnhorst und Gneisenau visierten eine allgemeine Wehrpflicht an, und der Österreicher Radetzky begann darüber zu meditieren: Eine restlos bewaffnete Nation werde niemand mehr anzugreifen wagen, und eine solche Volksbewaffnung erhalte »in der Nation das Bewußtsein, daß sie sich selbst verteidigt und eben dadurch einen militärischen Geist, der nicht leicht ausarten kann, weil diejenigen, die von ihm belebt werden, nicht aufhören, Bürger zu sein«.

Das war Zukunftsmusik. Gegenwärtig sah er im 150 000-Mann-Heer den Kader einer Armee von 400 000 Mann. Doch schon bei der Aufstellung und Unterhaltung dieser Stammtruppe stieß er an die Grenzen, welche nicht nur die Franzosen, sondern auch Hofkammer und Hofkriegsrat gezogen hatten.

Ein Kommando zu deren Überschreitung konnte er nicht geben. Der Generalstabschef war ein Schreibtischgeneral, der nur mit Denkschriften anzugreifen vermochte – in der Hoffnung, daß sie bedacht würden, in steter Sorge, daß sie Papier blieben. Radetzky, der mit dem Säbel umzugehen wußte, mußte zur Feder greifen. Wie fast alles, was er anpackte, tat er es mit Energie und Erfolg: Der Autodidakt wurde ein bedeutender Militärschriftsteller.

Zunächst war er so etwas wie ein Militärbittsteller, der Geld und immer wieder Geld erbat, dafür aber auch – wie er meinte – einleuchtende Begründungen und vernünftige Deckungsvorschläge bot. 1809 verfaßte er ein »Gedrängtes Memoire ... wie die Armee zur Erleichterung der Finanzen vermindert werden könne, ohne jedoch von deren jetziger zur Staatserhaltung so wesentlicher Stärke zuviel im ganzen zu verlieren«. Das war das Dilemma, aus dem er einen Ausweg zu zeigen versuchte, dabei freilich über allgemeine Hinweise nicht hinausgelangte.

Zum Beispiel: Nationalvermögen und Kriegsmacht bedingten einander, »kein Vermögen ist begründet, welches sich nicht erhalten, folglich verteidigen kann. Keine Kriegsmacht dauernd, welche das Vermögen zerrüttet.« Wie aber die Kriegsmacht erhöhen, ohne das Nationalvermögen zu untergraben? Im Ernstfall bleibe die Hoffnung, daß »im Geist der Nation sich Quellen eröffnen, welche das Widersprechende ausgleichen«. Im Zweifelsfall müsse die Kriegsmacht Vorrang bekommen: Die Größe der Gefahr bestimme letztlich »das Maß der Mittel; es ist daher gar nicht möglich, daß der hohe Zweck der Existenz der Monarchie von wirtschaftlichen Rücksichten aus gesehen und beschränkt werden könne, weil der Sicherheit des Staates jede andere Rücksicht notwendig untergeordnet sein muß«. In jedem Fall müsse die Armeestärke nach den von der Politik gestellten Aufgaben und dann erst die hierzu nötige Geldmenge bestimmt werden.

Als General lag ihm das Militär näher als das Zivile. Als Generalstabschef akzeptierte er den Vorrang der Politik. Und weil er sich an ihr orientieren wollte, mußte er sie genau taxieren und richtig kalkulieren. So wurde der Feldmarschalleutnant Radetzky zum Analytiker und Interpreten der außenpolitischen Situation Österreichs und der Mächtekonstellation in Europa.

DIE LANDKARTE war durch Napoleon total verändert, das alte Gleichgewicht der Staaten durch das französische Imperium zerstört. Das Kaiserreich Frankreich erstreckte sich – nach der Einverleibung des Kirchenstaates im Jahre 1809 – von Brest über Lyon, Turin und Genua bis Florenz und Rom und, jenseits der Adria, in den Illyrischen Provinzen, von Kärnten bis Dalmatien. Und – nach der Einverleibung Hollands und der Mündungen der Ems, Weser, Elbe und Trave – reichte das Kaiserreich von den Pyrenäen bis zur Ostsee.

Satelliten umgaben Frankreich wie Strahlen die Sonne: das Königreich Spanien, die Königreiche Italien und Neapel, die Helvetische Republik, die Königreiche Bayern, Württemberg, Sachsen, Westfalen sowie weitere 35 Rheinbundstaaten, und das Herzogtum Warschau. Alle hatten zur Größe und zum Ruhm des Kaiserreichs beizusteuern, zur gewaltigsten Kriegsmacht beizutragen, die Europa bis dahin gesehen hatte.

Die Mächte von gestern schienen nicht mehr ins Gewicht zu fallen. Allein das Königreich Großbritannien trotzte dem Imperator. Das Kaiserreich Rußland schien sich mit ihm abgefunden zu haben. Das Kaiserreich Österreich wie das Königreich Preußen, von Napoleon geschlagen und verstümmelt, mußten sich mit ihm arrangieren. Der Erfolg hatte wie immer und überall seine Anhänger. Als »Pax Napoleonica« wurde geschätzt, was einer noch geringen, doch wachsenden Zahl von Europäern als unerträglicher Kirchhoffrieden erschien.

Radetzky gehörte dazu, als österreichischer Patriot wie als k. k. Generalstabschef, der von Amts wegen an den Krieg denken, ihn planen mußte. Eine Lagebeurteilung war dafür unerläßlich. Von seinem Büro im Kriegsgebäude in Wien beobachtete er das europäische Theater.

Zuerst den Hauptdarsteller Frankreich. In ihm sah Radetzky

den traditionellen Gegenspieler Österreichs. Das Machtpolitische sei indessen seit der Französischen Revolution durch Ideologisches aufgeladen und beides in Napoleon potenziert. »Seine mächtigsten Gehilfen sind sein Glück – seit Jahrtausenden einzig in seiner Art – und die verjüngte Kraft der französischen Nation, durch die Revolution erzeugt«, nicht zuletzt das »hartnäckige Zurückbleiben seiner Gegner«. So hatte er »das große Werk, seine Nationalität bis an den Rhein zu verpflanzen, seine Macht über ganz Italien und Deutschland auszudehnen, fast vollendet«. Fast, nicht ganz, denn noch gebe es Österreich und Preußen. Auch als Alliierte blieben sie im Visier Napoleons. Denn der »tätige und herrschsüchtige Geist des Beherrschers von Frankreich läßt keine Ruhe hoffen«.

Heute sei Frankreich die gefährlichste Macht – morgen würde es Rußland sein. »Rußlands Vergrößerungssucht, die ebenso unbegrenzt ist wie die Frankreichs, droht uns in Zukunft, aber noch nicht für den Augenblick.« Denn: »Rußlands Streben nach Erweiterung seines Reiches ist zum Teil ein natürliches Bedürfnis seiner geographischen Lage und schon deshalb bei derselben fortdauernd vorauszusetzen ... Wenn man die Haltung des russischen Staates seit mehr als einem halben Jahrhundert betrachtet, so bemerkt man bald, daß dessen Politik keine Aussicht zur Vergrößerung des Reiches unbenützt läßt und schon lange jede Rücksicht ohne Ausnahme diesem Streben unterzuordnen weiß.«

Rußland ziele auf Polen und den Balkan – und davon sei Österreich in erster Linie betroffen. Schon umfasse das Russische Reich »seit der Eroberung der Moldau, Bessarabiens und der Walachei einen großen Teil der Monarchie gen Osten und Süden«. Zar Alexander, 1805 noch mit Kaiser Franz verbündet, hatte diesem 1809 den Tarnopoler Distrikt in Ostgalizien weggenommen. »Der jetzige Regent mag was immer für persönliche Eigenschaften besitzen«, antifranzösische und antirevolutionäre Schwüre leisten: seine Regierung sei unabhängig davon »auf das fortwährende und sichere Gelingen« des Expansionsstrebens bedacht. Wenn Rußland bisweilen Österreich unterstützt habe, dann »nicht durch den Willen, Österreich einen wesentlichen Nutzen zu leisten, sondern einzig durch das englische Gold und eigene Vergrößerungspläne«.

Und Preußen, seit Friedrich dem Großen der Rivale Österreichs in Deutschland? Es war 1795, durch den Sonderfrieden von Basel, aus dem antirevolutionären Lager desertiert, hatte 1805 wie 1809 Österreich gegen Frankreich im Stich gelassen. Nun – so Radetzky 1810 – »büßte es seine Irrtümer, indem es mit qualvoller Hingebung das an Frankreich leisten muß, wozu es zur Aufrechterhaltung der deutschen Nachbarn durch seine ehrwürdige Krone an Österreich verpflichtet und väterlich gerufen war«. Preußen, »die erste Ursache des deutschen Verfalles«, sei »gequält vom Bewußtsein seiner Schuld, und doch in der gegenwärtigen Ohnmacht nicht minder unaufrichtig als im stärksten Wirbel seiner Vergrößerungsintriguen«. Und mit diesen müßte man, sollte sich das Blatt wenden, wieder rechnen.

Das war Österreichs Lage: gegenwärtig von Frankreich bedroht, künftig von Rußland und Preußen. Was war zu tun? Der Generalstabschef wurde zum Zukunftsplaner: Habsburgs Aufgabe und Auslauf liege im Südosten. »Die Donau, bis zum Ausfluß des Meeres, ist dem Wohlstand, der Macht und dem Ansehen des Reiches nötig.«

Was Prinz Eugen begonnen hatte, mußte im 19. Jahrhundert vollendet werden: »Das Zurückweisen der Türkei aus Europa«, vom Balkan. Zugleich aber sollte das Einrücken Rußlands verhindert werden. »Die Besitznahme der Moldau und der Walachei durch die Russen kann Österreich nicht gleichgültig sein, die von Serbien hingegen kann Österreich aber nie zugeben.« Bevor die Russen kämen, sollten die Österreicher Serbien besetzen. Und dafür Galizien aufgeben, mit dem doppelten Zweck: Durch eine Wiederherstellung Polens verlöre Rußland »die Frucht der Anstrengungen eines ganzen Jahrhunderts ... fast allen Einfluß auf die Verhältnisse Europas, und das hergestellte Polen wird Rußlands geborener und natürlicher Feind«.

Politischen Weitblick zeigte Generalstabschef Radetzky, doch seine vordringliche Aufgabe war es, militärisch das Naheliegende im Auge zu behalten. Die Armee mußte instandgesetzt werden, um Österreich, so wie es war, verteidigen, vielleicht sogar so, wie es sein sollte, wiederherstellen zu können.

Verschiedene Möglichkeiten eines Krieges waren denkbar und einzuplanen. Vor allem ein Angriff Napoleons. Im Westen hatte Österreich seinen natürlichen Grenzschutz verloren; das Donautal lag den Franzosen offen. Um sie aufzuhalten, forderte Radetzky den Bau von Festungen. Die Begründung war nicht nur strategisch, sondern auch historisch: Österreich sei nicht zuletzt deshalb groß und stark geworden, weil es immer genug Festungen gehabt habe. Im verkleinerten Österreich konnte dies freilich als Zeichen von Schwäche gewertet werden – als vorweggenommenes Maginot-Denken.

An einen Angriffskrieg aber konnte ein österreichischer Generalstabschef in den Jahren der höchsten Machtentfaltung Napoleons kaum denken. Auf die Verbündeten von gestern, vor allem Rußland, aber auch Preußen, war bis auf weiteres nicht zu zählen. Schon eher mußte er damit rechnen, daß Frankreich und Rußland, die 1807 einen Frieden auf dem Rücken Preußens geschlossen hatten, einen gemeinsamen Krieg gegen Österreich führen würden. Vorsorglich forderte er eine Verstärkung der Verteidigungsanlagen in Galizien, »damit ein Krieg in der dortigen Gegend nie über die Karpathen herüberdringen könne«. Und er mahnte: Ein Zwei-Fronten-Krieg würde Österreich »an den äußersten Rand des Abgrundes« bringen; ihn zu vermeiden sei »das wesentliche Ziel der österreichischen Staatsweisheit«.

Außenminister Metternich hatte diese Gefahr längst erkannt. Um ihr zu entgehen, hielt er es für der Staatsweisheit letzten Schluß, sich vorerst an Napoleon anzuschließen und – falls verlangt – mit Frankreich gegen Rußland zu ziehen. Diese Wahl – er hatte keine andere – traf Metternich im Jahre 1812. Napoleon marschierte mit der Grande Armée nach Rußland, mit einer österreichischen Hilfstruppe von 30 000 Mann.

Dem Generalstabschef war es schwer gefallen, das »k. k. Auxiliarkorps« auf die Beine zu stellen. Aber auch er wußte, daß man sich dieser Mühe unterziehen mußte, daß sie sich lohnen könnte. Denn – wie Radetzky unterstrich – ein Österreich, »zwischen zwei nach Vergrößerung strebenden Mächten eingeengt, aller Militärgrenzen und Verteidigungsbarrieren beraubt«, dieses Österreich habe »nur dasjenige zu hoffen«, was es »als Mittelmacht in jedem Streit zwischen beiden Kolossen Frankreich und Rußland, wo es den Ausschlag gibt, erwarten kann«.

Zunächst ging Österreich mit Frankreich gegen Rußland, um dem ersten Riesen zu willfahren und den zweiten Riesen in die

Schranken zu weisen. Und in der Hoffnung, daß es eines nicht allzu fernen Tages das Zünglein an der Waage bilden, den Ausschlag für den geben könnte, der ihm am wenigsten zu schaden und am meisten zu nützen versprach.

# *Die Lorbeeren von Leipzig*

In Russland verblaßte Napoleons Stern. Die Grande Armée war – im September 1812 – bis Moskau gekommen, nach aufreibenden Kämpfen, unter gewaltigen Strapazen, mit beträchtlichen Verlusten. Doch sie war nicht am Ziel. Die Russen hatten die Stadt verlassen, zündeten sie an. Napoleon mußte den Rückzug antreten, durch Schlamm, Schnee und Eis, die Kosaken auf den Fersen. Von 600 000 Mann kamen 50 000 zurück.

Die Grande Armée war eine Koalitionsarmee gewesen. Alle, die der Kaiser der Franzosen unmittelbar oder mittelbar beherrschte, waren aufgeboten worden: Franzosen, Niederländer, Schweizer, Polen, Italiener, die Kontingente aller deutschen Rheinbundstaaten sowie 20 000 Preußen und 30 000 Österreicher.

Für alle stellte sich die Frage, wie es weitergehen sollte. Franzosen wurden der Bürden müde, die ihnen nicht mehr Ruhm und Ehre eintrugen. Unterdrückte Völker begannen zu hoffen, daß sie das Joch des französischen Imperators abschütteln und so leben könnten, wie es die französischen Revolutionäre versprochen hatten: in persönlicher Freiheit, bürgerlicher Gleichheit und nationaler Brüderlichkeit.

Der Befehlshaber des glimpflich davongekommenen preußischen Hilfskorps, Generalleutnant von Yorck, schloß mit den Russen einen Neutralitätsvertrag. Dadurch erhielt er seinem König, den er nicht gefragt hatte, eine intakte Truppe, die gegen die Franzosen eingesetzt werden konnte – an der Seite der Russen, die von den Preußen als natürliche Bundesgenossen angesehen wurden.

Im Frühjahr 1813 verbündete sich Friedrich Wilhelm III. von Preußen mit Alexander I. von Rußland. Sie luden Franz I. von Österreich ein, der Dritte im Bund zu werden, mit in den Krieg gegen den angeschlagenen Kaiser der Franzosen zu ziehen, den

Kampf für die Befreiung Europas zu führen – weniger für die Freiheit der Völker als für die Restauration der alten Monarchien.

Das österreichische Hilfskorps war zwar im Rußlandfeldzug halbiert, aber nicht vernichtet worden. Sein Befehlshaber, Feldmarschall Karl Fürst zu Schwarzenberg, hatte es vorsichtig avancieren und noch vorsichtiger retirieren lassen. Einen Waffenstillstand schloß er nicht, wie Yorck, auf eigene Faust, sondern erst nach Anweisung aus Wien. Dann wartete er ab, wie die Dinge sich entwickeln würden.

Das lag weniger in seiner böhmischen Natur und in seinem österreichischen Temperament, und auch nicht daran, daß er als Militärbevollmächtigter bei Alexander (1809) und als Botschafter bei Napoleon (1810/12) mehr ein Diplomat als ein General geworden wäre. In den Koalitionskriegen hatte er sich als Reiterführer ausgezeichnet. Doch damals hatte er für seinen Kaiser gekämpft. Sich voll und ganz für Napoleon einzusetzen, sich eindeutig gegen den Zaren zu stellen, verbot ihm die österreichische Staatsraison.

Auf Abwarten gestimmt war die Außenpolitik, mußte es sein. Österreich, zwischen Frankreich und Rußland gestellt, durfte es vorerst mit keinem verderben. Noch wußte man nicht, wer sich als der Stärkere und wer sich als der Schwächere erweisen würde. Selbst ein geschlagener Napoleon war nicht zu unterschätzen, und auch ein triumphierender Alexander – ein wankelmütiger Mann – nicht zu überschätzen. Ausschlaggebend war allein, was den österreichischen Interessen am meisten nützte. Das konnte ein Kriegsbündnis mit diesem oder jenem sein, aber auch eine neutrale Position, die Rolle des Friedensvermittlers.

Der Diplomatie des Außenministers Metternich entsprachen die strategischen Überlegungen des Generalstabschefs Radetzky. Sie waren in einer Denkschrift niedergelegt, die das Datum des 17. März 1813 trug.

An diesem Tag erließ der König von Preußen seinen Aufruf »An mein Volk« und die Verordnung zur Aufstellung der Landwehr und des Landsturms. Nationales Kriegsgeschrei war zu hören, das in österreichischen Ohren mißtönend klang. Denn in einem monarchischen Staat durfte nicht passieren, was der österreichische Gesandte in Preußen berichtete: »Die Militärs und die

Häupter der Sekten haben sich unter der Maske des Patriotismus der Zügel der Regierung vollständig bemächtigt.« Für das Vielvölkerreich war jeder Nationalismus existenzgefährdend.

Der österreichische Militär Radetzky, auf die Erhaltung der Habsburgermonarchie eingeschworen, blieb bei seiner Anerkennung des Primats der Politik, des Vorrangs der Politiker. Seine Denkschrift mit dem denkwürdigen Datum des 17. März war von kühler Staatsraison diktiert und – im Einklang mit der damaligen Außenpolitik Metternichs – auf die Bewahrung des europäischen Friedens bedacht.

»Über die Aufstellung einer Armee zur Vermittlung eines dauerhaften Friedens« stand darüber und – wenn auch nicht ausdrücklich – das Motto: Si vis pacem, para bellum – wer den Frieden will, muß zum Krieg rüsten. Das war schon seit Jahren das Ceterum censeo des Generalstabschefs gewesen: »Der Friede dauert nicht länger, als er durch eine achtungsgebietende Macht geschützt wird; der Friede wird zu Boden getreten, sobald die ihn schützende Macht nicht weiter mehr als überwiegend geachtet wird.« Was schon immer galt, war jetzt notwendiger denn je: Eine »bewaffnete Friedensvermittlung« schien geboten.

Das Verhandeln war Aufgabe des Außenministers, die Aufstellung einer Streitmacht, die man in die Waagschale werfen könnte, Pflicht des Generalstabschefs. Selbstredend suchte Radetzky die Gunst der Stunde zu nutzen, die Armee endlich auf den Stand zu bringen, den er schon immer für angebracht gehalten hatte und den nun die außenpolitische Lage erforderte.

Selbstverständlich dachte bei »bewaffneter Friedensvermittlung« der Außenminister mehr an die Vermittlung und der Generalstabschef mehr an die Bewaffnung, und daran, daß sie eingesetzt werden müßte und wie sie eingesetzt werden sollte. Wenn man erst zu rüsten beginne, wenn die Verhandlungen gescheitert wären, sei es zu spät: »Die Hoffnung, es werde nicht zum Krieg kommen, wiegt den unendlichen Nachteil bei weitem nicht auf, der entstehen muß, falls nicht alle Vorbereitungen noch vor dem wirklichen Ausbruch der Feindseligkeiten und noch zu einer Zeit getroffen werden, wo selbe auch die wünschenswerte Konsistenz und Ausdehnung erreichen können.«

Ein Scheitern der Friedensvermittlung mußte Radetzky einkalkulieren, den Krieg, der dann – bei Lage der Dinge – gegen Frankreich, an der Seite Rußlands und Preußens, zu führen wäre. Die Franzosen seien, auch nach der Katastrophe der Grande Armée, den Österreichern immer noch überlegen – auch wenn man, wie er fürs erste forderte, eine Armee von 120 000 Mann auf die Beine brächte.

Doch Österreich ließ sich mit seinen Rüstungen Zeit. Das übliche Zaudern konnte diesmal begründet werden: Die Kasse war leer, das Land nach zwei Jahrzehnten Krieg ausgelaugt. Metternich blieb gar nichts anderes übrig, als auf eine Friedensvermittlung zu setzen, den Versuch zu unternehmen, Österreich durch diplomatische Aktionen in alter Größe und neuem Glanz wiederherzustellen. Denn einen neuen Krieg konnte man nicht, jedenfalls noch nicht führen.

Der Generalstabschef wollte dies nicht als Entschuldigung gelten lassen. Er mahnte und drängte, erreichte einiges, ohne mit dem Resultat zufrieden sein zu können. Noch im April 1813 sei nichts Entscheidendes für eine Armeekomplettierung veranlaßt worden, bemerkte er, zornig zurückblickend. Die Folge sei gewesen, daß man den Vermittlungsaktionen nicht den gehörigen Nachdruck verleihen konnte, daß man »dem Feind Zeit einräumte, seine Armee zu verstärken und selbst die Truppen aus Spanien herbeizuziehen«.

Eine neue Armee von 120 000 Mann hatte Napoleon buchstäblich aus dem Boden gestampft. Mit ihr erschien er Ende April 1813 wieder in Deutschland, in Sachsen, der strategischen Drehscheibe zwischen Österreich, Preußen und den Rheinbundstaaten. Die verbündeten Russen und Preußen konnten ihm nur 85 000 Mann entgegensetzen. Sie wurden am 2. Mai 1813 bei Großgörschen, am 20. und 21. Mai bei Bautzen und Wurschen geschlagen, nach Schlesien zurückgedrängt.

Für Österreich wurde es brenzlig. Die Politiker mochten darauf verweisen, wie richtig es gewesen sei, mit Napoleon Frieden und nicht Krieg gesucht zu haben, und die Militärs, wie notwendig es gewesen wäre, rechtzeitig die Armee zu verstärken. Jedenfalls wurden nicht nur die diplomatischen Aktivitäten vermehrt, sondern auch die Rüstungsmaschinerie kam endlich in Gang. Und als hätte man einen Kompromiß zwischen Diplomaten und Militärs schließen wollen, ernannte man den Fürsten Schwarzenberg, der beides war, zum Oberbefehlshaber der Armee, die in Böhmen aufgestellt wurde.

Als Generalstabschef – offiziell »Chef des Generalquartiermeisterstabs« – wurde ihm der Feldmarschalleutnant Graf Radetzky beigeordnet, auf Antrag Schwarzenbergs und mit Befürwortung Metternichs.

Noch sprach man von einer Observationsarmee. Radetzky ging daran, sie auf den Stand einer Feldarmee zu bringen, auf Kriegsfuß zu setzen. Bereits am 14. Mai waren 76 Bataillone, 76 Eskadronen, 87 367 Infanteristen und 11 117 Kavalleristen mobilisiert.

Noch fehlte es hinten und vorn. Diese Armee sei »die reinste militärische Unschuld« stöhnte der Generalstabschef, »in Eile aus Rekruten und ungebildeten Chargen« zusammengestoppelt. Wenn sie wenigstens alle uniformiert und ausgerüstet gewesen wären! Noch Anfang September warteten »einige tausend Barfüßler« auf Schuhe, waren manche nur mit leinenen Kitteln und Unterhosen bekleidet. Der Kavallerie fehlten Säbel. Neue Gewehre gab es vorerst nicht, weil die Gewehrfabriken geschlossen worden waren.

Der Generalstabschef tat, was er konnte, auch was er gar nicht durfte. In Prag beschlagnahmte er – mit Rückendeckung des Oberstburggrafen von Böhmen, des Grafen Kolowrat – eine Million Gulden, die für Wien bestimmt waren. In den Tanzsälen Prags nähten von überall hergeholte Schneider Röcke und Mäntel. Die Gewehre in den Zeughäusern wurden instandgesetzt. Die Bauern mußten Pferde und Fuhrwerke hergeben. Schließlich hatte man 120 000 Mann zusammen, »unabgerichtet und mit allem, was Dienst heißt, unbekannt, aber unter den Waffen«. 20 000 Mann, ein Sechstel also, mußte man bald an die Spitäler abgeben.

Am 4. Juni 1813 wurde ein Waffenstillstand geschlossen: zwischen Napoleon, der Österreich zumindest neutral zu halten suchte, und Rußland und Preußen, die Österreich auf ihre Seite herüberziehen wollten. Metternich sah sich von beiden Seiten umworben, kostete seine Vermittlerrolle aus, versuchte für Österreich das Beste aus dieser Situation herauszuholen. Jedenfalls verschaffte er dem Oberbefehlshaber Schwarzenberg und dessen

Generalstabschef Radetzky Zeit, ihre Armee einsatzbereit zu machen, was Mitte Juni der Fall war.

Nun drängten auch die österreichischen Militärs zum Krieg gegen Napoleon. In Prag beschwor der bei Großgörschen verwundete preußische Militärreformer Scharnhorst, kurz vor seinem Tod, den Kameraden Radetzky: Österreich müsse sich an Preußen und Rußland anschließen, dann könnten sie gemeinsam siegen, sonst wären sie gemeinsam verloren. Radetzky, zur selben Überzeugung gelangt, suchte die immer noch zaudernden Österreicher dorthin zu bringen: Selbst ein günstig erscheinender Friede mit Napoleon werde sich als lebensgefährlich für das Habsburgerreich erweisen, weil Napoleon das Erobern nicht lassen könne. »Bietet also Österreich zu irgendeiner Ausgleichung die Hand, wodurch Napoleon seinen Einfluß auf Deutschland und Italien behält, so unterschreibt es sein Todesurteil. Es begeht einen politischen Selbstmord. Nur Krieg in diesem letzten so glücklichen Moment gibt Österreich die Hoffnung, seine Unabhängigkeit wieder zu erringen. Eine einzige siegreiche Schlacht entscheidet. Dieser Sieg ist uns gewiß.«

Radetzky hatte Napoleon richtiger eingeschätzt als dieser ihn. Jener habe nicht die Erfahrung, die man auf einem solchen Posten brauche, behauptete der Franzose – was der Östereicher durch den entscheidenden Sieg bei Leipzig, an dem er entscheidenden Anteil haben sollte, widerlegte. Napoleon benahm sich so, wie es Radetzky von ihm erwartet hatte. Er lehnte die – eher milden – Friedensbedingungen Metternichs ab, ließ die Friedensvermittlung platzen.

Am 12. August 1813 erklärte Österreich den Krieg an Frankreich. Mit Rußland und Preußen sowie England und Schweden trat es zum Entscheidungskampf gegen den Imperator an. Es war ein großer Tag für Austria. Der Österreicher Metternich hatte die Koalition ermöglicht. Der Österreicher Schwarzenberg übernahm den Oberbefehl der alliierten Truppen. Und der Österreicher Radetzky war sein Generalstabschef.

»Wir haben mit unseren Alliierten eine numerische Überlegenheit auf unserer Seite. Wir haben für uns die gute Sache, die Wünsche und offene Bereitwilligkeit der Völker und den besten Geist der Armee«, glaubte Radetzky, auch er, der österreichische Skeptiker, mitgerissen von der optimistischen Stimmung im antinapoleonischen Lager. Immerhin hielt er einen Operationsplan parat, der Unstimmigkeiten zwischen Wunsch und Wirklichkeit auszugleichen vermochte.

Sein »Entwurf eines allgemeinen Operationsplanes für die alliierte Armee« vom 7. Juli 1813 begann mit einer Aufzählung der »mit ziemlicher Verläßlichkeit gesammelten Daten über die Stärke der französischen Armeen«: An den Flanken Österreichs habe man mit 60 000 Mann in Norditalien, 40 bis 50 000 Mann in Oberbayern und 40 bis 50 000 Mann in Franken zu rechnen. An der Elbe stünden 100 000 Franzosen. Und die von Napoleon geführte und auf Sachsen gestützte Hauptarmee zähle 190 000 Mann.

Insgesamt waren es 450 000 Mann, eine gewaltige Streitmacht, die Napoleon zusammengetrommelt hatte, der eben in Rußland 550 000 Mann verloren hatte. War denn sein Reservoir unerschöpflich? In seinen Reihen standen nicht nur Franzosen, sondern immer noch auch Deutsche, Italiener, Spanier, Portugiesen, Niederländer, Schweizer, Dänen und Polen. Es war eine europäische Armee, gegen die man zu Felde zog, um Europa zu befreien. Der Geist dieser Truppe war gut, jedenfalls besser, als es alliierte Propagandisten glauben machen wollten. Und die Hauptarmee wurde von Napoleon höchstpersönlich geführt, dem genialen Feldherren, vor dem man sich immer noch in acht zu nehmen hatte – wenn er mit dem Rücken zur Wand stand mehr als zuvor.

Was hatten dem die Verbündeten entgegenzusetzen? Radetzkys Kalkulation wies ein numerisches Defizit aus: »Die entgegenwirkenden Streitkräfte der alliierten Mächte können mit Verläßlichkeit folgendermaßen veranschlagt werden: A. Für Norddeutschland nämlich: Schweden 25 000, ein preußisches Korps 35 000 und ein russisches Korps 20 000: 80 000 Mann. B. Für Süddeutschland nämlich: Österreicher in Böhmen 120 000, ein russisches Korps 25 000, Reserve im Donautal 60 000: 205 000 Mann. C. Für die Operationen im Centro: Die russisch-preußische

Armee: 80 000 Mann. D. Gegen Italien das zweite Reservekorps: 40 000 Mann.«

Unter dem Strich waren das 405 000 Mann, rund 50 000 weniger, als er auf der Gegenseite annahm. Es stellte sich heraus, daß die Alliierten zahlenmäßig den längeren Atem hatten. Preußen brachte sein Heer auf 270 000 Mann, darunter 112 000 Landwehren. Österreich, das ebenfalls die Landwehr aufbot, sollte bis Jahresende 550 000 Mann unter Waffen haben, darunter 390 000 Mann mobile Streitmacht.

Damit konnte der Generalstabschef im Sommer 1813 noch nicht rechnen. Immerhin war in den letzten Jahren nicht nur die preußische, sondern auch die österreichische Armee, wenn auch nicht so weitreichend, reformiert worden. Durch die Bildung einzelner Armeekorps war sie nun beweglicher. Das Nachschubwesen und die Versorgungseinrichtungen waren verbessert. Von der Schützentaktik der Franzosen hatte man gelernt, und von der Operationsführung Napoleons.

Und auch im Habsburgerreich war Kriegsbegeisterung aufgelodert. »Allenthalben eilten die ungeduldigen Wünsche der Völker dem regelmäßigen Gang ihrer Regierungen voraus«, hieß es im österreichischen Kriegsmanifest. »Von allen Seiten schlug der Drang nach Unabhängigkeit unter eigenen Gesetzen, das Gefühl gekränkter Nationalehre, die Erbitterung gegen schwer mißbrauchte fremde Obergewalt in hellen Flammen auf.«

Noch war den aufgerufenen Völkern nicht bewußt, daß es nicht um ihre eigene Freiheit, sondern um die Befreiung der Monarchien von einem Obermonarchen ging. Doch schon jetzt wurden die allgemeinen freiheitlichen Antriebe von nationalen und staatlichen Gegebenheiten gehemmt. Österreicher, Preußen, Russen, Schweden und Briten dachten mehr an ihre besonderen als an die gemeinsamen Anliegen. Und ihre Regierungen, der jeweiligen Staatsraison verpflichtet, versuchten in der Koalition ihre Eigeninteressen durchzusetzen.

Beim Gegner hingegen, im französischen Imperium, galt nur eine Raison und ein Wille, gab es nur einen Herrscher, den Kaiser. Und im napoleonischen Heer konnte nur einer befehlen, der Imperator. Das war ein Vorteil gegenüber den Alliierten. Denn in ihrer Heeresleitung wollten alle mitbestimmen, der Kaiser von

Rußland, der Kaiser von Österreich und der König von Preußen, die russischen, österreichischen und preußischen Generäle, die russischen, österreichischen und preußischen Generalstabschefs.

»Wir sind aus allen Nationen zusammengesetzt, leiden an dem traurigsten Übel, drei Souverains auf den Schultern tragen zu müssen«, seufzte der Generalissimus der verbündeten Streitkräfte, Feldmarschall Schwarzenberg, der eigentlich nur ein Generalkoordinator war, von alliierten Armeen und nicht »einer alliierten Armee«, wie Radetzky immer schrieb – ihr Generalstabschef, der auch nur ein Primus inter pares unter den anderen Generalstabschefs sein konnte.

Nur die Furcht vor Napoleon habe sie alle zusammengehalten, spottete Radetzky. Jedem war das eigene Hemd näher als der alliierte Rock. Auch und nicht zuletzt den Österreichern. Metternich wies Schwarzenberg an: »Das Wichtigste ist, in den militärischen Dispositionen die bestimmteste Sprache zu führen und gegen jedermann den Grundsatz aufrechtzuerhalten, den wir unsererseits dem Kaiser Alexander gegenüber betonen und der darin besteht, daß jene Macht, die 300 000 Mann ins Feld stellt, die erste ist, während die übrigen nur Hilfsmächte sind.«

Auch Generalstabschef Radetzky behielt die österreichischen Sonderinteressen im Auge – in seinem »Allgemeinen Operationsplan für die alliierte Armee« vom 7. Juli 1813. Nicht zuletzt war er von der Überlegung diktiert, wie die in Sachsen und Schlesien stehende Hauptarmee Napoleons von einem Angriff auf Böhmen abgehalten werden könnte – auf österreichisches Gebiet, auf die hauptsächlich aus Österreichern gebildete alliierte Hauptarmee, die der Österreicher Schwarzenberg führte und für die der Österreicher Radetzky plante.

»Es wird wohl kein Zweifel obwalten, daß die Absicht des französischen Kaisers dahin ziele, seine Hauptmacht zur Ergreifung der Offensive an der Elbe beisammenzuhalten, und mit solcher den Hauptschlag zu führen, während die anderen französischen Korps entweder sich einstweilen auf der Defensive halten, oder durch Demonstrationen die Zwecke ihrer Hauptarmee zu begünstigen suchen«, stellte Radetzky fest und schloß daraus: »Aus allen Gründen der Probabilität erhellt, daß der Schlag der französischen Hauptarmee gegen die Österreicher gerichtet sein werde.«

Das erste erwies sich als richtig, das zweite als falsch. Napoleon sollte die Feindseligkeiten mit einem Hauptangriff auf die Schlesische Armee des preußischen Generals Blücher (Russen und Preußen) und einem Nebenangriff auf die Nordarmee (Preußen, Russen, Schweden) eröffnen, die von Bernadotte, dem französischen Exmarschall und Kronprinzen von Schweden, befehligt wurde. Preußen und Russen haben den Österreicher für diese primär österreichischem Eigeninteresse entsprungene Fehlkalkulation nachhaltig getadelt – und dabei zweierlei übersehen oder in ihrem nationalen Eigeninteresse übersehen wollen: Erstens, daß Radetzkys Operationsplan durchaus Alternativen enthielt, falls nicht zuerst die böhmische Hauptarmee, sondern die Schlesische Armee oder die Nordarmee angegriffen werden sollte. Zweitens, und vor allem, daß das Wichtigste an Radetzkys Operationsplan richtig war – die Grundeinschätzung der Operationsmöglichkeiten Napoleons und die Grundüberlegung, wie man ihnen begegnen müßte.

Die französische Hauptarmee in Sachsen war von der Böhmischen, der Schlesischen und der Nordarmee der Alliierten umschlossen. Napoleon war die Defensive aufgezwungen, aber – wie man ihn kannte – würde er sie offensiv führen. Er konnte dabei auf der »inneren Linie« operieren, gestützt auf die Elblinie, versorgt aus dem rheinbündischen Sachsen, mit der Möglichkeit von Angriffen nach allen Seiten.

Der Gegenplan mußte versuchen, Napoleons Vorteil, auf der »inneren Linie« operieren zu können, in einen Nachteil zu verkehren. Und zwar dadurch, daß man es dem immer noch zu fürchtenden Feldherren unmöglich machte, seine ganze Kraft gegen eine Teilkraft der Alliierten überraschend und massiert einzusetzen – worin er Meister war.

Und man hatte den Nachteil der Alliierten, auf der »äußeren Linie«, getrennt in drei Heerhaufen, operieren zu müssen, in einen Vorteil zu verwandeln. Und zwar dadurch, daß die Teilkraft, die angegriffen wurde, zurückwich, die anderen inzwischen vorgingen, und wenn sich Napoleon dann gegen die eine oder andere wendete, das Spiel von vorne beginnen sollte – bis er durch das ständige Hin- und Hermarschieren zermürbt wäre, sich verausgabt hätte, der Kreis immer enger gezogen, das Kesseltreiben zur Kesselschlacht werden könnte, zur Vernichtungsschlacht.

So Radetzky in seinem genialen Operationsplan vom 7. Juli 1813: »In allen, wie immer angenommenen Wechselfällen bleibt es bei dem gegenwärtigen Stand der Armee stets die erste und wesentlichste Hauptbeobachtung, daß keine Armee einzeln und auf keine Weise sich gegen eine ihr überlegene Macht in ein Hauptgefecht einlasse, um den Hauptzweck in den gemeinschaftlichen Operationen nicht zu verfehlen, nämlich: den Hauptschlag mit Sicherheit zu führen . . ., den Kaiser Napoleon von seinen Stützpunkten an der Elbe abzudrängen, sodann möglichst nahe zu umstellen, jede teilweise Niederlage zu vermeiden und am Ende in einer Entscheidungsschlacht vollends zu vernichten, was Hunger und Krankheiten, überhaupt das Ungemach des Feldzuges von dessen Heer noch übrig gelassen haben würden.«

Das war der Plan, Radetzkys Plan, der zur Völkerschlacht bei Leipzig führte, den entscheidenden Sieg über Napoleon ermöglichte, den österreichischen Generalstabschef als erfolgreichen Gegenspieler des großen französischen Feldherrn auswies.

Historiker haben das anerkannt. »Die Grundidee, Napoleon von seinen Stützpunkten an der Elbe abzudrängen, ihn zu umstellen, jede teilweise Niederlage zu vermeiden, ihn in einer Entscheidungsschlacht zu vernichten, ist Radetzkys Gedanke«, hieß es in der »Allgemeinen Deutschen Biographie«. Der Engländer John F. C. Fuller schrieb, dadurch seien Napoleons Angriffsstrategie die Giftzähne gezogen worden. Der Österreicher Kurt Peball resümierte, man dürfe annehmen, »daß es Radetzkys Pläne und vor allem sein operatives Wirken gewesen sind, die entscheidend dazu beigetragen haben, die Verbündeten im Herbst 1813 zum Sieg über Napoleon zu führen«.

Die ganze Kriegskunst bestehe aus einer durchdachten und umsichtigen Verteidigung, der ein rascher und kühner Angriff folgt, sagte Napoleon. Hatte sein Gegenspieler von ihm gelernt? Der österreichische Militärhistoriker Johann Christoph von Allmayer-Beck meinte: »Radetzkys Operationsidee von 1813 war die direkte Antwort auf Napoleons Strategie, und er erwies sich dabei als ein höchst beweglicher Fechter, der die Eigenarten seines Gegners genau kannte und sich ihnen anpaßte. Dieser flexiblen, fast spielerisch-tänzerischen Kampfweise ist Radetzky dann sein ganzes Leben treu geblieben; sie hat seinen persönlichen Operationsstil geprägt, einen Stil, der, obzwar eigenständig, doch von Napoleon beeinflußt, keine Kopie, ein Positivabzug der Kriegskunst des Franzosenkaisers, sondern – wenn man schon bei diesem Vergleich aus der Technik der Photographie bleiben will – gewissermaßen deren Negativaufnahme war.«

Radetzky sei mit seinen Vorschlägen vollständig durchgedrungen, konstatierte der deutsche Historiker Wilhelm Oncken. Er hatte es dabei nicht leicht gehabt – nicht bei den russischen und preußischen Verbündeten, selbst nicht bei seinen Österreichern.

Das begann schon bei seinem Oberkommandierenden. Persönlich kam er mit Schwarzenberg nie besonders gut aus. Das muß wohl primär am Vorgesetzten gelegen haben, denn der Untergebene war nie verlegen gewesen, sich äußerlich anzupassen, ohne sich dabei im wesentlichen etwas zu vergeben. Der Fürst strich zu sehr den Magnaten und Grandseigneur heraus, seine Familie, die zu den Ersten Österreichs gehörte, seinen Reichtum und seine Weltläufigkeit, die er sich in Paris angeeignet hatte. Und selbst wenn er den Grafen, der nichts mitbekommen hatte, der alles, was er war, sich selbst verdankte, kameradschaftlich behandeln wollte, mußte dies als Herablassung erscheinen – zumal der um fünf Jahre jüngere Schwarzenberg dabei eine etwas plumpe Jovialität zur Schau stellte.

In Schwarzenbergs Hauptquartier speise man »an einer langen Refektoriumstafel mit vierzig oder fünfzig Schnurrbärten aller Farben und Formen. Der Fürst hat ein sehr gut eingerichtetes und elegantes Hauptquartier, lauter junge Leute schlanker und ranker Gestalt, und jeder ihrer Schritte zeugt von tiefstem Respekt. Du siehst nur lauter Clams, Paars, Choteks, Casper Szećhény etc. etc. wie die Zwiebeln aufgereiht, die sich weder trauen zu sprechen, noch zu husten oder zu spucken und immer nur den Befehl ihres Herren erwarten, um irgendeinen Ritt von fünfundzwanzig oder dreißig Meilen anzutreten.«

So mokant wie Metternich war Radetzky nicht, aber auch er hatte an Schwarzenbergs Hauptquartier einiges auszusetzen: »Ich war unbekannt mit den Verhältnissen seines Hauses, mit seinen Gewohnheiten und Fähigkeiten und fand mich gleich anfangs, da mir das Treiben und Wirken der großen Welt, deren Triebfedern einige Damen waren, unbekannt war, unbehaglich.«

Gegen Damen hatte Radetzky nichts, im Gegenteil. Aber in den Generalquartiermeisterstab gehörten sie nicht, in Politicis und Militaria hatten sie nichts zu melden. Und hier schien es so, als ob die Fürstin Anna Schwarzenberg, eine geborene Gräfin von Hohenfeld und verwitwete Fürstin Esterházy, die Feldmarschallin sei. Metternich spielte auf ihre kleine Gestalt und ihr quecksilbriges Temperament an, wenn er sie einen »Floh inmitten von einem Haufen von Maikäfern« nannte. So indezent war Radetzky nicht, doch ihn störte, daß die Fürstin oft im Hauptquartier war und, wenn nicht, der Fürst die militärischen Gespräche mit ihr brieflich fortsetzte.

Von den militärischen Fähigkeiten Schwarzenbergs hielt Radetzky nicht viel. »Da er als Oberst ein gutes Renommé gehabt hatte, so glaubte man, er müsse auch ein großer Feldherr sein.« Aber ein großer, das heißt alles entscheidender Feldherr war an der Spitze der alliierten Armeen gar nicht gefragt, und sein Generalstabschef konnte es ihm nicht verübeln, daß er ihn den Operationsplan allein ausarbeiten ließ.

Überdies stimmten sie in dessen Grundzügen überein, auch wenn Radetzky mehr das Endergebnis, die Entscheidungsschlacht, und Schwarzenberg mehr die Anfangsphase, das vorsichtige Manövrieren, im Auge hatte. Jedenfalls übernahm der Oberkommandierende nicht nur den Operationsplan seines Generalstabschefs, er sorgte auch dafür, daß ihn der Kaiser von Österreich annahm und die anderen Monarchen von seinen Grundlinien nicht abwichen.

Dem Kaiser Franz konvenierte der Operationsplan als Fortsetzung von Metternichs diplomatischer Manövrierkunst im strategischen Bereich und mit militärischen Mitteln. Bei allen Plagen, die er hatte, drängte es ihn nicht, auch noch die Lasten eines über dem Oberkommandierenden stehenden Höchstkommandierenden auf sich zu nehmen. Selbst sein militärischer Ratgeber, Feldzeugmeister Peter Duka von Kadár, der ihn dabei nur zu gern entlastet hätte, konnte ihn nicht dazu bringen. Indessen gelang es diesem »Helden der grauen Theorie«, Schwarzenberg und Radetzky in Einzelheiten und bei Kleinigkeiten Knüppel zwischen die Beine zu werfen.

Die größten Schwierigkeiten machte der, der sich für den Größten hielt: Zar Alexander I. Seit der Katastrophe der Grande Armée in Rußland hielt er sich für den bewährten Besieger Napoleons und den berufenen Befreier Europas. Er wäre selber gern Oberfeldherr geworden. Als dies die anderen Monarchen nicht zuließen, wäre ihm auch sein General Michael Barclay de Tolly, den er kommandieren hätte können, recht gewesen. Nachdem sich auch dies zerschlagen hatte, nahm er sich vor, sich von keinem etwas sagen zu lassen und allen dreinzureden.

König Friedrich Wilhelm III. von Preußen hielt sich, wie es in seiner spröden Natur lag, eher zurück. Um so eigenmächtiger benahmen sich seine Generäle. Da war der Befehlshaber der Schlesischen Armee, General Gebhard Leberecht von Blücher, der sich mit Siebzig immer noch wie ein Husarenleutnant benahm. Und sein Generalstabschef August Neidhardt von Gneisenau, der sich nicht nur als militärischer, sondern auch als ideologischer Gegner Napoleons fühlte, was dazu führen konnte, daß er dem politisch Wünschenswerten Vorrang vor dem militärischen Machbaren gab.

Blücher und Gneisenau wären am liebsten stante pede auf Napoleon losgegangen, und wer sie – wenn auch aus wohlerwogenen Gründen – bremste, mochte ihnen beinahe wie ein Saboteur erscheinen.

Der »Marschall Vorwärts« und der bedachtsame Österreicher rieben sich aneinander, und Radetzky resümierte: Er wisse, daß Blücher »manches nicht recht war, was bei uns geschah. Später mag er anders gedacht haben. Gneisenau aber hat mich immer verstanden und meine Stellung richtig aufgefaßt.« Jedenfalls hatten sich die österreichische und der preußische Generalstabschef immer mehr kennen und schätzen gelernt. Schließlich machte der jüngere Gneisenau dem älteren Radetzky sogar das Kompliment: »Sie, liebe Exzellenz, kennen die Kriegskunst besser als ich.«

Mit Scharnhorst, dem zu früh verstorbenen preußischen Militärreformer, hatte sich Radetzky – nach eigener Bekundung – sofort verstanden. Auf dem Sterbelager soll der Preuße den Operationsplan des Österreichers gebilligt haben, dessen Grundidee, vorerst jeden ungleichen Kampf zu vermeiden, Napoleon durch Operationen mehrerer Armeen so zu beschäftigen und zu ermatten, daß die Franzosen keinen Teilsieg und die Alliierten den

Endsieg erreichen könnten. »Bleiben Sie dabei, Sie haben recht, und lassen Sie sich nicht irreführen.«

Der preußische Militärtheoretiker Karl von Clausewitz, ein Schüler und Mitarbeiter Scharnhorst, gelangte zu einer anderen Auffassung. Nach der Niederwerfung Napoleons nannte er Radetzkys Operationsplan »einen verdorbenen Plan«, die österreichische Führung »ein unentschlossenes, zaghaftes Armeekommando«. Noch nach dem Ersten Weltkrieg behauptete der preußische General Hans von Seeckt: »Aus dem gewiß zahlreichen Generalstab des Fürsten Schwarzenberg klingt kein Name durch die Geschichte.«

Es war in Preußen und danach in dem von Preußen geschaffenen Deutschland üblich geworden, den Anteil des österreichischen Rivalen an der Niederringung Napoleons zu verkleinern, ja zu verschweigen. »Nur wenige Menschen dürfen erfahren, daß die Leipziger Entscheidungsschlacht nach dem Plan des österreichischen Generalstabschefs Radetzky gewonnen wurde«, resümierte Werner Hegemann, ein Kritiker der preußisch-deutschen Geschichtsschreibung.

Radetzky sagte schon 1813: Alle hätten Kritik an seinem Plan geübt, doch keiner hätte einen besseren gebracht. So wurden die Grundzüge seines Operationsplans angenommen und die ersten Züge ausgeführt, die Napoleon schachmatt setzen sollten.

DER PLAN WAR RICHTIG, doch bei der Ausführung gab es Anfangsschwierigkeiten. Als Napoleon zunächst gegen die Schlesische Armee vorging, wich diese planmäßig einem Treffen mit der französischen Hauptmacht aus. Daraufhin marschierte die Hauptarmee, ebenso planmäßig, aus Böhmen nach Sachsen – einer Niederlage entgegen, weil der Plan nicht mehr eingehalten wurde.

Napoleon ließ zwar von Blücher ab, wandte sich gegen die Hauptarmee, ließ nur Macdonald in Schlesien zurück, der am 26. August 1813 in der Schlacht an der Katzbach geschlagen wurde. Aber die alliierte Hauptarmee, die eigentlich vor der heranrükkenden französischen Hauptarmee hätte zurückweichen sollen, verwickelte sich bei Dresden in eine Schlacht, die sie prompt verlor.

Radetzky hatte von einem Marsch nach Dresden abgeraten, der Zar darauf gedrängt, und dann doch den Angriff für zu riskant gehalten, als er schon im Gange war. Man glaubte nur die Besatzung von Dresden vor sich zu haben, rechnete nicht mit einem raschen Auftauchen Napoleons. Aber noch einmal war er da wie der Blitz. Als daraufhin Schwarzenberg die Schlacht abbrechen wollte, fiel ihm der König von Preußen in den Arm: 200 000 Mann sollten nicht vor dem bloßen Namen Napoleon zurückweichen!

Man machte weiter und mußte sich am 27. August 1813 geschlagen geben. Und doch den Rückzug antreten – so wie es Radetzky ohne Schlacht, ohne Triumph des Feindes und ohne eigene Verluste von 28 000 Mann, 14 Fahnen und 26 Geschützen vorgesehen hatte.

»Sire, greifen Sie Napoleon stets dort an, wo er nicht ist!« So lautete das letzte Wort des in den Armen des Zaren sterbenden französischen Ex-Generals Moreau, der auf russischer Seite tödlich verwundet worden war. Es war ein für Dresden zu später, doch für den weiteren Feldzug nicht zu später Hinweis auf die Richtigkeit des Operationsplans Radetzkys.

Ein Fehler Napoleons glich die Rechnung wieder aus. Er verfolgte die über das Erzgebirge nach Böhmen abziehende Hauptarmee nicht selber, sondern schickte nur das Korps Vandamme hinterher – eine Teilmacht, die zu schlagen in Radetzkys Plan grundsätzlich vorgesehen war. Am 30. August 1813, bei Kulm und Nollendorf, glückte das auch, durch ein so einvernehmliches Zusammenwirken der verbündeten Österreicher, Russen und Preußen, wie man es kaum mehr für möglich gehalten hatte.

Radetzky, der wußte, was auf dem Spiel stand, setzte sich voll und ganz ein. »Der Chef des Generalstabs hat durch seinen bekannten Heldenmut und seine mit dem richtigen Coup d' œil verbundene Tätigkeit in jeder Gelegenheit und besonders in den entscheidenden Momenten der Schlacht bei Kulm die wichtigsten Dienste geleistet und neue Ansprüche auf die Achtung der Armee erworben«, hieß es im österreichischen Bericht. Der Zar verlieh ihm den St.-Annen-Orden erster Klasse.

Der Geehrte war mit dem Zwischenergebnis zufrieden: »Der Kaiser Napoleon ist gehindert worden, seine Feldherrentalente und militärischen Kräfte gegen irgendeine der drei Hauptarmeen ganz zu entwickeln, die Trefflichkeit des Operationsplanes hat sich trotz mancher harter Ereignisse in der Ausführung bewährt.« Die Franzosen waren hin- und hergehetzt worden, im Norden bei Großbeeren und Dennewitz, in Schlesien an der Katzbach, in Böhmen bei Kulm und Nollendorf geschlagen worden, hatten fast 70 000 Mann verloren, konnten nur noch 300 000 Mann den 450 000 Verbündeten entgegenstellen.

Die Ermattungsstrategie und Zermürbungstaktik hatte Wirkung gezeigt. Nun mußte man damit fortfahren, »dem Kaiser Napoleon so viel Verluste als möglich beizubringen und ihm dabei stets die Möglichkeit zu benehmen, seine physischen und moralischen Kräfte auf einem Punkt ganz zu verwenden und ihm alle Mittel zur Ergänzung seiner Armee durch gänzliche Unterbrechung der Kommunikationen mit Frankreich zu entziehen«.

Die Sorge blieb, die Koalition könnte über wachsenden Einzelerfolgen das angestrebte Gesamtergebnis aus den Augen verlieren, ungeduldig und übermütig werden, zu früh und am falschen Platz gegen Napoleons Hauptmacht losschlagen, im letzten Moment alles in Frage stellen. Gegen diese Gefahr ging Radetzky in vielen Besprechungen vor, schrieb er in mehreren Denkschriften an.

Zunächst mußte er seinen unmittelbaren Vorgesetzten bei der Stange halten. Denn Schwarzenberg bekam es satt, sich »von Schwächlingen, Gecken aller Art, exzentrischen Dummköpfen, Schwätzern, Kritikastern« ins Zeug pfuschen zu lassen, auch nicht vom russischen Zaren, der seinen Ordres ständig Gegenordres entgegensetze, sodaß »ich zu einer Nachgiebigkeit selbst in Hauptansichten genötigt bin, deren Nachteil wir leider schon jetzt deutlich sehen«. Schwarzenberg bat seinen Monarchen, »den Kaiser von Rußland zu vermögen, daß er die Armee verläßt«, dafür zu sorgen, daß der österreichische Oberkommandierende auch die russischen Truppen kommandieren könne – oder ihn, Schwarzenberg, von seinem ebenso enervierenden wie undankbaren Posten abzulösen.

Radetzky faßte Schwarzenberg am Portepée: »Seine Majestät der Kaiser haben Euer Durchlaucht auf einen Posten gestellt, dessen hohe Wichtigkeit, das Wohl und die Ehre der Monarchie und der Armee, mit Ihrer eigenen in so genauer Verbindung steht, daß Ihnen, selbst in Ihrer persönlichen Handlungsweise, keine Wahl übrig bleibt.« Schwarzenberg müsse an der Spitze der militärischen Koalition bleiben, die der politischen Position Österreichs entspreche: »die erste Stelle in Europa«.

Deshalb habe Schwarzenberg alliierter Oberkommandierender – freilich mit der erforderlichen Befehlsgewalt – zu bleiben und dafür einzustehen, daß der von seinem Generalstabschef entworfene Operationsplan im Interesse Österreichs und zum Wohle Europas ausgeführt werde. Und er müsse dafür sorgen, daß die österreichische Armee so schlagkräftig werde, daß sie ihre Rolle als die Erste unter den anderen spielen könne.

Nonchalant, wie die Österreicher waren, schienen sie schon wieder anzunehmen, sie könnten sich, da ja alles so gut gehe, wieder gehenlassen, in den Rüstungsanstrengungen nachlassen. Radetzky mahnte: Nicht nur die Franzosen, sondern auch die Russen und Preußen seien besser bekleidet und bewaffnet als die Österreicher; vor allem die preußische Armee sei »auf eine, im Verhältnis der Bevölkerung, trotz aller erlittenen Verluste, unglaubliche Weise komplettiert«. Es sei höchste Zeit, daß die Österreicher mit ihren Bundesgenossen nicht nur Schritt hielten, sondern sie auch überholten.

Denn der Zeitpunkt rückte näher, an dem man gegen den vom Hin- und Herjagen erschöpften Napoleon zum Kesseltreiben übergehen und zur Kesselschlacht ansetzen konnte. Am 5. September 1813 verlangte Radetzky für den Fall, daß Napoleon die Elblinie aufgebe und nach Leipzig zurückgehe, den Vormarsch der Hauptarmee gegen Leipzig. Am 8. September sprach er sich für ein konzentrisches Zusammenwirken der drei Koalitionsheere aus. Am 14. September erinnerte er an die immer noch geltenden Grundsätze des Operationsplans und die immer noch gebotene Vorsicht gegenüber Napoleon:

»Wir können ihn nur dadurch vernichten, daß wir ihn nicht in Ruhe lassen, ihn unaufhörlich in Detailgefechten ermüden, ihm jedes Subsistenzmittel entziehen und hauptsächlich dahin treiben, seine Verstärkungen jederzeit zu zerstreuen, bevor selbe noch bei seiner Armee ankommen. Zu diesem Zweck muß man auf seine Kommunikation marschieren und sich so aufstellen, daß jede unserer Armeen zeitig genug von der Ankunft der französischen Hauptmacht unterrichtet sein könne. Jeder Teil, auf den sie losgeht, muß dem Gefecht möglichst ausweichen. Für die nichtbedrohte Armee aber ist dies das Zeichen zum Vorrücken.«

Die Alliierten verhielten sich entsprechend. Als sich Napoleon, im September, mehrmals gegen die Hauptarmee und gegen die Schlesische Armee wandte, vermieden diese eine Schlacht. Am 1. Oktober 1813 konnte Radetzky feststellen, daß sich »in der französischen Armee und ihren Anführern ein Grad von Unentschlossenheit und Furchtsamkeit in den Bewegungen zeige, die jede Berechnung scheitern machen, welche man bis dahin auf den Heldengeist des Anführers und die willige und schnelle Befolgung der Unternehmen sonst machen konnte«.

Man konnte die Schlinge zuziehen. Am 2. Oktober erfuhr das alliierte Hauptquartier, daß Napoleon – in der Sorge, vom Verbindungsweg nach Frankreich abgeschnitten zu werden – die Elblinie aufgab und sich auf Leipzig zurückzog. Am 3. Oktober erzwang die Schlesische Armee, nach einem kühnen Rechtsabmarsch, den Übergang über die Elbe. Am 4. Oktober überschritt auch die Nordarmee die Elbe. Beide Heere rückten von Norden gegen Leipzig vor.

Bereits Ende September hatte der vorgesehene Linksabmarsch der im Süden stehenden Hauptarmee begonnen, aus Böhmen nach Sachsen, in Richtung Leipzig. Napoleon suchte sich Luft im Norden zu verschaffen, wandte sich gegen Blücher und Bernadotte, die – dem Grundzug des Operationsplans folgend – einem Treffen auswichen. Daraufhin konzentrierte Napoleon seine Streitkräfte bei Leipzig. Nachdem er den Ring der Jäger nicht hatte durchbrechen können, stellte er sich, wie ein gehetztes Wild, der Meute.

Das alliierte Oberkommando ließ Halali blasen. »Alle Nachrichten, welche vom Feinde eingehen, vereinigen sich dahin, daß er alle seine Armeekorps in Massen zwischen Leipzig, Grimma, Wurzen und Altenburg konzentriert«, hieß es in den »Allgemeinen Dispositionen« vom 13. Oktober 1813 aus Altenburg. »Unser Zweck muß sein, den Feind in dieser Stellung immer mehr einzuengen und mit vereinten Kräften auf ihn zu rücken ... Die Vorteile unserer gegenwärtigen Stellung erlauben es uns, an die Möglichkeit der Vernichtung der feindlichen Armee zu denken.«

Nach dieser Disposition verlief die Völkerschlacht bei Leipzig – ausgegeben vom Oberkommandierenden Schwarzenberg und seinem Generalstabschef Radetzky. Sie hatten dem großen Napoleon die Initiative entwunden, konnten zu seiner Überwindung ansetzen.

Am 16. Oktober 1813, dem ersten Tag, griff Schwarzenberg südlich von Leipzig, bei Wachau, an, nach der langen Zurückhaltung zu forsch, zu früh und in ungünstiger Stellung. Er sollte wenigstens rechtzeitig die Reserven einsetzen, drängte ihn Radetzky, der den Angriffsplan nicht gebilligt hatte. Im letzten Moment »entriß die österreichische Kürassierreserve den schon weit vorgedrungenen französischen Garden den Sieg«; die Schlacht endete mit einem Unentschieden.

Radetzky, der alte Kürassier, war selber mitgeritten, verlor zwei Pferde unter dem Leib, wurde leicht verwundet, blieb aber vorne und auch hinterher im Dienst, obwohl ihm die eiternde Wunde zu schaffen machte.

Während Napoleon im Süden von Leipzig durch die Hauptarmee gebunden war, hatte im Norden die Schlesische Armee bei Möckern einen Sieg über Marschall Marmont errungen. So war der 16. Oktober nicht glanzlos für die Verbündeten ausgegangen. Am 17. Oktober, einem Sonntag, holten sie Reserven heran, während Napoleon, der dies nicht konnte, dem Kaiser von Österreich einen Friedensantrag machen ließ, der unbeantwortet blieb.

Am 18. Oktober errang die Koalition einen vollständigen, den entscheidenden Sieg. Napoleon war von vier Armeen eingekreist, der Hauptarmee, der Schlesischen Armee, der Nordarmee und der russischen Reservearmee. 300 000 Alliierte griffen 150 000 Franzosen konzentrisch an. Aus dem »Getrennt marschieren« war das »Vereint schlagen« geworden, wie es Radetzky geplant hatte, der Generalstabschef, der bilanzieren konnte: »Die Schlacht bei Leipzig war am 18. Oktober dadurch entschieden, daß die alliierten Armeen ihre Vereinigung vollkommen zustande gebracht.«

»Alle für einen! Einer für alle!«, hatte der alliierte Oberkommandierende am Vorabend der Völkerschlacht den verbündeten Heeren und Heerführern zugerufen. Schwarzenbergs Hauptverdienst am Sieg bestand darin, daß er die Grundzüge des Operationsplans seines Generalstabschefs gegen alle Winkelzüge im eigenen Lager durchzusetzen, die auseinander strebenden Interessen und Aktionen der Bundesgenossen zusammenzuhalten vermocht hatte – ein Koalitionsdiplomat eher als ein Koalitionsfeldherr.

Der Oberkommandierende erhielt für den Sieg bei Leipzig das Großkreuz des Militär-Maria-Theresien-Ordens, der Generalstabschef das Großkreuz des Leopold-Ordens, »für seine mehrjährigen, so ruhmvoll als getreuen und ersprießlichen Militärdienste, insbesondere aber in Berücksichtigung der ausnehmenden Verdienste als Generalquartiermeister der verbündeten Armee bei Leipzig«.

Den Hauptverdienst nahmen die drei verbündeten Monarchen für sich in Anspruch: Alexander I. von Rußland, Friedrich Wilhelm III. von Preußen und Kaiser Franz I. von Österreich. Sie wollten im Gedächtnis bleiben, wie sie der österreichische Maler Peter Krafft malte: auf dem »Monarchenhügel«, einträchtig zusammenstehend, der Areopag, der Napoleon gerichtet hatte, die Dreieinigkeit der Heiligen Allianz. Und vor ihnen Feldmarschall Fürst Schwarzenberg, der mit gezogenem Degen den Sieg meldet, hinter ihm, etwas verdeckt, Feldmarschalleutnant Graf Radetzky.

Legenden begannen zu blühen. Als Schwarzenberg das Großkreuz des Militär-Maria-Theresien-Ordens erhielt, soll er sein Kommandeurkreuz, die niedrigere Stufe des Ordens, vom Halse genommen und es Radetzky mit den Worten übergeben haben: »Dieses Kreuz hat vordem der große Laudon getragen, ich kann es keinem Würdigeren abtreten!« Laudon hatte nie das Kommandeurkreuz besessen, und so hoch schätzte der Fürst den Grafen nicht, daß er sich solchermaßen herabgelassen hätte.

Und kaum errungen, begannen die Lorbeeren der Österreicher schon zu welken. »Jetzt durchschwärmen schon einige Flugschriften die deutschen und englischen Buchläden, die das Verdienst unserer Heere und das entscheidende Gewicht, das Österreich in die Waagschale der Begebenheiten legte, zu bezweifeln suchen«, schrieb ein dreiviertel Jahr nach der Völkerschlacht der österreichische Diplomat, Militär und Schriftsteller August von Steigentesch. »Diese Irrtümer, die hauptsächlich aus den preußischen Druckerpressen ausgehen, werden nach und nach zur öffentlichen Meinung, die später zur Geschichte wird und den Glauben der Nachwelt bestimmt.«

Preußen beanspruchte die Lorbeeren von Leipzig für Blücher und Gneisenau. Hundert Jahre später, bei der Einweihung des Völkerschlachtdenkmals bei Leipzig, bemerkte der zur österreichischen Abordnung gehörende österreichische Generalstabschef Conrad von Hötzendorf: »Im Tone des Festes schien sich jene Unterschätzung der österreichischen Leistungen widerzuspiegeln, die sich auch in die deutsche, vornehmlich preußische Geschichtsschreibung eingeschlichen hatte.«

Selbst Österreicher begannen Schwarzenberg zu vergessen und an Radetzky erst wieder in einem anderen Zusammenhang zu denken – wenn der Radetzkymarsch erklang, der an 1848, nicht an 1813 erinnerte.

# *Zweimal nach Paris*

NAPOLEON WAR GESCHLAGEN. Am 19. Oktober 1813 war die Völkerschlacht bei Leipzig mit der Einnahme der Stadt zu Ende gegangen. Man konnte Bilanz ziehen, zunächst die Toten und Verwundeten zählen: 14 500 Österreicher, 29 000 Russen, 16 500 Preußen, 38 000 Franzosen. Es war ein Völkerschlachten gewesen.

Nicht die Freiheit der Völker, doch die Befreiung der Staaten hatte bei Leipzig begonnen. Es war der Anfang vom Ende des Imperators und des Imperiums. Österreich und Preußen konnten mit der Wiederherstellung ihres Staatsgebietes rechnen, und die Rheinbundstaaten hoffen, ihren Protektor loszuwerden und das, was er ihnen verschafft hatte, zu behalten.

Bayern, das Königreich von Napoleons Gnaden, hatte sich bereits am 8. Oktober 1813, im Vertrag zu Ried, Krone und Territorium bestätigen lassen, gegen den Beitritt zur antinapoleonischen Koalition. Seinem Beispiel folgten die anderen Rheinbundstaaten, mit Ausnahme des Königreichs Westfalen sowie der Großherzogtümer Frankfurt und Berg, die keine Zukunft hatten. Der Dumme war der König von Sachsen. Er hatte bis zuletzt bei Napoleon ausgeharrt, ausharren müssen, war in Leipzig gefangengenommen worden. Sein Königreich stand zur Disposition des Zentralverwaltungsrats für die besetzten Länder, dem der Freiherr vom Stein vorstand, der preußische Reformminister a. D. und nunmehrige Berater des russischen Zaren.

Der Kaiser der Franzosen mußte Deutschland räumen. Daß er sich überhaupt, mit einem Großteil seiner bei Leipzig geschlagenen Armee, nach Frankreich zurückzuziehen vermochte, war der Wermutstropfen im Siegesbecher. Hätte man ihn durch eine umsichtigere Disposition, durch eine lückenlose Einkreisung am Ausbrechen hindern können? Und wenn er schon ausbrechen konnte, hätte man ihn dann nicht energischer verfolgen müssen?

Die Koalitionsgenossen begannen sich gegenseitig die Schuld zuzuschieben.

Schwarzenberg und Radetzky verwiesen darauf, daß ihr ursprünglicher Plan darauf angelegt war, Napoleon den Rückzug abzuschneiden, seine Armee in einer Kesselschlacht zu vernichten. Die Österreicher wollten die Hauptarmee im Westen von Leipzig aufstellen – als Hauptriegel am Rückzugsweg der Franzosen. Die Russen durchkreuzten diese Disposition, die Hauptarmee stieß von Süden frontal gegen Leipzig vor – und Napoleon konnte das im Westen postierte schwache Korps Gyulai durchbrechen und entkommen.

Und was die Verfolgung betraf: Die Schlacht war noch nicht zu Ende, da hatte das alliierte Oberkommando bereits die ersten Befehle zur Verfolgung gegeben, der Generalstabschef gedrängt: »Die Zeit ist kostbar.«

Rückblickend bemerkte Radezky: »Schwarzenberg trug daher bei Seiner Majestät Kaiser Alexander sofort dahin an, daß die am meisten geschonten russischen Garden noch am 18. Oktober bis Pegau marschieren sollten, um dem Feind an der Saale zuvorzukommen. Es verging jedoch dieser und der folgende Tag mit der Wegnahme Leipzigs und der Gefangennahme der vier darin zurückgebliebenen Armeekorps. Das Korps des Generals Gyulai, welches mit der ganzen französischen Armee zu tun gehabt hatte und natürlich zurückgedrängt worden war, mußte den 19. Oktober dazu anwenden, um sich bei Pegau zu sammeln. Der General Yorck, dem der General Blücher die Verfolgung aufgetragen hatte, war aus einer falschen Ansicht statt auf Weisenfels auf Halle marschiert. Blücher sagt selbst, daß seine Befehle an diesem Tag nicht vollkommen sind ausgeführt worden.«

Endlich setzte sich der alliierte Heerwurm in Bewegung. Die Hauptarmee und die Schlesische Armee marschierten vereint, denn man hatte selbst noch vor dem fliehenden Napoleon Respekt, fürchtete, er könnte sich umwenden und das eine oder andere der unvorsichtigerweise getrennt marschierenden Heere schlagen. Vergebens hatte Radetzky eingewandt, eine zu große Truppenmasse käme auf einer einzigen Linie zu langsam voran, schon der Verpflegungsschwierigkeiten wegen.

Er sah sein Vorhaben vereitelt, »die Hauptarmee rasch an den

Rhein zu führen, und dort die Bayern und Österreicher unter Wrede an sich zu ziehen«. So mußte sich der bayerische General Wrede, am 30. Oktober bei Hanau, allein Napoleon in den Weg stellen – und wurde von der Übermacht beiseite gedrängt. Mit immerhin noch 50 000 Mann überschritt der Franzose bei Mainz den Rhein.

Radetzky wollte ihm auf den Fersen bleiben: Wenn man Napoleon nicht den Rückzug verlegen könne, solle man ihm unverzüglich nachsetzen, dürfe ihm keine Zeit lassen, ein neues Heer aufzustellen, müsse ihn in Frankreich schlagen und ihm in Paris den Frieden diktieren. Das war sein neuer Plan, wie er ihn bereits in Denkschriften vom 29. und 31. Oktober 1813 entwarf, noch Tagemärsche vom Rhein entfernt.

Wiederum erwies er sich als Feldherr, als Herr der Situation. Vor Leipzig hatte er sich, angesichts einer intakten Feindmacht und ihres unbesiegten Führers, vorsichtig, fast defensiv verhalten, die Schlinge bedächtig zugezogen. Nach Leipzig, als Frankreichs letzte große Armee und der Nimbus Napoleons dahin waren, forderte er den sofortigen und energischen Angriff, den entscheidenden Stoß in das Herz Frankreichs.

Das war die veränderte Situation: »Man kann von nun an den Feind zwingen, seine Bewegungen nach den unsrigen zu richten; wir können aufhören, die unseren nach den seinen zu bemessen.« Ergo: »Es muß daher der Charakter unserer gegenwärtigen Operationen mehr als seither den einer vollkommenen Offensive annehmen.« Folglich sei es ratsam, »den Rhein sofort zu passieren und so mit vereinten Kräften so tief wie möglich in das Innere Frankreichs vorzudringen«.

Doch Radetzky blieb sich des Umstandes bewußt: Die Militärs denken, die Monarchen lenken. Rheinübergang und Frankreichfeldzug hingen »von der Entscheidung mancher politischer Fragen« ab, und sie zu entscheiden sei mehr die Sache der Diplomaten als die der Soldaten.

Und die Monarchen und ihre Diplomaten ließen sich Zeit. Hintereinander waren sie in Frankfurt am Main eingetroffen, am 4. November 1813 der Kaiser von Rußland, am 6. November der Kaiser von Österreich, am 23. November der König von Preußen. In dieser Reihenfolge standen sie auch zur Frage, wie man weiter verfahren solle: Alexander I. wollte nach Paris, Franz I. zauderte wie immer, Friedrich Wilhelm III. wollte am Rhein stehenbleiben, den Preußen bereits 1795 als Grenze Frankreichs anerkannt hatte.

Metternich, der Oberdiplomat der Koalition, knüpfte Friedensverhandlungen mit dem Kaiser der Franzosen an. Und zwar nicht – wie ihm vorgeworfen worden ist – aus Furcht vor Napoleon, sondern wegen der Befürchtung, eine Verkleinerung Frankreichs könnte der Vergrößerung Preußens und der Vormachtstellung Rußlands nützen. Das europäische Gleichgewicht, das der Österreicher wiederherstellen wollte, wäre dadurch erneut in Frage gestellt worden. So bot er Napoleon Frieden an – auf der Basis des Fortbestands der bonapartistischen Dynastie, im Rahmen der von Frankreich beanspruchten »natürlichen Grenzen«, den Pyrenäen, den Alpen und dem Rhein.

Den Monarchen war es recht, und den Militärs hatte es recht zu sein. Die russischen Generäle verlangte es ohnehin nach bequemen Winterquartieren. Unter den Österreichern war Radetzky der einzige, der auf eine sofortige Fortsetzung des Krieges drängte. Schwarzenberg meinte, im Anblick seiner mitgenommenen Truppe: »Wir brauchen Schuhe, Hosen, Hemden und eine Flasche Wein.« Und Duka von Kadár, das militärische Alter ego des Kaisers, erklärte, auch der Prinz Eugen wäre am Rhein stehen geblieben.

Radetzky konnte nur auf die preußischen Kameraden zählen, deren »immer feste druff« ihm nun zupaß kam: auf Blücher, den »Marschall Vorwärts« sowieso, und auf dessen Generalstabschef Gneisenau, der große Stücke von seinem österreichischen Kollegen hielt. Die Militärs wurden von zwei Zivilisten unterstützt. Der Freiherr vom Stein wollte eine persönliche wie eine nationale Rechnung mit Napoleon möglichst rasch begleichen. Sein propagandistischer Helfer Ernst Moritz Arndt verbreitete die dem Offensivgeist nützliche Ansicht, daß der Rhein Deutschlands Strom, nicht Deutschlands Grenze sei.

Doch immer noch stand man diesseits des Rheins. Die Franzosen seien keine Türken und ihr Kaiser kein Sultan, hatte Radetzky bereits am 7. November gewarnt. Deshalb würde eine defensive Kordon-Aufstellung auf dem rechten Rheinufer »zum unvermeidlichen Verderben für die Zukunft führen«. Man müsse die alliierten Armeen zur Offensive bereitstellen, Napoleon zuvorkommen, der »unter drei Monaten nicht imstande ist, eine neue Offensive zu ergreifen; alles Terrain, was wir in dieser Zeit gewinnen, gewährt uns in dem Grade doppelten Nutzen, als es dem Feinde einen Teil seiner Mittel raubt«. Also: »Man muß daher die neuen Operationen, die allein zum Ziel führen, wenigstens den 20. November von allen Seiten beginnen.«

Von allen Seiten – damit meinte Radetzky: frontal über den Rhein und an den Flanken aus Belgien und der Schweiz nach Frankreich hinein. Doch das von ihm gesetzte Datum verstrich, ohne daß man den Frankreichfeldzug geplant, geschweige denn begonnen hatte. Während Napoleon wieder Atem schöpfte, vergeudeten seine Gegner Kraft und Zeit in Wortgefechten um Kriegsplan und Kriegsziel.

Alexander I. sträubte sich gegen einen Durchmarsch durch die Schweiz, obschon sie nicht mehr die freie Eidgenossenschaft war, als die sie ihn sein Schweizer Erzieher Laharpe schätzen gelehrt hatte. »Die Schweiz hieß neutral, war aber in Wirklichkeit französische Provinz«, konstatierte Radetzky, und insistierte: entweder Durchmarsch oder »Schande eines Rückzuges ohne Not und ohne Ursache«. Der Zar machte Front gegen den österreichischen Generalstabschef, der seine moralisch-politischen ebenso wie seine militärisch-strategischen Ansichten nicht ernst zu nehmen schien.

Sogar der eigene Kaiser, der vor einer Neutralitätsverletzung und damit einem Völkerrechtsbruch zurückscheuende Franz I., wurde ungnädig. So erzählt es Radetzky: »Der Kaiser ließ mich zu sich hineinrufen und sagte mir: ›Unter anderm, wenn Sie mit Ihren Projekten nicht aufhören und nichts Gescheiteres haben als Ihren Operationsplan, so lasse ich Sie am Spielberg einsperren oder um einen Kopf kürzer machen.‹ Mit einer Verbeugung und ohne ein Wort zu sagen, verließ ich das Zimmer und begab mich zum Fürsten Schwarzenberg, den ich, wie es seine Gewohnheit war, trotz der Jahreszeit, bei offenem Fenster sich rasierend, fand. Ich sagte ihm, was geschehen, und bat ihn, sich einen anderen Chef des Generalstabes zu wählen und mir eine Division zu geben, da ich unter diesen Verhältnissen unmöglich bleiben könne.«

Kaum hatte er dies gesagt, konnte er erfahren, daß man nicht von ungefähr vom »guten Kaiser Franz« sprach: »Da trat eben der Oberstkämmerer Graf Wrbna ein und sagte mir, der Kaiser lade mich zur Tafel. Ich erschien, aß keinen Bissen, bemerkte jedoch, daß der Kaiser immer auf mich herüber sah. Nach dem Essen kam der Kaiser auf mich zu und fragte mich: ›No, wie geht's, Radetzky?‹ Ich: ›Sehr schlecht, Euer Majestät!‹ Der Kaiser: ›Warum?‹ Ich: ›Weil ich die Gnade Eurer Majestät verloren habe; aber erlauben Euer Majestät eine Frage: Haben Euer Majestät den Operationsplan gelesen?‹ Die Antwort war: ›Nein!‹

›So lesen ihn Euer Majestät und erlauben Euer Majestät, daß, wenn etwas darin vorkommt, was nicht richtig ist, ich mich dagegen verteidige.‹ Der Kaiser sagte mir: ›Ja, ja, noch heute!‹ Und berief die Fürsten Schwarzenberg und Metternich und Feldzeugmeister Duka zu einer Sitzung, in welcher mein Operationsplan besprochen wurde.«

Radetzkys Intimfeind Duka, der gewöhnlich für den Kaiser las, sah sich desavouiert. »Der Feldzeugmeister Duka, welcher meinen Gründen für das Überschreiten des Rheins und den sofortigen Marsch gegen Paris nichts mehr zu entgegnen wußte, wurde so aufgebracht, daß er mit einem ›in drei Teufels Namen, wollen Sie gescheiter sein als der Prinz Eugen?‹ mit der Faust auf den Tisch schlug, daß die Tinte hoch aufspritzte. Meine Antwort war: ›Der Prinz Eugen wäre schon längst über den Rhein.‹ Der Kaiser aber stand auf und sagte: ›Nein, nein, ich bin mit dem Radetzky ganz einverstanden.‹«

Damit waren schließlich er und die anderen Monarchen einverstanden: Die Schlesische Armee unter Blücher sollte den Rhein zwischen Mannheim und Ehrenbreitstein überschreiten, in Richtung Lothringen vorrücken. Teile der Nordarmee unter Bülow sollten von den Niederlanden aus in Frankreich eindringen. Die Hauptarmee unter Schwarzenberg sollte durch die Schweiz – die schließlich einen Durchzug erlaubte – auf das Plateau von Langres marschieren.

Dieser Feldzugsplan trug eine eindeutig österreichische Handschrift. Radetzky hatte bei aller Angriffslust seine Bedachtsamkeit nicht verloren, die gebot, die Festungen im Nordosten Frankreichs zu umgehen. Der österreichische Generalstabschef wollte sich auch von der in Norditalien operierenden österreichischen Armee nicht allzu weit entfernen. Und das Plateau von Langres, an der Wasserscheide zwischen Mittelmeer und Atlantik, erschien auch als eine politisch günstige Position. Daß man überhaupt nach Frankreich hineinmarschieren wollte, war dem Starrsinn Napoleons zuzuschreiben, der das für ihn so günstige Friedensangebot Metternichs nicht beachtet hatte. Vielleicht würde er sich anders besinnen, wenn man mitten in Frankreich stand, aber noch nicht in Paris, sondern in Langres, in neuer und letzter Verhandlungsposition.

Der Militär Radetzky und der Politiker Metternich arbeiteten Hand in Hand für Österreichs Interessen, die sie mit den europäischen gleichsetzten, und nicht zu Unrecht. Denn es galt, das friedenssichernde Gleichgewicht zwischen den europäischen Mächten wiederherzustellen, das die Hegemonie Frankreichs zerstört hatte und das künftig nicht durch eine russisch-preußische Vormacht gestört werden sollte.

Ein neuer Koalitionskonflikt war programmiert. Dem Zaren, der sich als Retter und Führer Europas fühlte, war ein Einschwenken auf Metternichs und Radetzkys Linie kaum zuzumuten. Und die preußischen Kameraden, die mit dem österreichischen Generalstabschef für eine baldige Offensive gestritten hatten, begannen den Offensivplan zu kritisieren. Blücher wäre am liebsten schnurstracks auf Paris marschiert, und Gneisenau sah im Marsch der Hauptarmee nach Langres nur eine Nebenoperation.

Schon meinten sie, in Radetzky den alten Zauderer wiederzuerkennen, weil er erneut à la Leipzig vorgehen wollte. Was sie, angesichts eines unbesiegten Napoleon, widerwillig hingenommen hatten, wollten sie jetzt, den Endsieg vor Augen, nicht akzeptieren – die kluge Umfassungsstrategie des Österreichers, die den preußischen Draufgängern beinahe wie eine Umarmungstaktik erschien.

Radetzky resümierte: Die Heerführer der Alliierten »mißbilligten zwar nicht gerade jeden Operationsentwurf, mißdeuteten jedoch jede Bewegung, die, auf Sicherheit der Unternehmung gegründet, zur Vorsicht neigte, und kritisierten jede Disposition, die nicht die schwerste Aufgabe dem österreichischen Armeekorps zuwies«.

Der Österreicher machte seinem Herzen Luft und nahm – von

sich in der dritten Person sprechend – den Mund voll: »Der Feldmarschalleutnant Radetzky war der einzige, welcher sich dieser Meinung – nämlich am Rhein zu verbleiben – kühn entgegenzustellen wagte und auf die Fortsetzung einer kräftigen Offensive jenseits des Rheines bestehen zu müssen glaubte. Als sich die Monarchen von Rußland und Preußen endlich für Radetzkys Anträge entschieden, wurden die Operationen sonach in Vollzug gesetzt.«

Dies bemerkte er später. Im Augenblick war er von den ständigen Querelen so mitgenommen, daß ihm der Stabsarzt nahelegte, die Ausführung seines Plans anderen zu überlassen. Doch er hielt sich, nach gemachten Erfahrungen, für unabkömmlich. Widerstrebend schrieb ihn der Stabsarzt feldzugstauglich, verschrieb ihm täglich ein Glas warmen Bordeaux – französischen Wein, den er sich in Frankreich holen wollte.

Über den Rhein ging als erste die Hauptarmee, nicht die Schlesische Armee. Während Blücher erst am 1. Januar 1814 bei Caub und Mannheim übersetzte, überschritten Streitkräfte Schwarzenbergs bereits am 20. und 21. Dezember 1813 bei Schaffhausen, Laufenburg, Grenznach und Basel den Strom. Die Russen folgten erst am 13. Januar, am russischen Neujahrstag – auf Befehl des Zaren, der darauf bestanden hatte: Auch der so glücklich verlaufene Feldzug von 1813 habe mit einem Flußübergang – über den Njemen bei Memel – an diesem ersten Tag des russischen Jahres begonnen.

»Das Marionettenspiel in so wichtigen, das Schicksal Europas entscheidenden Momenten ist wirklich ekelhaft«, meinte Schwarzenberg. »Wie ein düsterer Traum« erschien Radetzky das Ganze. Es war ein Tagtraum, denn zum Schlafen kam er kaum mehr. »Ich kann sagen, daß ich mich vom Dezember bis März kaum einmal ausgezogen habe.«

Beinahe wäre für ihn der Anfang schon das Ende gewesen. Er war beim Rheinübergang einer der ersten, zusammen mit dem preußischen General Hake – in einer Demonstration der Waffenbrüderschaft, die beinahe übel ausgegangen wäre. Radetzky erzählt: »Bubna, der die Avantgarde führte, sollte oberhalb Basel eine Pontonbrücke zum Übergange erhalten, und letztere wurde bereits dort aufgestellt. Die Strömung des Rheins war jedoch so groß, daß wir keine Brücke zustandebrachten, da in den Steinen alle Anker abrissen. Bei dieser Gelegenheit wäre ich und der preußische General Hake bald gefangen worden. Wir bestiegen die ersten Pontons, als sich plötzlich der Ponton losriß und wir den Wellen preisgegeben wurden. Nur durch das schnelle Beispringen der Pioniere wurden wir wieder aufgehalten, sonst wären wir direkt nach Hüningen hineingetrieben worden.«

An Wagemut, ja Übermut fehlte es den Österreichern nicht. In Kolmar ritt ein Ulan die Steintreppe des Rathauses zum ersten Stock hinauf, pochte mit seiner Lanze an die Tür des Sitzungssaals, sprengte den Stadtrat auseinander. Den Preußen freilich ging es nicht flott genug. »Wir haben nach Paris vierzehn Märsche, es reichen achtzehn Tage hin, diese Märsche zu vollenden, eine Schlacht zu liefern und einen Waffenstillstand vorzuschreiben«, schrieb am 15. Januar 1814 aus St-Avold bei Metz der Generalstabschef der Schlesischen Armee, Gneisenau, dem Generalstabschef der Hauptarmee und Hauptstrategen der Alliierten, Radetzky. »Lassen Sie uns daher, Herr Feldmarschalleutnant, vorschreiten und uns nachziehen, was wir vermögen.« Als der Österreicher nicht sofort antwortete, stieß der inzwischen bis Toul gelangte Preuße am 20. Januar nach: Die französische Macht sei gebrochen, Napoleon am Ende – also auf nach Paris!

Radetzky hielt den waidwunden Napoleon nicht für ungefährlich, die Franzosen nach wie vor für unberechenbar: »Der ungeduldige Kritiker wird im Operationsplan vielleicht zu viel Methodisches finden, allein man getraute sich nicht da, wo alles auf dem Spiele steht, nämlich gleich bei Eröffnung des Feldzuges, die Kriegsregeln und die Lehre der Klugheit beiseite zu setzen, und mit einer Rücksichtslosigkeit – selbst bei numerischer Überlegenheit – vorzugehen, welche der erfahrene Militär sicher tadeln würde.« Radetzky wollte sicher gehen, nach der erprobten Leipziger Methode vorgehen – das Wild hin- und hertreiben, ermatten und erschöpfen, um schließlich den Fangstoß anzubringen, was nicht unbedingt in Paris geschehen müßte.

Napoleon hatte seine Hauptstreitmacht – in ganz Frankreich verfügte er noch über 100 000 Mann – bei Châlons an der Marne konzentriert. Von hier aus gedachte er seine Stöße abwechselnd gegen die Hauptarmee und die Schlesische Armee (180 000 bzw. 80 000 Mann) zu führen. Er war in einer ähnlichen Lage wie 1813 in Sachsen: Im Vorteil der »inneren Linie«, der aber durch flexible Bewegungen der auf der »äußeren Linie« operierenden alliierten Heere in einen Nachteil verwandelt werden konnte.

Darauf zielte Radetzkys Operationsplan für 1814, der eine revidierte Neuauflage des von 1813 war. Das alliierte Heer, das überlegen angegriffen würde, sollte zurückweichen, das andere in die Flanke des Feindes vorrücken, und das Spiel sollte so lange wiederholt werden, bis sich Napoleon aufgerieben hätte, schließlich mit vereinten Kräften entscheidend geschlagen werden könnte.

Er solle jenen Grundsätzen treu bleiben, »die uns schon in Sachsen so fruchtbare Erfolge gebracht haben«, lautete die Mahnung, die Radetzky mit der Operationsanleitung an Blücher geschickt hatte. Am 25. Januar schrieb er Gneisenau aus Langres, das die Hauptarmee am 18. Januar erreicht hatte: »Über das Wie sind wir gewiß einig, nur über das Wann – habe ich den Auftrag, Sie aufmerksam zu machen, daß wir nicht vor dem 2. Februar mit den Têten und nicht vor dem 6ten mit der Queue unserer Kolonnen in Troyes eintreffen können, und ich soll zu bedenken geben, ob es nicht gut wäre, wenn auch die Schlesische Armee ihrerseits ihr Eintreffen bei Vitry bis zu diesen Tagen verschöbe. Ich muß Sie daher über gefällige Nachricht ersuchen.«

Von Anfang an hatte Radetzky das Plateau von Langres als »Offensivstellung« angesehen. Nun war er dabei, die Hauptarmee in die Ebene hinabzuführen, »den Feind aufzusuchen«. Denn »dies ist die Conditio sine qua non, sonst setzen wir unsere strategische Freiheit aufs Spiel, und das ist oft gefährlicher als eine Niederlage. Wir wollen eine Schlacht, und mit ihr womöglich die Entscheidung des Krieges.«

Marschziel war Troyes an der Seine, wo eine Vereinigung mit der Schlesischen Armee vorgesehen war. Blücher marschierte schneller, als es Radetzky in seinem Schreiben an Gneisenau vom 25. Januar angeraten hatte. Er war schon bis Brienne gelangt, als Napoleon am 29. Januar angriff und ihm eine Niederlage beibrachte. Um ein Haar wären der Befehlshaber der Schlesischen Armee und sein Generalstabschef in Gefangenschaft geraten.

»Blücher und mehr noch Gneisenau – denn der gute Alte muß seinen Namen leihen – treiben mit einer so wahrhaft kindischen Wut nach Paris, daß sie alle Regeln des Krieges mit Füßen treten.« Das war der Kommentar Schwarzenbergs, den Radetzky unterschreiben konnte. Doch die Österreicher waren nicht rechthaberisch. Als sich – wie es von Radetzky vorbedacht worden war und Blücher-Gneisenau es nicht hatten erwarten können – Teile der Hauptarmee mit der Schlesischen Armee vereint hatten, ein Erfolg greifbar war, trat Schwarzenberg für dieses Treffen den Oberbefehl an Blücher ab.

Am 1. Februar 1814 siegten die Alliierten bei La Rothière. Der Zar schien gewußt zu haben, wem der Sieg nicht zuletzt zu verdanken war: Noch auf dem Schlachtfeld verlieh er Radetzky den Alexander-Newski-Orden. Auch sonst zeigte er sich dem Österreicher, der täglich seine Ration Rotwein brauchte, gnädig: »Wo ich auch sein mochte, im Lager oder vor dem Feind, täglich kam ein Kosak, der mich schon sehr gut kannte und mich, weiß Gott wie, immer fand, und brachte mir meinen Bordeaux.«

Die Schlesische Armee trennte sich wieder von der Hauptarmee. »Man befahl Blücher«, berichtete Radetzky, »sich der Marne zu nähern, die Korps zu vereinen und die aus den Niederlanden heranrückenden Truppen an sich zu ziehen.« Die Hauptarmee sollte Napoleon folgen, ihn »nicht aus den Augen lassen, damit, wenn er sich gegen den einen wendet, der andre rasch gegen Paris operiere und jedes durch Übermacht dargebotene Gefecht vermeide«.

Blücher jedoch wollte vorzüglich seinen Eilmarsch nach Paris fortsetzen. Und schon warfen die Preußen den Österreichern vor, daß sie es nicht ebenso eilig hatten. Dazu Radetzky: »Man tadelte, vorzüglich preußischerseits, den Fürsten Schwarzenberg, daß er nicht darauflos mit aller Schnelligkeit gegen Paris drang, sondern systematisch vorging. Man bedenkt aber nicht, daß die Hauptarmee nicht von einer befreundeten die linke Flanke gesichert hatte, daß im Hauptquartier oder nächst demselben drei Souveräne anwesend waren, die man nicht exponieren durfte.« Zudem sei das »Andenken der Voreilung Napoleons nach Moskau in frischem Andenken« gewesen.

Daran schien Blücher nicht zu denken. Schwarzenberg, der von ihm bereits zum Diner im Pariser Palais-Royal eingeladen worden war, seufzte: »Meinen alten Blücher zieht es mit solcher Macht gegen das Palais-Royal, daß er schon wieder anfängt, wie unsinnig vorzurennen, ohne zu bedenken, daß der Feind vor ihm zwar schwach ist, in seiner Flanke jedoch die feindliche Armee steht; es wäre ein Wunder, wenn dieses Zerstückeln ihm nicht abermals einen Unfall bereiten sollte.«

Bücher erlitt – zwischen dem 10. und 14. Februar – in fünf Tagen fünf Unfälle, verlor 15 000 Mann. Seine nicht vereint, sondern einzeln südlich der Marne marschierenden Korps wurden von Napoleon hintereinander bei Champaubert, Montmirail, Château Thierry, Vauchamps und Etoges geschlagen. Darauf warf sich Napoleon auf die an der Seine vorrückende Hauptarmee, schlug sie am 17. Februar bei Nangis und am 18. Februar bei Montereau.

Die Alliierten, die getrennt marschiert und getrennt geschlagen worden waren, vereinten sich auf dem Rückzug. Die Soldaten waren durch Kälte und Hunger zermürbt, die Generäle durch die Mißerfolge entmutigt. Und Generalstabschef Radetzky, der nicht mehr aus den Kleidern kam, quälte die Frage, ob nur die mangelhafte Befolgung seines Operationsplans oder gar dieser selbst zu diesem Tiefpunkt geführt habe.

Jedenfalls hatte er die Schwierigkeiten eines Winterfeldzugs unterschätzt. Seine Erwartung, »Frankreich selbst müsse die alliierten Heere ernähren«, erfüllte sich nicht in hinreichendem Maße. Die magere Champagne war nicht das fette Sachsen. »Es scheint unbegreiflich, wie die Verbündeten eine solche Masse von Pferden und Menschen zwei Monate hindurch zu erhalten imstande waren«, wunderte sich der österreichische Militärhistoriker Heller von Hellwald.

Das französische Kriegstheater war eine viel weitläufigere Bühne als der sächsische Kriegsschauplatz. Auf diesem konnte man Napoleon von drei Seiten her packen, auf jener nur von zwei – denn zumindest im ersten Akt spielte die Nordarmee noch keine Rolle. Napoleon vermochte im eigenen Land immer wieder einen Ausweg zu finden. Er hatte alle Vorteile eines Heimspiels. Und da es für ihn um Sein oder Nichtsein ging, mußte man auf eine Glanzleistung gefaßt sein.

Die Zeit mochte falsch und der Platz ungünstig sein – richtig blieb der Grundsatz des Radetzky-Plans: »Bei allen Operationen der verbündeten Armeen muß es übrigens Hauptgrundsatz bleiben, daß in dem Falle, als sich der Feind auf eine derselben mit seiner ganzen Kraft werfen würde, diese ihm bei nichtentscheidendem Übergewicht ausweichen, die andere hingegen um so lebhafter in seiner Flanke zu operieren haben werde.«

Mit ein wenig Geduld, klagte Schwarzenberg, hätten die Alliierten »so gestaffelt sein können, daß der Feind, indem er eine Staffel angriff, sich von den anderen eingekreist gefunden hätte. Doch jener erhabene Leichtsinn, der jede Art Vorsicht verachtet, verbunden mit jener lächerlichen Wut, das Palais-Royal besuchen zu gehen, kann uns zum großen Teil die Frucht unserer Arbeiten verlieren machen.«

Auch Radetzky war auf Blücher immer weniger gut zu sprechen, der sich nicht um seinen Operationsplan scherte, unbekümmert darauf losmarschierte und treuherzig erwartete, daß ihm die Hauptarmee den Rücken deckte, ihn gegebenenfalls heraushaute. Im Unterschied zu Schwarzenberg schien Radetzky der – zweifellos richtigen – Meinung gewesen zu sein, daß nicht der Generalstabschef Gneisenau, sondern der Befehlshaber Blücher der Unbesonnene der preußischen Dioskuren war.

Eigene Erfahrungen hatten diese Einschätzung mitbestimmt. Der Generalstabschef Radetzky verstand sich mit seinem Oberbefehlshaber Schwarzenberg immer weniger. Die subjektiven Dissonanzen wurden durch objektive Differenzen verstärkt.

Der Fürst hielt sich immer mehr an den Radetzky unterstellten Leiter der Operationskanzlei, Generalmajor Friedrich Karl von Langenau, als an den Generalstabschef selber. Der erst am 27. Juli 1813 zu den Österreichern übergelaufene Sachse, ein Karrierist von 31 Jahren, hatte sich mit seinen Kenntnissen des sächsischen Kriegsschauplatzes in den Vordergrund geschoben, wo er auch in Frankreich, von dem er wenig wußte, zu bleiben gedachte. Schon drängte er auf den ersten Platz im Generalstab, hatte bereits das Ohr des Feldmarschalls. Radetzky klagte über Langenaus »rücksichtslosen Egoismus, falsche Eitelkeit und unbefugte Einmengungen«. Aber er ließ sich nicht herab, mit ihm um die Gunst des Fürsten zu wetteifern. So verlor er zunehmend an Boden.

Radetzky bilanzierte: »Die pflichtige Rolle, die ich als Chef des

Generalstabes bei meinem Kommandierenden und den Souverains spielen mußte, ist zu einleuchtend, als daß man hieraus nicht von selbst entnehmen sollte, daß Mitrauen und Unzufriedenheit das sonst so enge Band des vollen Einverständnisses lokkerten und dies mit dem Grade zunahm, als ungünstige Resultate meiner Ungemessenheit stillschweigend zugeschrieben wurden. Wenngleich in der Folge die verbesserte Stellung und mit ihr die Überzeugung eintrat, daß man nicht ohne Nebenabsichten handle, so war doch das bestandene wohltätige freundschaftliche Vertrauen gelöst, das zwischen dem diplomatischen Feldherren und seinem bloß militärischen Generalquartiermeister so unerläßlich wird. Die Folge davon war der äußerst harte Stand, den ich sowohl in unserem Hoflager, als mit dem von russischer Seite als Kommissär beigegebenen General Toll zu bestehen hatte, wodurch Verzögerungen in den Unterhandlungen für die Operationen sowohl als in der Ausführung allenthalben eintraten.«

Der Generalstabschef Radetzky konnte schon im eigenen Hauptquartier, gegenüber seinem Feldmarschall und seinem Kaiser, 1814 nicht mehr die Rolle von 1813 spielen. Und die verbündeten Generäle und Generalstabschefs waren eigenmächtiger geworden, nahmen die Operationsanleitungen des Österreichers nicht mehr ohne weiteres hin. Vor allem: Die verbündeten Monarchen, in erster Linie der Kaiser von Rußland, in zweiter Linie der König von Preußen, die man nach wie vor im Hauptquartier der Hauptarmee zu ertragen hatte, spielten sich mehr denn je auf, beanspruchten drei Rollen auf einmal, die des Autors, des Hauptdarstellers und des Souffleurs.

Der Ärger damit verband Radetzky mit Schwarzenberg, der zwar immer noch der Generalissimus der Verbündeten war, doch immer mehr nur dem Namen nach. Dies wiederum trennte Radetzky von Schwarzenberg, daß der Oberbefehlshaber sich zunehmend als »diplomatischer Feldherr« verstand, genauer gesagt, mehr als Diplomat denn als Feldherr.

Denn Schwarzenberg wollte primär nicht Krieg führen, sondern Frieden gewinnen. Bereits Ende Januar 1814 – das Hauptquartier war in Chaumont – meinte er: »Hier sollen wir Frieden machen, das ist mein Rat, jede Vorrückung nach Paris ist in höchstem Grade unmilitärisch.« Und erklärte seinem Kaiser: In Frankfurt habe er den Angriff zu einer Zeit empfohlen, als man »auf das Nicht-Dasein einer feindlichen Armee« rechnen konnte, nun aber, da sich diese Hoffnung nicht erfüllt habe, müsse man Frieden schließen.

In Frankfurt hatte auch Radetzky auf einen baldigen Beginn des Frankreichfeldzugs gedrängt, die Zeit nützen wollen, in der Napoleon nicht gerüstet war. Auch einen Marsch nach Paris hatte er nicht ausgeschlossen. Nachdem Napoleon sich wieder gefangen und als respektabler Gegner wie eh und je erwiesen hatte, verlangte Radetzky zwar ein vorsichtigeres Operieren, verwarf ein Vorpreschen auf Paris. Aber Sinn und Zweck aller Operationen konnte für den Militär nur sein, den Gegner militärisch niederzuringen, um mit dem geschlagenen Napoleon oder gar mit einem Frankreich ohne Napoleon einen günstigen Frieden zu erlangen.

Das war der tiefere Grund der Entfremdung zwischen dem Generalstabschef und dem Oberbefehlshaber: Das Zögern war für Radetzky Methode, das Zaudern war Schwarzenbergs Natur. Der Untergebene blieb primär Soldat, der Vorgesetzte wurde zunehmend Diplomat, ein ausführendes Organ der Politik.

»Gehen Sie vor – aber vorsichtig«, hatte der österreichische Außenminister Metternich dem österreichischen Oberkommandierenden Schwarzenberg bedeutet. Die österreichische Staatsraison gebot die Erhaltung eines nicht zu sehr geschwächten Frankreichs, womöglich unter der Regentschaft einer österreichischen Kaisertochter, der französischen Kaiserin Marie Louise. Schon ging der Zar mit dem Gedanken um, den französischen Exmarschall und gegenwärtigen Kronprinzen von Schweden, Bernadotte, auf den Thron Frankreichs zu setzen. Das war ein Grund mehr für Metternich, einen raschen Friedensschluß mit Napoleon zu suchen; denn ein Rußland verpflichtetes oder gar von ihm abhängiges Frankreich war das letzte, was Österreich brauchen konnte – und auch das an der Wiederherstellung der »Balance of powers« interessierte Großbritannien.

So kam es im Februar 1814, mitten im Frankreichfeldzug, zum Friedenskongreß von Châtillon an der Seine. Die Alliierten gedachten zwar nicht mehr, wie in Frankfurt, Napoleon die »natürlichen Grenzen« Frankreichs, immerhin noch die Grenzen des Königreiches von 1792 zuzugestehen. Doch Napoleon wollte nicht, konnte auch nicht, wenn er sein Gesicht behalten wollte. Der Friedenskongreß ging am 19. März unverrichteter Dinge auseinander. Sein Scheitern vor Augen, hatten die nun zum Sturz Napoleons entschlossenen vier Verbündeten – Österreich, Großbritannien, Rußland und Preußen – am 1. März in Chaumont ein Kriegsbündnis zur Friedenserlangung und Friedenssicherung auf zwanzig Jahre vereinbart.

Radetzky kommentierte: »Die Zeiterfordernisse verlangten eine friedliche Regierung, die Napoleon als Welteroberer nicht kannte, somit war es natürlich, daß er mit den Bedürfnissen der Zeit in Widerspruch geraten ist ..., daß die Waffen allein den Kampf mit Napoleon entscheiden müßten.«

Die Soldaten bekamen wieder das Wort. Bereits am 27. Februar hatte bei Bar-sur-Aube das Hauptheer unter Schwarzenberg über Oudinot und Macdonald gesiegt. Langenau hatte sich das Bein gebrochen, so daß Radetzky wieder ganz in seinem Element sein konnte. »Der Feldmarschalleutnant Graf Radetzky hat an diesem Tag neue Beweise seines richtigen Umblicks und militärischen Genies gegeben«, hieß es in der amtlichen Relation. Der König von Bayern verlieh ihm das Großkreuz des Militär-Max-Joseph-Ordens.

Von da an ging es vorwärts. Die Schlesische Armee wurde nach Norden beordert, um sich mit der Nordarmee zu vereinigen. Napoleon sollte von zwei starken Heeren in die Zange genommen werden. Am 9. und 10. März wurde er bei Laon von Blücher besiegt, am 20. und 21. März bei Arcis-sur-Aube von Schwarzenberg. »Meine Rolle ist es nun«, befand Schwarzenberg ganz im Sinne Radetzkys, »ihm auf dem Fuß zu folgen, damit er nicht auf Blücher fallen könne, ohne von mir begleitet zu sein.«

Doch Napoleon marschierte nicht Blücher entgegen, sondern wagte einen Zug, den er selber für verwegen, die anderen aber für verzweifelt hielten: Er wollte nach Lothringen gehen, sich den Verbündeten in den Rücken werfen.

Das war eine ganz neue Lage. Sollten die Alliierten nun kehrtmachen und Napoleon nach Lothringen folgen? Dies schien der erste Gedanke Blüchers gewesen zu sein. Oder sollten sie ihn und den Rest seiner Armee gegen Osten, nach Lothringen ziehen lassen, und sie sich selber gen Westen, nach Paris wenden?

Radetzky hielt nun die Zeit für einen Eilmarsch auf Paris für gekommen. Am 23. März überzeugte er Schwarzenberg von der Notwendigkeit, so rasch wie möglich auf Paris loszugehen. Napoleon, der seine Hauptstadt nicht im Stich lassen könnte, müßte ihnen folgen, wäre durch den Vorsprung der Alliierten von vornherein im Nachteil.

Am Tage darauf vertrat Schwarzenberg diesen Vorschlag gegenüber dem Kaiser von Rußland und dem König von Preußen. Sie stimmten zu. Unter freiem Himmel, auf einer Anhöhe bei Vitry, am 24. März 1814, zur Mittagsstunde, wurde der entscheidende Beschluß gefaßt: Nach Paris!

Am 25. März setzten sich die beiden alliierten Heere in Marsch, angefeuert von einem Armeebefehl Schwarzenbergs: »In Euren Händen ruht das Schicksal der Welt, noch wenige Augenblicke, und die Welt verdankt Euch die Rettung!«

Napoleons Marschälle Marmont und Mortier, welche die Hauptstadt Frankreichs retten wollten, stellten sich ihm bei La Fère-Champenoise entgegen und wurden zurückgeworfen. Am 30. März wurde der Montmartre erstürmt – Paris lag den Verbündeten zu Füßen. In der Nacht vom 30. zum 31. März übergaben Marmont und Mortier die Stadt.

Napoleon war um ein paar Stunden zu spät gekommen. Sein den Alliierten nachmarschierendes Heer stand am 30. März 25 Meilen vor Paris. Als er von der Kapitulation gehört hatte, schickte Napoleon noch in derselben Nacht seinen Außenminister General Caulaincourt in das alliierte Hauptquartier in Belleville.

Radetzky war auf einem Billardtisch in Schlaf gesunken. Als man ihn weckte, war er sehr überrascht, und er blieb so verwundert, daß er die Begebenheit in der dritten Person erzählte: »Es war helles Mondlicht, und als er plötzlich aufgewacht, erblickte er vor sich einen französischen General, der ihn in deutscher Sprache anredete mit den Worten: ›Seien Sie ruhig, ich bin Caulaincourt, abgeschickt vom Kaiser Napoleon. Der Kaiser ist bereit abzutreten: Italien, Holland und Niederlande, alle Rheinprovinzen mit Elsaß-Lothringen und die Franche-Comté, unter der Bedingnis, daß man ihn als Kaiser von Frankreich belasse.‹«

Es war wirklich zu spät. Die Franzosen setzten ihren glücklosen Kaiser selber ab. Am 31. März zogen die Verbündeten in Paris ein, an der Spitze Alexander I. für Rußland, König Friedrich Wilhelm III. für Preußen und Feldmarschall Fürst Schwarzenberg für Österreich. Der Zar sonnte sich im Glanz der Lichterstadt. Der Preußenkönig nippte am Champagner. Schwarzenberg bekam von seinem Kaiser als einziger das Große Goldene Armeekreuz verliehen, sowie die Erlaubnis, das Herzschild des österreichischen Wappens, mit einem Schwert geziert, in seinem fürstlichen Wappen zu tragen.

Der Generalstabschef Schwarzenbergs, der 47jährige Feldmarschalleutnant Radetzky saß im Pariser Frühling im Mantel im geheizten Zimmer. Der ständige Ärger hatte ihn krank gemacht. Und er wurde nicht befördert, sah sich beiseite geschoben – wie ein Mohr, der seine Schuldigkeit getan hatte.

Die Friedensmacher beherrschten die Szene, nachdem der Friedensstörer besiegt und nach Elba abgeschoben worden war – die Diplomaten, gegen die der Soldat eine berufsbedingte Abneigung empfand: »Auf die Diplomaten verstehe ich mich nicht, mit denen mag ich nichts zu tun haben.«

Noch einmal, zum letzten Mal, hatte der Generalstabschef der alliierten Heere am 9. April 1814 einen Operationsentwurf zu liefern, für den Fall, daß der Vizekönig von Italien, Eugène Beauharnais, sich nicht unterwerfen sollte. Aber auch der Stiefsohn Napoleons gab auf, verließ das Land, überließ es den Österreichern.

In Paris saß wieder ein Bourbone auf dem Thron, Ludwig XVIII., mit dem die Verbündeten am 30. Mai 1814 Frieden schlossen. Der König erhielt die Grenzen von 1792, die der Kaiser nicht hatte annehmen wollen. Eine Kriegsentschädigung mußte er nicht zahlen, weil ja nicht er, sondern Napoleon den Krieg begonnen hatte, weil man den restaurierten Monarchen nicht schädigen, eher für erlittene Unbill entschädigen wollte, und weil man ihn brauchte – als Bruder im legitimistischen Geist und als Partner im europäischen Gleichgewichtssystem.

Der Österreicher Radetzky zeigte dafür mehr Verständnis als der Preuße Gneisenau. Aber auch ihm mißfiel, wie rigoros die Soldaten ins zweite Glied gestellt wurden, die Generalstabschefs zumal. Immerhin erhielt Radetzky vom König von Preußen den

Roten-Adler-Orden erster Klasse, »als Beweis der Zufriedenheit für ausgezeichnetes Betragen in dem eben beendeten Krieg«. Von seinem eigenen Kaiser bekam er nur, wie jeder Feldzugsteilnehmer, das aus erbeuteten französischen Geschützen gegossene Armeekreuz, das sogenannte Kanonenkreuz.

Sein reich dekorierter und zum Hofkriegsratspräsidenten ernannter Oberkommandierender Schwarzenberg überließ ihm die Auflösung des Hauptquartiers und die Rückführung der österreichischen Truppen. Er selber eilte schon am 2. Juni nach Hause. Der todmüde Radetzky mußte im Geschirr bleiben. Er habe drei Jahre gebraucht, um sich von den Strapazen des Befreiungskriegs zu erholen, resümierte er.

Der Friede brachte kaum weniger Ärger als der Krieg. »Ich finde bei uns die alte Krankheit in einem hohen Grade, nämlich die Schläfrigkeit« – diese Feststellung des Erzherzogs Johann hätte von Radetzky stammen können. Nach der außergewöhnlichen Anstrengung glaubte man sich den gewohnten Schlendrian wieder leisten zu dürfen.

Keineswegs nur Preußen und Russen, Österreicher selber stellten das österreichische Licht unter den Scheffel. »Auch in Wien ist Blücher mit seinen Preußen der Held des Tages, auch in Wien spricht man überall von Kosaken, und nur selten von der eigenen Armee.« Radetzky sorgte sich nicht nur um das Ansehen, sondern auch um den Bestand der österreichischen Armee, deren Blößen wieder sichtbar wurden. »Jeder wünscht, viele verzweifeln, und nur wenige hoffen auf die Möglichkeit, daß diese Mängel behoben, daß der alte Geist der Österreicher aufs neue geweckt und ermuntert werde.« Er wurde deutlich: »Die Nation und die Armee fordern von ihren Machthabern, daß sie sich ihres Ruhmes und ihrer Zukunft annehmen, die Armee kennt ihre Anstrengung, ihre Opfer und fordert ihre Belohnung in der Erhaltung ihrer Nationalehre.«

Nation und Armee – der Zweiklang des Militärreformers war wieder angeschlagen. Aber die Armee war nicht mehr und die Nation noch nicht gefragt. Die Monarchen hatten den Befreiungskrieg als Kabinettskrieg geführt, und gingen daran, auf dem im September 1814 eröffneten Wiener Kongreß einen Kabinettsfrieden zu schließen.

Sicherheitsfragen standen auf der Tagesordnung, doch Radetzky wurde zu deren Beratung kaum herangezogen. Er war auch nicht mehr Generalstabschef der Kriegsarmee, weil es eine solche nicht mehr gab. Am 11. Juni 1814 war er zum Truppeninspektor in Ungarn ernannt worden, da er aber in Wien stationiert blieb, hätte man ihn jederzeit rufen können.

Nomineller Chef des Generalquartiermeisterkorps war der rangjüngere Feldmarschalleutnant Franz Richter von Binnenthal, der behauptete, daß Radetzky gar nicht zum Generalquartiermeisterstab gehöre. Der eigentliche Chef war nun sein Intimfeind, Generalmajor Friedrich Karl von Langenau, die rechte Hand des Hofkriegsratspräsidenten Schwarzenberg, der nun noch mehr von oben herab auf seinen ehemaligen Generalstabschef blickte.

Als Maître de Parade des Wiener Kongresses durfte Radetzky agieren. Im Herbst 1814 führte er den verbündeten Monarchen auf der Simmeringer Heide einige Kavallerieregimenter vor. So konnte er wenigstens in etwa wiedergutmachen, was man der k. k. Armee im Frühjahr 1814 angetan hatte: »In der letzten Hälfte des Feldzugs konnte nur ein sehr schwacher Teil derselben dem glorreichen Einzug in Paris beiwohnen und dieser sah sich, wegen seines schlechten Äußern, auffallend zurückgesetzt.«

Weiterhin sorgte er sich, daß die Armee nicht nur schön zu paradieren, sondern auch gut zu schießen vermochte. Am Rande des Kongresses vermittelte er eine Reise des österreichischen Waffenspezialisten Augustin nach Dänemark zum Studium der dort während des Krieges eingesetzten Raketen. Radetzky beantragte die Einführung der neuen Waffe, mit der Österreich eine Zeitlang führend blieb.

Die Maxime »Si vis pacem, para bellum« vermochte auch der Wiener Friedenskongreß nicht zu widerlegen. Radetzky sah seine Warnungen vor Rußland bestätigt. Mit der Einverleibung des Königreichs Polen war es wieder ein Stück nach Westen vorgerückt. Schon beanspruchte der Zar die Führungsrolle in Europa. Dabei wurde er vom König von Preußen unterstützt, der sich das ganze Sachsen ausbedungen hatte, aber – dank des Einspruchs Österreichs, Englands und Frankreichs – nur das halbe erhielt.

Preußen hatte sich nun auch von dieser Seite bedenklich nahe an Böhmen herangeschoben, an das es bereits in Schlesien grenzte

– Preußen, der alte Rivale Österreichs. Der Theresianer Radetzky konnte Friedrich den Großen nicht vergessen und ihm den Raub Schlesiens nicht verzeihen. Der Generalstabschef der alliierten Heere hatte seine Erfahrungen mit den preußischen Kameraden gemacht, die Österreichs militärischen wie politischen Beitrag zur Befreiung Europas zu schmälern suchten.

Der Österreicher Radetzky konnte es nur begrüßen, daß der Österreicher Metternich Preußen wie Rußland in Schranken hielt und die Fahne Österreichs hochhielt – des in altem Glanz und neuer Größe restaurierten Kaiserreichs.

Vor allem in Italien stand es mächtiger da denn je. Die Lombardei und Venetien wurden unter Habsburgs Krone zum Lombardo-Venetianischen Königreich vereint. In der Toskana, in Parma-Piacenza und Modena regierten habsburgische Nebenlinien. Der restaurierte König in Sardinien-Piemont und bald auch der in Neapel waren Trabanten des Kaisers in Wien. Und der Papst im wiederhergestellten Kirchenstaat segnete die Heilige Allianz, den Bund von Thron und Altar, die Brüderschaft der christlichen Monarchen, in der der Habsburger der ehrwürdigste war.

Der im 18. Jahrhundert wurzelnde Radetzky war im Prinzip gegen die Revolution und für die Restauration. In der Praxis wußte er zu differenzieren.

In einer Beziehung ging ihm die Restauration nicht weit genug. Er bedauerte es, daß Österreich »sich demütigte, indem es den Titel eines Römischen Kaisers und mit solchem auch die wenigstens scheinbare Macht über Deutschland aufgab und selbe mit Preußen teilte« – im Deutschen Bund. Andererseits hätte er es lieber gesehen, jedenfalls für klüger gehalten, wenn ein Resultat der Französischen Revolution und der napoleonischen Ära – vorsichtig dosiert, versteht sich – übernommen worden wäre: der Sinn für Nationalehre und der Einsatz der Nationalkraft für Dynastie, Staat und Armee.

Der militärische Reformer sah keine politischen Reformer am Werk. »Die Diplomatie war erstaunt über sich selbst und ihre Würden, die Monarchen über die Vergrößerung ihrer Länder, ihre Besitzerweiterungen.« Radetzky wunderte sich über den Wiener Kongreß, der Grenzen verschob und Untertanen veräußerte, der tanzte und tanzte – bis sich ein neuer Abgrund vor ihm auftat.

Wie ein Blitz schlug in Wien die Nachricht ein, daß Napoleon die Insel Elba verlassen und am 1. März 1815 zwischen Cannes und Antibes in Südfrankreich gelandet sei. Feldmarschall Schwarzenberg war so perplex, daß ihm Radetzky wieder einfiel, den er bereits abgeschrieben hatte. Der Ex-Generalstabschef wurde herbeizitiert. Er fand eine »schreckliche Konfusion« vor, die auch seine Versicherung nicht zu beheben vermochte: Die österreichische Armee sei noch so beisammen, daß sie in acht bis vierzehn Tagen marschieren könnte.

Das erwies sich als notwendig. Frankreich fiel vom Bourbonenkönig ab und wandte sich wieder Kaiser Napoleon zu. Die Monarchen faßten sich, ächteten den Friedensstörer, erneuerten das Kriegsbündnis zwischen Österreich, Rußland, Preußen und England. Zum Oberkommandierenden der alliierten Heere wurde wieder Schwarzenberg bestellt.

Am liebsten hätte er seinen Günstling Langenau zum Generalstabschef gemacht. Der Kaiser von Österreich wie die anderen Monarchen wollten Radetzky wieder haben. Dieser zögerte, unter Hinweis auf seine angeschlagene Gesundheit, und wegen der unerfreulichen Aussicht, als neuer wie als alter Chef von seinem Untergebenen Langenau konterkariert zu werden. Aber Befehl war Befehl, und ehrenvoll und aussichtsreich genug.

Der wiederbestellte Generalstabschef warf sich mit altem Eifer auf seine Lieblingsbeschäftigung: das Verfassen von Denkschriften und die Ausarbeitung von Operationsplänen.

Ein neuer Feldzug sei – trotz der innenpolitischen Zugeständnisse Napoleons an die Liberalen und die außenpolitischen Versprechungen an die Verbündeten – unumgänglich, erklärte er am 24. März 1815. Er meinte, »daß man einen augenblicklichen Krieg der Regierung Napoleons selbst dann noch vorziehen sollte, wenn der Eroberer von Paris die königliche Familie zum Gebrauch der Verträge als Geisel gegen fremde Macht nützen sollte, da er früher oder später keinen Vertrag halten« werde.

Die Ausgangslage für die Koalition sei teils günstiger, teils ungünstiger als 1813. Einerseits sei das Feuer der Begeisterung erloschen und schwerlich wieder anzuzünden, weil die Völker nicht das bekommen hätten, was ihnen versprochen worden war.

Andererseits würden die vier Mächte, denen fast alle europäischen Staaten zur Seite standen, so starke Streitkräfte – schließlich waren es 800 000 Mann – aufstellen, daß man den Feind militärisch erdrücken könnte.

Dennoch wollte er die 1813/14 bewährte Vorsicht auch 1815 nicht missen. Paris sei das Operationsziel, »die Vernichtung der französischen Armee und ihres Feldherrns« der Operationszweck. Die am Rhein aufgestellten Heere sollten zwar am selben Tage ihren Vormarsch beginnen – doch wiederum getrennt marschieren, in Richtung Langres, nach Lothringen, durch Belgien. Und sich, wie gehabt, nur mit einem Gegner schlagen, dem sie überlegen seien, einer Übermacht aber ausweichen. Napoleon sollte wiederum hin- und hergetrieben werden, sich aufreiben, um dann endgültig zerschmettert zu werden.

Nicht zuletzt habe man Verbindung mit den österreichischen Streitkräften in Italien zu halten. Zwei Aufgaben waren ihnen zugedacht: Murat, den französischen Exmarschall und König von Neapel, der sich vor Elba für die Alliierten, nach Elba für Napoleon entschieden hatte, zu entthronen und den Bourbonenkönig wieder einzusetzen. Und im Verein mit den verbündeten Piemontesen über die Alpen in die Flanke Frankreichs zu stoßen, nach Lyon und Langres.

Am 4. Mai 1815 ging der Generalstabschef nach Italien – ein Zeichen, für wie wichtig man die Südfront hielt, oder auch dafür, daß Schwarzenberg lieber Langenau als Radetzky in seiner Nähe hatte. Dieser kehrte bald in das Hauptquartier des Oberkommandierenden zurück, das sich in Schwetzingen und dann in Heidelberg befand.

In Mannheim – wo er mit dem bayerischen General Wrede eine Besprechung hatte – erfuhr Radetzky durch einen »Kundschafter«, daß Napoleon nach Belgien aufgebrochen sei, um die dort stehenden Engländer und Preußen zu überrennen. Sofort schickte er seinen Adjuntanten, den Husarenrittmeister Pfeill, mit dieser Nachricht zu den alliierten Befehlshabern in Belgien, dem Engländer Wellington und dem Preußen Blücher.

Dies – so Radetzky selber – »hatte die glückliche Folge, daß die beiden zerstreuten Truppen konzentriert und so die Schlacht von Quatre-Bas und Belle-Alliance mit dem besten Erfolg gekrönt wurde«. Nun, die Engländer und Preußen dürften ihre eigenen Kundschafter gehabt haben, waren sicherlich bereits von dem unterrichtet, was auf sie zukam. Jedenfalls waren sie nicht unvorbereitet, schlugen Napoleon vernichtend bei Waterloo und Belle-Alliance am 18. Juni 1815.

Für den 16. Juni hatte Radetzky den Beginn der gemeinsamen Operationen vorgesehen. Waterloo hatte jedoch den Feldzug entschieden. Wellington und Blücher waren bereits – am 7. Juli – in Paris, als die Hauptarmee eben erst – am 5. Juli – in Nancy angekommen war.

Kein Wunder, daß nun Preußen und Engländer, weniger der zurückhaltende Wellington als der auftrumpfende Blücher, die Lorbeeren für sich beanspruchten. »Mit jedem Tage zeigte sich die Suprematie der Preußen«, bemerkte Radetzky, »so daß Preußens Diplomatie sich berechtigt glaubte, mit Hintansetzung Österreichs, ja selbst mit einem Kriege uns zu bedrohen, falls wir teil an dem neuen Pariser Frieden nehmen wollten.« Schon wurde behauptet, Österreich habe lediglich 30 000 Mann nach Frankreich geschickt. Daraufhin ließ Franz I. am 1. Oktober bei Dijon 120 000 Österreicher vor dem Kaiser von Rußland und dem König von Preußen aufmarschieren.

Die drei Monarchen taten sich zur Heiligen Allianz zusammen, schlossen den zweiten Frieden von Paris. Der wiedereingesetzte Ludwig XVIII. kam nicht mehr so glimpflich davon wie beim ersten Mal: Er mußte Randgebiete an das neue Königreich der Niederlande, an Preußen und Bayern abtreten, und den ihm zunächst belassenen Teil von Savoyen an den König von Sardinien-Piemont. Das lief auf die Grenzen von 1790, nicht mehr auf die von 1792 hinaus.

Eine alliierte Besatzungstruppe sollte für die nächsten Jahre im Osten und Norden Frankreichs bleiben. Es hatte 700 Millionen Franc Kriegskosten zu entrichten und die aus ganz Europa nach Paris entführten Kunstschätze zurückzugeben – darunter die Bronzepferde vom Markusdom, welche die Venezianer seinerzeit in Konstantinopel erbeutet hatten. Pariser rotteten sich zusammen, als die Pferde vom Triumphbogen an der Place du Carrousel heruntergeholt werden sollten; österreichische Grenadiere und Kürassiere mußten den Abtransport sichern.

Auch der kleine Triumphbogen, den Napoleon noch selber errichtet hatte – vom großen am Etoile standen erst ein paar Mauern – war nun entwertet. Der Ex-Kaiser wurde auf die ferne Atlantikinsel St. Helena verbannt, in einen Käfig gesperrt, aus dem er nicht mehr ausbrechen konnte.

Ludwig XVIII. verlieh Radetzky das Großkreuz des Militär-Sankt-Ludwigs-Ordens, der Prinzregent von England das Großkreuz des hannoverischen Guelphen-Ordens, der Kaiser von Rußland, der ihm schon alle möglichen Orden verliehen hatte, den Ehrendegen der Tapferkeit. Seine Verdienste bei der Niederringung Napoleons wurden allseits, teilweise sogar von Preußen, anerkannt. Nur vom eigenen Kaiser nicht.

Franz I. hatte dem Generalstabschef zwar zu Beginn des Feldzugs die Wirkliche Geheimratswürde zuerkannt. Danach bekam er nichts mehr. Seit sechs Jahren war er nun Feldmarschalleutnant und sollte es für weitere vierzehn Jahre bleiben.

Schwarzenberg und Langenau schienen wieder tätig gewesen zu sein. Über letzteren beklagte sich Radetzky beim Kaiser, der wie immer, wenn er direkt angegangen wurde, nicht Stellung bezog. Ob sich Radetzky nicht eine besondere Gnade erbitten wolle? Der Zurückgesetzte legte ein Wort für einen Kameraden ein, der ebenfalls schlecht behandelt worden war: für General Mack, der nach der Kapitulation von Ulm zunächst zum Tode verurteilt, dann zu Festungshaft begnadigt, aus dieser inzwischen entlassen worden war – und nun durch die Fürsprache Radetzkys Pension erhielt.

Für sich erbat er die Versetzung aus dem Generalquartiermeisterstab zur Truppe. Der Kaiser schickte ihn als Kavallerie-Divisionär nach Ödenburg. Bei der Verabschiedung schnitt ihn Schwarzenberg, ließ ihn ohne Gruß und Dank ziehen.

# *Kaltgestellt*

Mit Fünfzig war er ein kranker, müder, enttäuschter Mann. Seine militärische Laufbahn schien den Scheitelpunkt hinter sich zu haben. Seine Lebenskurve schien rapide nach unten zu führen.

Kindersegen war ihm beschieden, acht eheliche Söhne und Töchter: Josef Franz (1799–1837), Franz Xaver (1800–1828), Luise Anna (1803–1827), Karl Leopold (1804–1847), Franziska Romana (1806–1825), Theodor Konstantin (1813–1878), Friederike Franziska Alexandra (1816–1866), Anton (1817–1847).

Die Söhne wurden Offiziere, brachten es nicht weit, führten ein unsolides Leben, starben früh, ebenso wie zwei der Töchter. Ausnahmen waren Theodor, der Generalmajor und Kämmerer, und Friederike, verehelichte Gräfin Wenckheim, die k. k. Palastdame wurde.

Die Kinder brachten zunehmend Sorgen, und die Frau machte weiterhin Schwierigkeiten. An Franziska Romana, geborene Gräfin Strassoldo-Graffenberg, lag das nicht allein. Mit Siebzehn hatte sie geheiratet, mit Sechsunddreißig war sie achtfache Mutter. Sie kam aus den Schwangerschaften kaum heraus, hatte die Kinder allein aufzuziehen – da der Gatte meist von »Feldfatiguen« und auch fremden »Bettfatiguen« absorbiert war.

Die Alleinschuld hatte sie nicht, auch nicht beim Schuldenmachen, wodurch die häuslichen Verhältnisse zerrüttet wurden. Bei ihrem Mann hatte sie nicht lernen können, mit Geld umzugehen, denn er verbrauchte, was er hatte, und das war nicht viel, selbst das, was er nicht hatte. Die Frau übertraf ihn freilich dabei, unbekümmert den Kredit überziehend, den man dem im Kriege avancierten Generalstabschef einräumte.

Kaum war Friede, wollten die Gläubiger ihr Geld haben. »Ich hatte nur die Wahl«, bilanzierte der Gatte, »alle Schulden meiner Frau stillschweigend als die meinigen anzuerkennen, oder sie in den Schuldarrest eingesperrt zu sehen. Ich wählte das erste. Die Folgen hievon waren: Verlust aller Habseligkeiten und Beschimpfungen aller Art, Zurücksetzung durch siebzehn Jahre in meiner Laufbahn, aus der ich schwerlich je hervorgekommen wäre, wenn nicht die alarmierenden Zeiten mich erfordert hätten, der Abzug meines halben Gehaltes, somit Entbehrungen aller Art.«

Radetzky selber sah rückblickend einen Zusammenhang zwischen der Schuldenlast und dem Karriereknick. Patriotische Historiker griffen nur zu gern diese Lesart auf, die nicht nur den in der Provinz versauernden Helden, sondern auch die Herren in Wien, die das zuließen, zu exkulpieren schien. Dabei wurde übersehen oder verschwiegen, daß es für den Kaiser von Österreich nichts Ungewöhnliches war, Dienern, die er schätzte und brauchte, aus finanziellen Schwierigkeiten zu helfen. »Schauts, jetzt wars doch gut, daß wir ihm noch einmal die Schulden bezahlt haben«, soll Kaiser Ferdinand I. im Jahre 1848 gesagt haben, als sich herausgestellt hatte, daß man Radetzky im Jahr zuvor richtig taxiert hatte.

Unmittelbar nach dem Wiener Kongreß sah man in der Hofburg keine Veranlassung, Radetzky unter die Arme zu greifen. Nach endlich erreichtem Frieden war ein General nichts wert, der weiterhin an Krieg dachte. Nach vollbrachter Restauration hatte man für einen Staatsdiener nichts übrig, der nicht alles verdammte, was von der Französischen Revolution und Napoleon ausgegangen war, der Reformen verlangte und Reaktionären widersprach.

Auch ein militärischer Reformer wie Radetzky wurde nicht geschätzt, der nichts weiter wollte, als das alte Österreich durch eine von neuem Geist belebte und die modernen Möglichkeiten nützende Armee zu erhalten.

Verhindern konnte man es nicht, daß der etwas voreilig zum Wirklichen Geheimen Rat ernannte Divisionär von dem damit verbundenen Recht Gebrauch machte, seine Ansichten darzulegen. Aber man nahm seine Mémoires nicht zur Kenntnis, legte seine Denkschriften ad acta.

So auch die »Allgemeinen auf die Armee-Erhaltung Bezug nehmenden Bemerkungen«, die er 1817 Metternich unterbreitete.

Es waren Gemeinplätze, die nicht mehr gemeinverständlich waren: Österreich brauche weiterhin seine Armee, diese brauche mehr Geld und dieses sei nur durch ein Armeebudget sicherzustellen. Ein solches habe es unter Maria Theresia, seit 1811 aber nicht mehr gegeben, und die Folge sei gewesen, daß man auf die Liquidität der Hofkammer angewiesen war. Erhalte die Armee einen festen Etat, dann werde »der Lohn sein, mit geringen Kosten eine mit den Nachbarstaaten im Verhältnis stehende, genährte und gekleidete, folglich eine zufriedene, gerüstete, tapfere und ergebene Armee zu haben, während diese nun gegenwärtig an physischem und moralischem Wert mit jedem Tage schwindet und so den Staat zu nutzlosem, unerschwinglichem Aufwand führt.«

Das Geld war wichtig, der Geist wesentlich. Über der materiellen Sicherung der Armee vergaß der Zeitgenosse des Idealismus nie die ideelle Hebung des Militärs – durch eine entsprechende Bildung der Offiziere und Ausbildung der Soldaten.

Die Erfahrung zeige, »daß physische Kraft allein keinem Heer den Sieg sichert, und daß sie unterliegt, wenn ihr die intellektuellen und moralischen Kräfte fehlen«, erklärte der seit Ende 1818 in Ofen als Divisionär und militärischer Adlatus des kommandierenden Generals in Ungarn, Erzherzog Ferdinand von Österreich-Este, wirkende Radetzky. Und »daß eine Menge von Mißerfolgen aus vernachlässigter Bildung der Offiziere hervorgingen, daß der moralische Gehalt die Seele des Kriegsheeres ausmacht«. Er kümmerte sich um den Bücherbestand von Regimentsbibliotheken und um Lehrpläne für militärische Erziehungsanstalten.

Eine »Offiziersuniversität« oder »Polytechnische Lehranstalt der Kriegskunde« schwebte ihm vor. Bei der Aufnahme dürfte »weder auf Geburt noch Vermögen, sondern einzig auf die Fähigkeiten und Charakter gesehen werden, denn nur edle und tugendhafte Menschen dürfen die großen Vorteile einer solchen Ausbildung genießen«. Denn: »Die Bemühung, die Kriegswissenschaften zu vervollkommnen, ist nicht das traurige Geschäft der Erfindung neuer Arten, künstlich zu morden, sondern Verdienst um die Menschheit. Je vollkommener die Kriegswissenschaften sind, desto gefährlicher ist es, Kriege anzufangen, desto seltener werden sie geführt, desto mehr entfernt sich die Art, sie zu führen, vom wilden Würgen.«

Das war westeuropäische Aufklärung plus deutscher Idealismus: Auch das Soldatengeschlecht könnte und müßte zur Humanität erzogen werden. Der eigentliche Feldherr aber, so der gewesene Generalstabschef und künftige Feldmarschall Radetzky, werde nur aus sich selbst gebildet. Der Autodidakt, der nie eine Kriegsschule besucht hatte, widmete sich in den ihm auferlegten Jahren der Muße vornehmlich der Selbsterziehung.

Er las und las, exzerpierte, machte sich Aufzeichnungen, verfertigte Mémoires. Er vertiefte sich nicht nur in die Militärwissenschaften, sondern betrieb auch hippologische, technische, ökonomische und politische Studien. Seine Bibliothek und seine Kartensammlung nahmen respektablen Umfang an.

Der General in der Studierstube – das paßte in die Biedermeierzeit, die auf eine kriegerische Epoche gefolgt war. Doch Radetzky wußte, daß Idylle nur in der Kunst, nicht in der Wirklichkeit bestanden, daß Restauration ohne Renovierung nicht dauern konnte. Und er ahnte, daß eine Ordnung wie die Metternichsche, die den Fluß des Lebens nicht eindämmen, sondern aufhalten wollte, über kurz oder lang in Frage gestellt werden würde.

ENDE DER ZWANZIGER JAHRE war die Metternichsche Ordnung immer noch intakt, zeigte indessen die ersten Sprünge. Die Solidarität der Monarchen war durch deren Sonderinteressen gefährdet, das europäische Gleichgewichtssystem durch Verschiebungen der Machtverhältnisse bedroht. Und das habsburgische Vielvölkerreich wurde im Innern mit dem Drang der Völker konfrontiert, ein nationales Eigenleben zu führen, und der Forderung der Bürger, am Staatsleben mitzuwirken.

Von seiner Ofener Klause aus betrachtete Radetzky die Zeitläufe und zog seine Schlüsse. Der Tour d'horizon über die Staatenwelt wurde mit der Feststellung eröffnet: Die Erhaltung des Friedens sei zwar »der klar und bestimmt ausgesprochene Zweck der vornehmsten Regenten Europas«. Aber »ihr Wille ist ein persönlicher«, die »wollenden Personen« seien sterblich, das Machtinteresse ihrer Staaten von Dauer. »Die ersten Mächte sind nicht alle gleich entkräftet, und die Erfahrung unserer Tage hat es gelehrt, daß die minder erschöpfte Macht die mehr erschöpfte zum Kriege zwingen kann, und gerade in ihrer minderen Erschöpfung wäre Reiz zum Angriff.«

Österreich sei eine erschöpfte Macht, Rußland hingegen habe weiterhin, ja zunehmend nicht nur Möglichkeiten für einen Angriff, sondern auch Absichten für eine Vergrößerung. Das Russische Reich habe 1814/15 neue Gebiete gewonnen, nehme an Menschen laufend zu. »In Rußland verhalten sich die Geburten zu den Sterbefällen wie einhundertfünfzig zu hundert. Ein solches Verhältnis müßte die Bevölkerung innerhalb vierundfünfzig Jahren verdoppeln, also in hundertundacht Jahren vervierfachen.« Die Wirtschaftskraft steige ständig: Rußland trage »alle Keime in sich, bei gehöriger Entwicklung seiner Bodenkultur und Industrie in naher Zukunft auch das geldmächtigste« Land zu werden.

Die russischen Streitkräfte seien quantitativ wie qualitativ gewachsen. Und durch seine Beteiligung an den Befreiungskriegen und seine Bevorzugung bei den Friedensschlüssen habe Rußland sich einen solchen Einfluß in Europa gesichert, daß »in Zukunft wohl nur seine Beistimmung oder sein Widerspruch im Rate der Könige maßgebend bleiben werde«.

Und diese große Macht wolle immer noch größer werden. Iwan III. habe im 15. Jahrhundert mit 18 208 Quadratmeilen und sechs Millionen Bewohnern angefangen, Alexander I. habe es im 19. Jahrhundert auf 367 493 Quadratmeilen und achtundfünfzig Millionen Bewohner gebracht. Schon habe er die zu Österreich und Preußen gehörenden Teile Polens im Visier, und – was erst wieder der Russisch-Türkische Krieg von 1828/29 gezeigt habe – den Balkan und den Bosporus.

Österreich und Europa – so Radetzky – müßten darauf gefaßt sein, daß Rußland im Laufe des Jahrhunderts sich weiter ausdehnen werde. Danach strebe die russische Regierung, die »an Schlauheit und fester Konsequenz« alle anderen übertreffe. Zur Verfügung stünden »große Barbarenschwärme, die, obschon für den regelmäßigen Krieg wenig brauchbar, doch zum Verheeren eines Landes ebenso geschickt als geneigt sind«.

Der Zar zähle auf eine wachsende prorussische Partei in den Grenzländern Österreichs, auf »die durch Religion und Sprache mit den Russen verwandten Griechen, Illyrier, Armenier, Retzen und Wallachen«. Der Zar sei dabei, sich einen Gürtel von Satellitenstaaten zuzulegen: die Moldau und Walachei, Serbien und das eben von den Türken befreite Griechenland. Und schon greife er nach der Konkursmasse des Türkischen Reiches nicht nur in Europa, sondern auch in Vorderasien und Nordafrika.

»Man lasse Rußland machen, in 50 Jahren werden ihm die Königreiche Mazedonien, Bulgarien, Armenien, Syrien, Ägypten usw. beigetreten sein«, so Radetzky am Ende des dritten Jahrzehnts des 19. Jahrhunderts. »Bei dem mächtigen Einfluß, den es bereits auf Europa und Asien übt, und den es in Verbindung mit Nordamerika noch auf Afrika ausdehnen wird, kann es nicht fehlen, daß Rußland als Schiedsrichter von vier Erdteilen sich zu einer Größe emporschwingen wird, von der die Geschichte kein gleiches oder auch nur ein ähnliches Beispiel aufzuweisen vermag.«

Ein ebenso unglückliches Ereignis wie die Ausbreitung Rußlands sei für Europa »das Entstehen eines großen und mächtigen Staatenbundes jenseits des Ozeans«. Denn »die neuen Staaten, welche jetzt in Amerika heranwachsen«, werden »im Laufe der Zeiten Europa unterjochen«.

Ein Jahrhundert vor Jalta sagte Radetzky die Teilung Europas zwischen Rußland und den Vereinigten Staaten von Amerika voraus, und das Ende der Weltgeltung des alten Kontinents. »Das große britische Reich in Ostindien wird sich von Großbritannien losreißen, ebenso werden sich alle anderen britischen Kolonien von England trennen.«

Auch die Antwort auf diese Herausforderung hatte Radetzky bereits hundert Jahre vorher gefunden: »Ein europäischer Bund, eine Organisation für den ganz Europa umfassenden Staatenbund ist daher zur Stunde die dringendste Angelegenheit.« Aber: Man könne sich nicht »zu der hohen Idee einer Union Europas, deren Dringlichkeit so klar vor Augen liegt« erheben. »Europa ist zerrissener als je und dieser Zustand gibt Rußland freie Hände, sich auszudehnen.«

Die europäischen Mächte hatten nur ihr gestriges Gegeneinander im Sinn, nicht ihr heute und morgen notwendiges Miteinander. »Die Politik führt den Frieden Europas im Mund, aber nicht im Herzen«, das »große Mittel der Sicherung des allgemeinen Friedens, welches vom Wiener Kongreß geordnet war, kommt nirgends zustande«, an die Stelle des Waffenkrieges sei der Handels- und Erwerbskrieg getreten. Frankreich ertrage »die Schmach der Einzwängung durch fremde Gewalt« mit verhaltenem Grimm, England denke mehr an seine Ausbreitung außerhalb Europas als an die Aufrechterhaltung des Gleichgewichts in Europa. Und Preußen sei der Kumpan Rußlands und der Rivale Österreichs geblieben.

Preußen. In den Grenzen von 1815 sei es »der unförmlichste Staat, den es je auf dem Erdenrund gegeben hat«. Denn: »Seine Breite, selbst dort gerechnet, wo es am breitesten ist, hat gar kein Verhältnis zu seiner Länge, wenn man diese von Memel bis hinter den Rhein annimmt. Seine Besitzungen hängen in dieser großen Länge nicht einmal zusammen, sondern sind durch dazwischen liegende fremde Besitzungen getrennt. Es ist ganz außerstande, alle seine Grenzen zu verteidigen.« Es müsse daher »unausgesetzt die Aufforderung empfinden, sich abzurunden. Es muß dies lebhaft wünschen, darf es aber nie aussprechen. Den schon mehrmals geäußerten Wunsch, Deutschland bis zum Main sich einzuverleiben, kann es nimmer aufgeben, weil darin das einzige Mittel liegt, dem Staat eine dauernde Haltbarkeit zu verleihen und ihn zu einem festen Reich in Europa umzugestalten.«

Bismarck hat später diesen Wunsch ausgesprochen, ihn erfüllt, Preußen zunächst zu Norddeutschland erweitert und dann, unter Einbeziehung Süddeutschlands, das preußisch-deutsche Reich geschaffen – auf Kosten Österreichs, der Hausmacht des alten römisch-deutschen Kaisers und der Präsidialmacht des Deutschen Bundes von 1815.

Radetzky schätzte vier Jahrzehnte vor Bismarcks Reichsgründung die Gefahren für Österreich und für die Preußen im Wege liegenden deutschen Staaten richtig ein. »Keines der nördlichen deutschen Bundesländer darf daher jemals sich einschläfern lassen und muß fortwährend die Überzeugung wach erhalten, daß die Gefahr, von Preußen verschlungen zu werden, als Damoklesschwert über seinem Haupte schwebt. Österreich aber darf ebenso wenig vergessen, daß es Preußen keine Vergrößerung gestatten kann, daß sein eigener Vergrößerungsweg nach Südosten weist, und daß es bei allen Unternehmungen in dieser Richtung sich den Rücken decken müsse, daß aber Preußen des österreichischen

Beistandes unumgänglich bedarf« – gegen Rußland, an das es bereits grenze und dessen weiterer Expansion es im Wege stehe.

Er wußte nicht, konnte es sich nicht ausdenken, daß Preußen seine Existenzbedrohung durch Rußland nie richtig erkennen sollte, schließlich – im Jahre 1945 – einen Großteil seines Gebietes an Rußland beziehungsweise dessen Satelliten Polen verlieren würde, um endlich – im Jahre 1947 – ganz von der Landkarte gestrichen zu werden, von Russen und Amerikanern gemeinsam.

Weil er annahm, daß Preußen und Österreich einander gegen Rußland brauchten, hoffte er zunächst, daß ein Krieg zwischen Österreich und Preußen »schwerlich zu besorgen sei«. Auch Metternich hatte auf den »friedlichen Dualismus« der beiden Großmächte im Deutschen Bund gesetzt. In diesem mitteleuropäischen Staatenbund erblickte Radetzky den Kern der von ihm anvisierten »Union Europas«. Aber mehr und mehr sah er den »Friedensstaat von Europa«, wie ein zeitgenössischer Historiker die Föderation von 1815 nannte, durch Preußens Abrundungsstreben gefährdet. Und durch den auch in Deutschland erwachten Wunsch nach einem nationalen Staat.

Schon begannen sich der Vergrößerungsdrang Preußens und die Einheitssehnsucht der Deutschen zu verknüpfen. »Deutschland sucht Einheit«, kommentierte Radetzky den 1833 von Preußen gegründeten Deutschen Zollverein, von dem Österreich ausgeschlossen blieb. »Wenn man nun das Zollsystem betrachtet, so wird man unwillkürlich von dem Gedanken hingerissen, Preußen habe dieser Absicht den Grund hiezu gelegt.«

Preußen strebe nach der »Suprematie in Deutschland«, was Österreich treffen und den Deutschen Bund zerstören müßte. Dieser sei loser verbunden, als es das alte Reich gewesen war. »Wenn das festere Vorreich getrennt werden konnte«, wäre erst recht »die Möglichkeit der Trennung des locker vereinten« Deutschen Bundes möglich.

Das »Vorreich« nannte der das Heilige Römische Reich Deutscher Nation, und er sah es im Deutschen Bund fortgesetzt, in dem der Habsburger freilich nicht mehr Kaiser, sondern nur noch Präside war. Lieber wäre es ihm gewesen, wenn nach dem Sturz des Reichsliquidators Napoleon das Reich neu begründet worden wäre – nicht aus romantischen, sondern aus realpolitischen Motiven. Unter »deutschem Kaisertum« verstand er »nicht den Titel, sondern die Macht als solche, in jeder Streitfrage als Zentralmacht auftreten zu können«.

Nun, eine solche Zentralmacht war das alte Reich unter Habsburg nie gewesen und hätte ein neues Reich unter Habsburg schwerlich werden können. Immerhin hätte eine Wiedererhebung des Habsburgers zum deutschen Kaiser das habsburgische Österreich gestärkt. So aber sah sich Österreich – eineinhalb Jahrzehnte nach dem Wiener Kongreß – »aus dem ersten in den zweiten Rang von Europas Mächten« versetzt. Radetzky stellte fest: »Die Monarchie ist isoliert, von einer nach Vergrößerung strebenden Macht eingeengt, in der Erhaltung ihrer Existenz ganz auf sich beschränkt; es bleibt somit eine absolute Notwendigkeit, diesem Übelstand beizeiten zu begegnen.«

Dies war das Resultat seines Rundblicks, der Sinn und Zweck seiner Betrachtungen: sein Österreich auf die ihm drohenden Gefahren aufmerksam zu machen und es zu Gegenmaßnahmen zu bewegen.

Zunächst waren die Außenpolitiker angesprochen, denen die Ausbalancierung des Gleichgewichts der Mächte obliege, der Ausbau der Allianzen, die Fortführung des Friedenswerkes des Wiener Kongresses. Mit diplomatischen Kabinettstückchen allein sei das aber nicht mehr möglich. Österreich könne nur ein gewichtiges Wort sprechen, wenn es eine gewichtige Macht, eine Militärmacht sei. »Wenn Europa die Überzeugung erhält, daß Österreich unangreifbar ist, wird ihm wieder von allen Mächten gehuldigt werden«, betonte Radetzky. »Das dringendste ist seine Kriegsmacht, von dieser ist Europas Achtung ganz vorzüglich abhängig.«

Dies war das Ziel aller politischen Exkurse des Generals: die Beweisführung, wie wichtig und notwendig eine starke Armee sei – zur Abschreckung jedes potentiellen Angreifers wie –, sollte es dennoch zu einem Angriff kommen, zu dessen erfolgreicher Abwehr.

Um seinen Worten Nachdruck zu geben, stellte er den Biedermeiern ein Kriegsszenarium vor Augen, das so schrecklich war, daß es ihnen unwahrscheinlich vorkommen mußte, doch so realistisch, daß es schließlich Wirklichkeit wurde.

»Unsre Grenzen mit Rußland und Polen entbehren jeder sowohl natürlichen als künstlichen Verteidigung. Das flache Galizien kann überall vom Feind überschwemmt werden.« Das sollte 1914 eintreten, und das 1866: Preußen, von Rußland gedeckt, fällt in Böhmen und Mähren ein, dringt gegen die Donau vor. Und dies geschah bereits 1859: Ein piemontesisches Heer, mit Frankreich als Rückhalt, greift das österreichische Oberitalien an.

Wie derartiges vermeiden? Solange Radetzky den Bau von Festungen empfahl, lag er auf der Linie des alten Limes-Denkens, der neuen Defensivpolitik Metternichs, dem konservativen Grundzug Österreichs wie dem Grundgefühl der Biedermeierzeit. Wenn er jedoch die Aufstellung einer kriegstüchtigen, das heißt auch zur Offensive fähigen Armee forderte, mußte er auf Unverständnis stoßen. Wenn er gar eine Heeresreorganisation verlangte, die an eine Staatsreorganisation gekoppelt war, mußte er Widerspruch hervorrufen.

»Eine zu jeder entsprechenden Verwendung gut organisierte Armee muß ihr Augenmerk bloß auf die Offensive richten«, erklärte Radetzky rund heraus. Dazu bedürfe sie feldmäßiger Ausbildung, kriegsähnlicher Manöver, »einer zweckmäßigen Organisation des Hauptquartiers, um alle Offensivoperationen mit Festigkeit durchzuführen, einer auf den Kriegszweck und die damit verbundenen Grundsätze basierten ›Ordre de bataille‹, einer danach geregelten Administration nebst den nötigen Einleitungen für den Nachschub und den Anordnungen für die Sicherheit des Rückens«.

Vor allem brauchte man dazu genug Soldaten, und zwar solche, die zu kämpfen bereit waren. Und Kampfbereitschaft konnte auch in Österreich – vier Jahrzehnte nach der Französischen Revolution, zwei Jahrzehnte nach dem Erwachen von 1809 und eineinhalb Jahrzehnte nach dem Aufbruch von 1813 – nicht von unterdrückten Untertanen, nur von zu Verantwortung herangezogenen und dadurch verantwortungsbewußt werdenden Staatsbürgern erwartet werden.

Das war in der französischen Volksarmee der Fall gewesen und sollte in der für den Krieg von 1809 geschaffenen Landwehr nachgeahmt werden. Das militärische Resultat hatte den Berufssoldaten nicht befriedigt. Doch konnten Österreicher, die politisch gegängelt blieben, den militärischen Elan französischer Citoyens haben? Je mehr er darüber nachdachte, desto eindeutiger erschien ihm der Zusammenhang von militärischer und staatlicher Reform.

Doch eine Lockerung des politischen Zügels und damit ein Freiwerden von militärischen Energien war von Metternich kaum zu erhoffen. Radetzky verstand durchaus dessen Gründe. Österreich, ein »Amalgam von Volksstämmen«, konnte sich nicht wie ein völkisch homogener Staat dem Nationalitätsprinzip verschreiben. Aber war nicht gerade deswegen die k. k. Armee als Hort der Übernationalität, als Heimat aller Nationalitäten unentbehrlich und förderungswürdig?

Die Armee wurde durch Befehl und Gehorsam zusammengehalten, erfüllt sein mußte sie vom Bewußtsein der Zusammengehörigkeit und vom Geist der Kameradschaft. Der Staat, in dem es Gesetzgeber und Gesetzbefolgende gab, war zunehmend darauf angewiesen, daß die Kluft zwischen beiden zumindest verringert wurde. Die Gewährung einer entsprechenden Verfassung würde – davon war Radetzky überzeugt – nicht nur die Institution Staat stabilisieren, sondern auch die Konstitution der Armee stärken.

Doch davon war man in Österreich noch weit entfernt. Fortschritte im Sinne des Zeitgeistes vermochte der in die Provinz abgeschobene, in Ofen kaltgestellte Radetzky nicht zu erblicken. Er konnte lediglich mahnen: Nur der Fortschritt sei es, »welcher den Menschen von Zeit zu Zeit bessere Zwecke einhaucht und für ihre Zwecke neue Mittel erzwingt. Der so oft bald redlich, bald treulos und am häufigsten ohne vernünftigen Sinn angerufene Geist der Zeit ist nichts anderes als die Summe des aus dem jedesmaligen Stand der Aufklärung resultierenden Zweckmäßigen.«

Der an der Pensionsgrenze angelangte Feldmarschalleutnant mußte annehmen, daß Österreich seine Gelegenheiten versäumt habe und er keine Chance mehr bekommen würde, an der Verwirklichung seiner Vorstellungen mitzuwirken.

Mit Zweiundsechzig wurde er zum General der Kavallerie ernannt, nachdem er zwanzig Jahre lang als Feldmarschalleutnant auf der Stelle getreten war. Er wurde zu einem Zeitpunkt befördert, an dem es mit Österreich nicht vorwärts, sondern rückwärts zu gehen schien.

Als ob man dem Rechnung tragen wollte, wurde der Kavalleriegeneral noch im selben Jahre 1829 zum Festungskommandanten in Olmütz bestellt. Defensive war die Parole der Zeit, in der man nicht ahnte, daß eben diese Festung Olmütz im Jahre 1848 das Reduit des von der Revolution aus Wien vertriebenen Kaisers Ferdinand I. sein würde – aber auch die Ausfallstellung des neuen, das Habsburgerreich noch fast ein Dreivierteljahrhundert zusammenhaltenden Kaisers Franz Joseph I.

Auf den »wichtigsten strategischen Punkt der Monarchie« sah sich Radetzky versetzt. Die Festung in Böhmen hatte im 13. Jahrhundert den Mongolen, im 18. Jahrhundert den Preußen getrotzt, den Feinden den Zugang zum Marchbecken und damit nach Wien versperrt. In der Friedensperiode des 19. Jahrhunderts war Olmütz eine angenehme Stadt, in der es sich gut leben ließ – zumal mit dem Festungskommando einige Nebeneinkünfte verbunden waren.

Radetzky wohnte in einem Renaissancehaus, war im Barockschloß des Fürsterzbischofs zu Gast, pflegte seinen Garten im Festungsgraben. Es war ein Biedermeieridyll, das Genügen an einem Glas Wein und einer Tarockpartie, einem beinahe bukolischen Dasein. Der Schrebergärtner fühlte sich als Landwirt: Der Ökonom sei »allein der Glückliche, soweit wir Beschäftigung mit entsprechender Tätigkeit und der Überzeugung der hervorgebrachten Vorteile als Glück zu achten fähig sind«.

Inzwischen zogen sich Gewitterwolken über diesem Tusculum zusammen, und schon bald blitzte und donnerte es. 1830 erklang in Frankreich wieder der Dreiklang der Französischen Revolution, wurde im Namen von »Freiheit, Gleichheit und Brüderlichkeit« der restaurierte Bourbonenkönig gestürzt und ein »Bürgerkönig«, der Orléans Louis-Philippe, auf den Thron gesetzt. Das Pariser Beispiel wurde in Brüssel nachgeahmt, wo die belgische Revolution das vom Wiener Kongreß geschaffene Königreich der Niederlande zerstörte. Und es kam zu einem Aufstand in Polen, zu Unruhen in Sachsen, Hessen-Kassel, in Braunschweig, in Modena, Parma und in der Romagna – die indessen alle im Namen der Heiligen Allianz und mit den Machtmitteln der Monarchien unterdrückt wurden.

Doch ein Menetekel stand über dem Metternichschen System.

In Wien war man alarmiert, traf Anstalten – nicht die Ursachen zu beseitigen, sondern die Folgen zu verhindern. Gegenmaßnahmen hielt man vor allem in Italien für angebracht, wo die immer lauter erhobene Forderung nach nationaler Einheit und bürgerlicher Freiheit die österreichische Position zunehmend in Frage stellte.

Nun erinnerte man sich an Radetzky, den man als lästig empfunden und beiseite geschoben, als er vor solchen Entwicklungen gewarnt hatte, und dem man nun zutraute, mit der von ihm vorausgesagten Situation fertigzuwerden. So wurde er wie Cincinnatus vom Pflug weggeholt, seiner Altersmuße entrissen – einer neuen, seiner wichtigsten Lebensaufgabe zugeführt.

Nach der Pariser Julirevolution hatte Österreich seine italienische Armee verstärkt, um für einen möglichen Zweifrontenkrieg gewappnet zu sein: gegen ein revolutionäres Frankreich, das schon einmal gegen Habsburg marschiert war, und gegen ein von den französischen Ideen angestecktes und von den französischen Streitkräften unterstütztes revolutionäres Italien.

Zum Kommandierenden der Armee im Lombardo-Venetianischen Königreich wurde General Johann Frimont von Palota ernannt, der sich im Feldzug von 1815 in Italien und Frankreich ausgezeichnet hatte. Er wollte den alten Kameraden Radetzky an seiner Seite haben, bat um dessen Versetzung.

Nicht nur der Kaiser in Wien, sondern auch der Festungskommandant in Olmütz zögerten. Franz I. konnte seine Bedenken gegen den Reformer nicht so schnell überwinden, und Radetzky meinte vorbringen zu sollen, daß er nicht mehr der Jüngste sei und überdies Schulden habe. Diese könne er übernehmen und jenes müsse kein Nachteil sein, meinte der alte Kaiser und ernannte ihn am 26. Februar 1831 zum Stellvertreter Frimonts.

Er sei überglücklich, »der Armee wiedergegeben zu sein«, bekannte Radetzky. Das Glück, das so lange auf sich hatte warten lassen, kam nun zuhauf. Bereits am 23. November 1831 wurde Frimont zum Hofkriegsratspräsidenten in Wien ernannt – und sein Stellvertreter am 23. Dezember 1831 zum Kommandierenden General in Mailand.

Mit Fünfundsechzig erhielt Radetzky die Chance seines Lebens: eine Armee nicht nur zu kommandieren, sondern auch zu

Josef Graf Radetzky von Radetz, 1766–1858, Gemälde von G. Decker

Feldmarschalleutnant Radetzky im Jahre 1813, Stich von H. J. Mansfeld

Radetzky im Alter von achtundvierzig Jahren, Zeichnung von P. Krafft

Radetzky auf dem Feldzug in Oberitalien, Lithographie von A. von Pettenkofen

Radetzky und König Viktor Emanuel II. bei der Verhandlung des Waffenstillstands nach der Schlacht bei Novara, 1849, Lithographie von E. Adam

Feldmarschall Radetzky nach der Schlacht bei Novara, 1849,
Lithographie von E. Adam

Wien feiert Radetzky als Sieger, 1849, Zeichnung nach einer Lithographie von F. Koller

Leichenparade für Radetzky am 18. Januar 1858 in Wien,
Gemälde von F. von Zellenberg

reformieren. Und zu beweisen, daß das alte Österreich noch bestehen konnte – auch in einem nach Neuerungen rufenden Italien.

# *Ein Österreicher in Italien*

MAILAND sah er im Frühjahr 1831 wieder. Er mochte diese Stadt: Den gotischen Dom, der mit weißem Marmor verkleidet worden war und dadurch an mittelalterlicher Düsternis verloren hatte. Die Scala, das größte und beste Theater Italiens. Den Corso, auf dem österreichische Weißröcke promenierten, und die Villa Reale, über der die Fahne seines Kaisers wehte und dessen Vizekönig residierte.

Mailand war die Hauptstadt des Lombardo-Venetianischen Königreiches, das nach dem Zusammenbruch des von Napoleon geschaffenen Königreiches Italien als habsburgisches Kronland errichtet worden war. Es bestand aus dem Gubernium Mailand und dem Gubernium Venedig, an deren Spitze von Wien berufene Gouverneure standen. Die getrennte Verwaltung trug dem Umstand Rechnung, daß es sich um zwei verschiedene Gebiete handelte, die ihre eigene Geschichte und einen besonderen Charakter hatten.

In Mailand und Mantua waren die Österreicher, bevor sie von den Franzosen vertrieben worden waren, seit dem Anfang des 18. Jahrhunderts gewesen. Die Lombardei hatte unter Maria Theresia – wie zumindest österreichische Historiker behaupteten – ihr »goldenes Zeitalter« erlebt. Venedig war den Österreichern 1797 von Napoleon übereignet worden, der es ihnen aber bereits 1805 wieder abgenommen hatte. Indessen waren sie in beiden Ländern keine Unbekannten, wenn sie auch Fremde geblieben waren und bleiben sollten.

Zunächst waren die meisten Lombarden und Venetianer mit der österreichischen Herrschaft nicht unzufrieden, brachte sie ihnen doch nach einem Zeitalter des Krieges den Segen des Friedens. Und – wie auch italienische Historiker einräumten – die beste damals auf der Apenninen-Halbinsel existierende Verwaltung, eine Zeit der kulturellen Blüte und des wirtschaftlichen Aufschwungs. Das Lombardo-Venetianische Königreich war das schönste und reichste Kronland des Habsburgers. Was ihm – aber auch den anderen, auch den deutschen Provinzen des Reiches – fehlte, war Selbstverwaltung.

Das wurde von Anfang an als Mangel empfunden, und dies zunehmend als Zumutung: Daß – wie in ganz Österreich – die persönliche Freiheit eingeschränkt blieb und die bürgerliche Gleichheit vorenthalten wurde. Und nicht nur, daß der Monarch das konstitutionelle Prinzip nicht anerkennen wollte, sondern auch, daß im Vielvölkerreich das Nationalitätsprinzip nicht angewandt werden konnte.

Italiener mußten dies schwerwiegender, zumindest frühzeitiger empfinden als andere Untertanen des Habsburgers. Die französischen Revolutionäre hatten in ihnen den Wunsch nach einer liberalen und demokratischen Verfassung und Napoleon die Hoffnung auf einen italienischen Nationalstaat geweckt. Und – nicht zuletzt dank der österreichischen Wirtschafts- und Finanzpolitik – war im Lombardo-Venetianischen Königreich die Industrialisierung fortgeschritten und damit ihr Träger und Nutznießer, das Bürgertum. Überall in Europa trieb es die Nationalstaatsbewegung voran, in Oberitalien nicht gegen, sondern mit dem Adel, mit dem es durch wirtschaftliche Interessen und patriotische Gesinnung verbunden war.

Aber wohin sollten sich die Lombarden und Venetianer wenden? Die Deutschen hatten im Deutschen Bund wenigstens einen – wenn auch unzureichenden – nationalen Rahmen bekommen. Der Gedanke an eine »Lega italica« war jedoch von Metternich aufgegeben worden, für den Italien lediglich eine Ansammlung souveräner Staaten war, die nur unter demselben geographischen Begriff zusammengefaßt seien, und auch und gerade ohne Bundesverhältnis unter österreichischer Vorherrschaft standen. Die restaurierten italienischen Monarchen hatten dem nicht widersprochen, die Habsburger ohnehin nicht, aber auch nicht der Bourbone in Neapel und noch nicht der Savoyer in Turin.

»Oder welche Zeit kann der Lombarde zurückwünschen?«, fragte der deutsche Schriftsteller Friedrich von Raumer in seinem 1840 erschienenen Italien-Werk. »Die der Hohenstaufen, der Visconti, der Spanier, der Republik und der Einverleibung mehrerer italiener Landschaften in das Grand Empire Napoleons?« Dem unbefangenen Beobachter dränge sich die Überzeugung auf, »die Lombardei sei, alles zu allem gerechnet, noch nie so gut regiert worden, als jetzt unter dem väterlichen Zepter Österreichs, sie sei noch nie so reich, bevölkert, wohlerzogen, menschlich und christlich gewesen«.

Seiden- und Baumwollindustrie sowie Landwirtschaft mehrten den Wohlstand, die Steuern waren geringer als in der Franzosenzeit, es gab kein Papiergeld wie im übrigen Österreich. 1843 zählte die Lombardei 2 588 500, Venetien 2 208 000 Einwohner. 1832 erschienen in ganz Italien 92 Zeitungen und Zeitschriften, davon 32 im Lombardo-Venetianischen Königreich. 1857 hatte dieses 6077 Volksschulen, 17 Unterrealschulen, 27 Untergymnasien, 32 Obergymnasien, Universitäten in Pavia und Padua, eine Kunstakademie und ein Musikkonservatorium in Mailand. Die Lehr- und Dienstsprache war – selbstredend in einem Vielvölkerreich – Italienisch.

Was die Christlichkeit anging, so gab es Widersprüchliches. Einerseits nützte der prinzipielle Bund von Thron und Altar der Kirche, andererseits hatte sie sich über die josephinische, antiklerikale Kirchenpolitik der Österreicher zu beklagen. In den Brevieren mußte der Satz von der Macht des Papstes, Herrscher abzusetzen, mit Papier überklebt werden – was wenig nützte, da die Geistlichkeit ihn auswendig kannte.

Und was die Menschlichkeit betraf, so wurde zwar für italienische Soldaten in der k. k. Armee die Stockprügelstrafe abgeschafft. Doch von der österreichischen Humanität verspürten italienische Patrioten wenig, die der vielgelobten kaiserlichen Justiz ausgeliefert waren, die zwar penibel und korrekt verfuhr, doch drakonisch strafte. Noch unmenschlicher waren die Haftbedingungen. Auf dem Spielberg bei Brünn eingekerkerte Staatsverbrecher waren in Ketten gelegt, wie es Italien und Europa durch die Memoiren des Grafen Federico Confalionieri und *Meine Gefängnisse* des Dichters Silvio Pellico zu ihrer Entrüstung erfuhren.

Immerhin hatte der für die Italiener eingenommene und gegenüber den Österreichern befangene französische Schriftsteller Stendhal festgestellt: »So häßlich der Name Metternich in italienischen Ohren klingt, man muß es sagen, daß die Justiz in der Lombardei nicht so leicht zu kaufen ist, daß die Priester sich hier ihrem Beruf widmen und nicht politischen Intrigen.« Und: »Metternich hat, soweit die Mailänder in Betracht kommen, das System gewechselt: er versucht, sie zu verführen. Alle feschen Husarenoffiziere der österreichischen Armee treffen sich in Mailand. Seit Marengo, das sind jetzt 29 Jahre her, schmollte und knauserte der Adel. Heute spricht man von nichts anderem als Bällen, und der Luxus in englischen Pferden kann nicht mehr weitergetrieben werden. Mailand ist ohne Zweifel heute eine der glücklichsten Städte der Welt.«

Das bemerkte Stendhal im Jahre 1829, zwei Jahre bevor Radetzky nach Mailand kam, weswegen sich dieser mindestens ebenso glücklich schätzte, wie es die Mailänder angeblich schon waren. Der Kommandierende General mußte über die österreichische Herrschaft in der Lombardei und in Venetien natürlich noch positiver urteilen als der französische Romancier, beinahe so positiv wie der Vizekönig Erzherzog Rainer, der nach dreißigjähriger Amtszeit darauf verwies, »wie väterlich und milde Österreich diese Länder regierte, wie alle seine Bemühungen dahin gerichtet waren, das moralische und materielle Beste derselben zu fördern«.

Während seiner Amtszeit war dem Vizekönig die Problematik der österreichischen Herrschaft durchaus bewußt gewesen, und er hatte sie oft mit dem Militärbefehlshaber erörtert. Erzherzog Rainer und Radetzky saßen dabei in der Reale, vor einem Kamin, den ein österreichischer Hafner gebaut hatte, damit sie heimische Wärme im fremden Land verspürten.

Im schönen Land Italien hätten sie sich schon wohlfühlen können, wenn die Italiener nicht gewesen wären, die keine Österreicher und schon gar nicht deutsche Österreicher länger im Land haben wollten. Auch keine liberalen Österreicher, die ihnen »freisinnige Institutionen« gewährt hätten, wie sie ihnen Radetzky gegönnt hätte. »Das weise und große Prinzip, allen Staaten entsprechende Konstitutionen zu geben, wird wahrscheinlich binnen kurzem in allen Ländern Europas zur Ausführung gebracht«, hatte er bereits 1828 erwartet.

Doch Lombarden und Venetianer verlangten mehr und mehr eine Konstitution, die sie von ihresgleichen erhielten, eine italienische Verfassung. »Das Streben nach nationaler Unabhängigkeit und Einheit« stand hier im Vordergrund, wie ein später von Radetzky gebilligtes Memorandum feststellte, »die immer rege Abneigung gegen das deutsche Element, welche seit Jahren wach gehalten und von den Leitern der Bewegung dazu benutzt wurde, die italienischen Völker zur Empörung zu verleiten.«

Anders als anderswo traten hier Adelige und Bürger als Compagnons auf. Wie überall war der Bauer der weinende Dritte: der Grundherr unterdrückte ihn und der Bürger ließ ihn nicht hochkommen. Der Gedanke lag nahe, daß die Österreicher sich mit den italienischen Bauern verbanden, sie gegen Ausbeutung schützten, gegen die adelig-bürgerliche Nationalstaatsbewegung in Anspruch und für den Kaiser in Pflicht nahmen.

Der Franzose Mirabeau hatte seinerzeit seinem König Ludwig XVI. vorgeschlagen, sich gegen Adel und Klerus mit dem aufbegehrenden Bürgertum, dem »Dritten Stand« zu verbünden. Der Österreicher Radetzky gab nun zu bedenken, ob sich die Habsburger nicht mit den zurückgesetzten Bauern, dem »Vierten Stand«, gegen die Aristokratie und Bourgeoisie zusammentun sollten. Dazu müßte man ihnen freilich nicht nur wirtschaftliche Vorteile und soziale Verbesserungen, sondern auch politische Rechte versprechen.

Dieser Radetzky sei ein Kommunist, meinte Lord Palmerston, der englische Liberale. Österreichische Konservative dachten ähnlich. Vizekönig Erzherzog Rainer zeigte sich zwar Zeitströmungen aufgeschlossener als sein in der Wiener Hofburg sich abkapselnder Bruder Franz I., doch kaum entscheidungsfreudiger. »Wir werden sehen, Wir werden tun, Wir werden Unserem Bruder berichten«, pflegte er den zu bescheiden, der ihm mit Eingaben kam.

Metternich war flexibler, aber nur in der Methode, nicht in der Sache. Er hätte es lieber gesehen, wenn Lombarden und Venetianer zuvorkommender behandelt worden wären, mehr Selbstverwaltung bekommen hätten. Anfänglich hatte er gewünscht, »daß man diesen Provinzen eine Verwaltungsreform gebe, welche den Italienern beweise, man wolle sie nicht mit den deutschen Provinzen der Monarchie ganz gleich behandeln und sozusagen verschmelzen«. Der Staatskanzler war damit beim Kaiser, dem Zentralisten, nicht durchgedrungen.

Er fand sich damit um so lieber ab, je mehr sich zeigte, daß Lombarden und Venetianer auch keinen locker gelassenen, sondern überhaupt keinen österreichischen Zügel wollten. Der Zweck der Zügelführung war ihm ohnehin nie zweifelhaft gewesen: Die Pferde, alle Nationalitäten, hatten die k. k. Staatskarrosse zu ziehen, auf deren Bock der Kutscher Metternich saß, und das von ihm ins Auge gefaßte Wohl der Habsburgermonarchie zu befördern.

Die Armee sei die rechte Hand der Diplomatie, wurde ihm von Radetzky bedeutet, den der Metternich-Biograph Heinrich von Srbik »das Schwert der Italienpolitik des Kanzlers« nannte. Ein besser geschliffenes Schwert, eine schlagkräftigere Armee wünschte sich der Kommandierende General vom Staatskanzler. Italien sei der verwundbarste Teil der Monarchie, erklärte Radetzky, wobei er zunächst mehr an einen weiteren Krieg mit Frankreich als an einen Krieg mit einem italienischen Staat oder gar an einen Bürgerkrieg mit italienischen Untertanen Habsburgs dachte.

Österreich müsse, »um seine Provinzen in Italien zu erhalten, ganz Italien zu schützen auf sich nehmen«, erklärte Radetzky. Das war im Sinne der 1814/15 konzipierten Hegemonialpolitik, die ganz Italien als österreichisches Protektorat ansah. Was aber, wenn sich der eine oder andere italienische Staat nicht mehr von Österreich schützen lassen wollte? Sich gar einen anderen Protektor suchte?

Einen solchen fand später Sardinien-Piemont in Napoleon III., was Österreich die Lombardei kosten sollte. Aber noch war das reaktionäre Turin mit dem reaktionären Wien verbündet, was Radetzky für einen politischen wie militärischen Vorteil hielt.

Nach der Pariser Julirevolution hatten sich die italienischen Monarchen um ihren österreichischen Protektor geschart, aus Furcht vor einem Angriff des Bürgerkönigs Louis-Philippe und einem Übergreifen der französischen Ideen auf Italien.

Vornehmlich schien der Kirchenstaat, dieses restaurierte Relikt des Mittelalters, betroffen zu sein. 1832 besetzten die Franzosen Ancona, mit der Erklärung, die Freiheit der Völker gegen die Despotie schützen zu müssen, in der eigentlichen Absicht, einen Fuß in das von Österreich dominierte Italien zu setzen. Im selben

Jahr hatten die Österreicher zum zweiten Mal Bologna besetzt, in dem es wiederum, wie bereits 1830, zu Unruhen gekommen war.

Papst Gregor XVI. hatte das Eingreifen Österreichs erbeten, das Frankreichs nicht verhindern können. Der Herrscher des Kirchenstaates versuchte durch reaktionäre Maßnahmen seine Unumschränktheit zu beweisen und seine Souveränität zu sichern. Das Oberhaupt der römisch-katholischen Kirche verurteilte in der Enzyklika »Mirari Vos« jede Auflehnung gegen die legitime Autorität.

Mit geistlichem Beistand des Papstes in Rom und dem militärischen Schutz und politischen Schirm des Kaisers in Wien festigten alle italienischen Fürsten ihr monarchisches Regime: Maria Luise, die Tochter Kaiser Franz I., im Herzogtum Parma; Franz IV., der Schwager Franz I., im Herzogtum Modena; Ludwig Ferdinand Karl von Bourbon, der Sohn einer spanischen Königstochter, im Herzogtum Lucca; Leopold II., ein Habsburg-Lothringer, im Großherzogtum Toskana; Ferdinand II. von Bourbon, der Schwiegersohn des Erzherzogs Karl, im Königreich beider Sizilien.

Und Karl Albert von Savoyen-Carignan, der sein Königreich Sardinien durch eine Allianz mit dem Kaisertum Österreich absicherte und durch Familienbande mit dem Hause Habsburg verknüpfte: Er war mit einer toskanischen Habsburgerin, seine Schwester mit Erzherzog Rainer, dem Vizekönig des Lombardo-Venetianischen Königreiches vermählt, und seinen Sohn und Erben Viktor Emanuel verheiratete er 1842 mit der Erzherzogin Adelheid von Österreich.

Karl Albert, seit 1831 König von Sardinien, entstammte jenem Haus Savoyen, aus dem einst Prinz Eugen hervorgegangen war. Das war nicht der einzige Grund für Österreicher im allgemeinen und für Radetzky im besonderen, ihm einen Vorschuß an Wohlwollen einzuräumen. 1823 war er als Freiwilliger mit der Reaktion gegen die spanischen Liberalen marschiert und hatte den Maria-Theresien-Orden bekommen. 1831, nach dem Abschluß der Offensiv- und Defensivallianz zwischen Turin und Wien, wurde er erster Inhaber des k. k. 5. Husarenregiments »Graf Radetzky«, das seinen Namen erhielt und noch 1848 »König von Sardinien« hieß.

Der Verbündete und Geehrte revanchierte sich. Er schenkte jedem Offizier seines österreichischen Regiments einen Ehrensäbel. Dem Grafen Radetzky, der zweiter Inhaber blieb, verlieh er das Großkreuz des sardinischen St.-Mauritius- und Lazarus-Ordens sowie den sardinischen Annunziaten-Orden. Letzten mit der Begründung: »Angesichts seines Ranges, seiner Höflichkeit gegen alle unsere Offiziere, die ich in die österreichischen Lager schickte, und seiner Stellung als zweiter Inhaber meines Regiments; aber auch wegen seiner seit meiner Thronbesteigung bekundeten Bereitwilligkeit, im Kriegsfall mit seiner Armee unter meine Befehle zu treten.«

Wenn es zu einem Krieg mit Frankreich gekommen wäre, hätte Radetzky sich dem um drei Jahrzehnte jüngeren Karl Albert, dem vorgesehenen Oberbefehlshaber des österreichisch-sardinischen Heeres, unterstellen müssen. Er hätte nicht nur gehorcht, sondern es auch gebilligt, aus politischen wie militärischen Gründen.

Denn: »Es genügt zu bemerken, daß die Pforten der Alpen, Alessandria und Genua, in seiner Macht sind.« Und nur von diesem italienischen Fürsten, der sich dazu bekannt habe, daß »von diesem Bündnis allein seine Selbständigkeit abhängt«, könne Österreich einen, wenn auch nicht allzu bedeutenden Beitrag zur Verteidigung Italiens erwarten. Mit dieser aber stehe und falle nicht nur die militärische Sicherheit des Kaiserreiches, sondern auch die Vorherrschaft Habsburgs auf der Apenninen-Halbinsel.

Österreich verliere seinen Einfluß in Italien, wenn es – militärisch fast ganz allein auf sich gestellt, wie es sei – nicht entsprechend rüste, mahnte der Kommandierende General. In Deutschland habe es ihn bereits an Preußen verloren, von dem sich die deutschen Staaten für besser geschützt hielten – vor dem Erbfeind Frankreich, den Radetzky auch für den Erbfeind Italiens hielt.

Auch Metternich fürchtete Frankreich, doch weniger seine Bajonette als seine Ideen. Schon einmal hatten sie Italien, Deutschland, Europa in Brand gesteckt, und seit der Pariser Julirevolution war wieder Feuergefahr, die laufend wuchs. Und je bedrohlicher sie wurde, um so weniger hatte Radetzky an einen europäischen, desto mehr an einen inneritalienischen Staatenkrieg, ja an einen innerösterreichischen Revolutionskrieg zu denken und entsprechend zu planen.

Der Politiker Metternich bestärkte darin den Soldaten Radetzky. Er hielt zunehmend ganz Europa und besonders Italien von einem revolutionären Ausbruch bedroht. »Ich erkenne das Vorhandensein der Gefahren, für ihre Abwendung nur die von unserer Regierung ergriffenen Mittel. Diese liegen in guten Gesetzen und guten Regierungsformen und in einer gehörigen Militärkraft«, schrieb der Staatskanzler aus Wien an den Kommandierenden General in Mailand. »Hier kann keine Veränderung in den Instruktionen, welche Eure Exzellenz besitzen und welchen Sie in allen Gelegenheiten ebenso kräftig als klug zu entsprechen wußten, eintreten.«

Politik und Kriegswesen seien unzertrennliche Gewalten, bekräftigte Metternich. Für Radetzky war das eine Selbstverständlichkeit, weniger für Franz I. Der Kaiser hatte das Ceterum censeo des Militärs nie recht ernstgenommen: »Die Erhaltung der Monarchie ist basiert auf den Verteidigungsmitteln, somit dünkt, daß alle übrigen Einrichtungen des Staates hierauf vorzüglich einwirken sollten«, wenn der Staat nicht Schaden leiden wollte.

Franz I. starb 1835. Der neue Kaiser, Ferdinand I., machte zwar persönlich keine gute Figur, schien aber für die politischen wie militärischen Erfordernisse mehr Verständnis zu haben. Er begnadigte als österreichische Staatsverbrecher verurteilte italienische Patrioten. Und ließ sich 1838 in Mailand die Eiserne Krone aufsetzen – als Zeichen dafür, daß ihm das Lombardo-Venetianische Königreich aus Gottes Gnaden zukomme, und er für dessen Regierung seinem gnädigen Gott verantwortlich sei.

Bei dieser Gelegenheit erhielt der Kommandierende in Italien den Orden der Eisernen Krone 1. Klasse. Zwei Jahre vorher, am 17. September 1836, war er zum Feldmarschall ernannt worden – in seinem 70. Lebens- und 52. Dienstjahr. Das war nicht zu früh für einen Mann, der sich einst gegen Frankreich und jetzt schon in Italien um die k. k. Armee so außerordentlich verdient gemacht hatte.

EINE MUSTERARMEE schuf der bislang verhindert gewesene Militärreformer, was von ausländischen Beobachtern anerkannt und vom Staatskanzler Metternich belobigt wurde: »Es kommen mir von allen Seiten Nachrichten zu, welche in dem Lob des letzten Manövers bei Verona einstimmig sind.«

Aus vieler Herren Länder kamen Militärs, um sich Österreichs Armee in Italien anzuschauen, natürlich aus dem verbündeten Sardinien-Piemont, aber auch aus Frankreich, das als mutmaßlicher Gegner angesehen wurde. Sie alle wollten von Radetzky lernen, vorab die Österreicher selber. Erzherzog Karl, der Heeresreorganisator Nummer Eins, schickte seinen Sohn Albrecht zum Heeresreorganisator Nummer Zwei und bedankte sich für das Ergebnis: »Ich sehe mit großem Vergnügen, daß er den Geist, den Sie in Ihren Truppen zu verbreiten gewußt haben, aufgefaßt und den reellen Kriegsdienst von den militärischen Friedensspielen zu unterscheiden gelernt hat.«

Erzherzog Albrecht sollte 1866 bei Custoza die Italiener schlagen. Dem Erzherzog Franz Joseph, der 1848, nach Radetzkys Sieg bei Custoza, Kaiser von Österreich wurde, begegnete der Feldmarschall 1845 zum ersten Mal. Er führte den Fünfzehnjährigen ins Theater, in die Kirche und ließ für ihn in der Arena von Verona einen Militärballon steigen.

Der Thronfolger freute sich unendlich, Radetzkys Bekanntschaft gemacht zu haben. In Wien, am Hofe, in der Staatskanzlei, beim Hofkriegsrat, war man mit den Leistungen des Oberbefehlshabers der österreichischen Armee in Italien zufrieden. Nur zuviel Geld durfte das alles nicht kosten. Es war das alte Lied, das Radetzky auswendig kannte, dem er jetzt aber mit mehr Stimmgewalt widersprach.

Bei Antritt seines Generalkommandos hatte er 104 500 Mann vorgefunden, davon an mobilen Truppen 52 Bataillone, 30 Schwadronen und die entsprechende Artillerie in 2 Armeekorps. Die Truppe sei gut gekleidet und genährt gewesen, »doch in einer behagenden Schlafsucht versunken, weil man glaubte, die Hitze sei der Gesundheit nachteilig, ebenso im Winter, wo wieder die Kälte schädlich schien«.

»Nicht jeder, der den Soldatenrock trägt, ist zum wahren Soldaten geschaffen.« Die Generalität fand er »unwissend und unbekümmert und bequem«, das Offizierskorps mehr außer als im Dienst, die Truppe lahm und unbeweglich. Die Generalstäbler seien »Ingenieurgeographen«, die Husaren keine Husaren mehr, die Artillerie sei so unbeholfen, daß jeder Batteriechef »gleichsam beim Gängelband« in seine Feuerstellung geführt werden müsse. Und die Infanterie kenne immer nur noch die Lineartaktik, die auf dem unübersichtlichen oberitalienischen Gelände völlig untauglich sei.

Kurzum: Das ganze Militärsystem sei »nunmehr teilweise gänzlich morsch«. Schuld daran trage nicht zuletzt die Kriegsadministration, die in Österreich für wichtiger genommen werde als das Kriegsinstrument. Die Institution des Hofkriegsrats hielt Radetzky für »gänzlich fehlerhaft«, wo doch ein Hofkriegsrat »vom Heer, seinem Geist und seinen Bedürfnissen so viel weiß als vom Diwan des Sultans«. Auch im Frieden blieb er auf Kriegsfuß mit der Militärbürokratie: »Ich habe fast die ganze Armee auflösen gesehen, ohne daß jemals in dem Heer der Beamten auch nur die geringste Verminderung eingetreten wäre. Im Gegenteil!«

Gegen den »langgewöhnten Schlendrian der Herkömmlichkeit« ging der neue Oberbefehlshaber in Italien an, wie ein Kavallerist, der er auch als General geblieben war, und als Feldmarschall, »welcher mit der größten Raschheit vorzugehen beliebt«, wie der Herzog von Modena bemerkte, was in Wien längst unangenehm aufgefallen war.

»Wer hegt nicht fromme Wünsche?«, insistierte er bei Metternich. Die seinigen zielten auf die »Erhaltung Italiens und daher dessen Verteidigung im Falle eines jähen Krieges«. Aber wie, bitte schön, sollte er dies bewerkstelligen? Verona, die gegebene Zitadelle Oberitaliens, sei nicht hinreichend befestigt, Venedig sei nicht im Verteidigungszustand, von Mailand ganz zu schweigen, dessen Wall nur noch als Promenade diente.

Und das 100 000-Mann-Heer, das er 1831 vorgefunden hatte, schmolz zusammen, da man sich in Wien Verminderungen glaubte erlauben zu können. 1833 waren es noch 75 000, 1836 nur noch 62 000 und 1846 gar nur noch 49 287 Mann. Mit abnehmender Truppenzahl nahmen die Forderungen ihres Kommandierenden zu: nach mehr Soldaten, mehr Mittel, um sie zweckmäßig ausrüsten zu können, und mehr Verständnis, die vorhandene Truppe wenigstens richtig ausbilden zu dürfen. Doch selbst dies wollte man nicht so recht. »Höchst unglücklich fühlte ich mich«, berichtete Radetzky, »daß man mich zurückwies, die

Reform fand Gegner, deren Untätigkeit, Unbeholfenheit und Unwissenheit sich aus der Unantastbarkeit bestehender Vorschriften eine Brustwehr machten.«

»Ich glaube, Dir bemerken zu müssen«, beschied ihn der Hofkriegsratspräsident General Ignaz Graf Hardegg, »daß nach meiner Meinung man sich vor der Hand nur bestreben sollte, das Erreichbare zu erlangen.« Selbst Radetzkys später viel gerühmte »Manöverinstruktion« wurde nicht auf Anhieb approbiert.

Der Kaiser – es war noch der stets zaudernde und ständig unschlüssige Franz I. – befahl zu prüfen, »ob diese Neuerungen überhaupt nötig seien«. Der Hofkriegsrat setzte eine Kommission ein, unterzog Radetzkys »Manöverinstruktion« einer »Kollegialbehandlung«, wovon dieser grundsätzlich nichts hielt: Auf Sitzungen werde alles verschleppt und zerredet; »keine Kommission, ein tüchtiger Mann ist viel mehr!«

Wie recht er hatte! Die neunköpfige Kommission prüfte und prüfte, verbiß sich in die Frage, ob die Bataillone eines und desselben Regiments nicht besser nach alter Art nebeneinander, statt, wie Radetzky es wollte, hintereinander stünden. Schließlich fand man den Kompromiß: Dem betreffenden Kommandeur wurde anheimgestellt, nach den jeweiligen Umständen die eine oder andere der beiden Aufstellungsarten zu wählen. Fürst Windisch-Graetz wurde zum Lokaltermin nach Italien geschickt; er gab ein positives Votum ab. Auch 37 der eingeholten Generalsgutachten waren zustimmend.

Endlich wurde die »Manöverinstruktion«, mit deren Prüfung man 1833 begonnen hatte, 1839 vom neuen Kaiser Ferdinand genehmigt. Radetzky erklärte, daß durch diese Prozedur »das Essentielle der Instruktion verloren ging, der Geist der Sache war indessen der Armee eigen geblieben«.

Seiner italienischen Armee – denn für sie galt die Instruktion von Anfang an. In seinem Befehlsbereich tat er das, was er hier und heute für richtig hielt, wartete nicht ab, was Wien morgen, womöglich erst übermorgen oder auch gar nicht entscheiden würde. So hielt er Manöver ab, wie er es und solange er es für nötig hielt. Bisher hatten Feldübungen ein paar Wochen im Herbst gedauert, nun begannen sie im Mai und endeten im Oktober, wurden in wechselnden und immer weiteren Räumen, mit immer größeren Truppenkörpern abgehalten – was mehr Mittel erforderte, um die er dann doch wieder betteln mußte, für Übungsmunition und Marschproviant, Lager- und Quartierkosten, Manöverzulagen und Entschädigungen für Flurschäden.

Der Vorteil der Übungslager war, daß die Truppe nicht nur kriegsmäßiges Vorgehen und Verhalten lernte, sondern auch an ein feldmäßiges Zusammenleben und kameradschaftliches Zusammenhalten gewöhnt wurde. Grillparzers Loblied, daß Österreich in Radetzkys Lager gewesen sei, wurde in den oberitalienischen Lagern eingeübt.

Das Neue würdigte der österreichische Militärhistoriker Heller von Hellwald: »Durch die Manöverinstruktion erhielten Generäle und größere Truppenteile eine sichere Norm für alle taktischen Bewegungen in Brigaden, Divisionen und ganzen Korps ... Eine solche Vorschrift fehlte bis dahin ganz ... Jetzt erst wußte die Truppe, wie sie sich, ein für allemal, in der Brigade und Division aufzustellen und zu bewegen hatte.«

Sinn und Zweck betonte Radetzky: »Soll der Krieg eine Reihe von Taten darstellen, so muß der Friede schon eine beständige Übung sein. Übungen mit Gegenseitigkeit sind das einzige, was reelle Belehrung heranbringt.« Von den Übungen im Jahr 1839 erwartete er »Bewegungen des ganzen Körpers mit Ruhe, Ordnung, Schnelligkeit und fortwährendem Einklang aller Teile«.

Radetzkys Instruktionen seien der Anfang vom Ende der Lineartaktik gewesen, und der Beginn der offenen Gefechtsformationen, kommentierte der österreichische Militärhistoriker Oskar Regele. Die »Manöverinstruktion« wurde durch die »Feldinstruktion« ergänzt. Sie sollte die Infanterie für den Felddienst tauglich machen, namentlich für das Plänklergefecht. Dafür brauchte man Tirailleurs à la français, das heißt im Zuge des gemeinsamen Angriffes gesondert vorgehende, im Rahmen der allgemeinen Befehle in Eigenverantwortung handelnde Schützen.

Es gebe einen Zeitgeist, der »mit seinem mächtigen Einfluß auch die Kriegskunst beherrscht«, erklärte Radetzky. Doch die Armee eines anachronistischen Regimes hinkte den Zeiterfordernissen hinterher. »Selbständigkeit, nachdenkendes Handeln aus eigenem Antrieb« vermißte Radetzky bei allen, angefangen bei der Generalität. »Zu allem erwartete man höhere Befehle, und trafen diese Befehle dann auch ein, so wurden sie mit sklavischer Befolgung des Wortlautes ausgeführt.« Die Österreicher waren nach wie vor daran »gewöhnt, nur als Maschine bewegt zu werden«.

Aus der Armeemaschine sollte endlich ein Armeeorganismus werden. Dazu bedurfte es einer Reorganisation an Haupt und Gliedern, der Ausbildung von kampfwilligen Untergebenen wie der Heranbildung von führungsfähigen Vorgesetzten. »Ist Einheit des Kommandos, Kürze und Klarheit am Befehle, ist Übersicht und gründliche Kenntnis jeden Bodens und verständige Ausführung aller Bewegungen auf selbem in einem Höheren vorhanden und mit dem Mute vereint, der jedem Soldaten das Siegel seines Standes aufdrückt, dann wird sich das Vertrauen der Truppen auf den Geist ihres Führers am Tage der Schlacht und in den entscheidensten Momenten des Krieges bewähren.«

Der Soldat erwarte von seinem Führer, daß er für ihn so etwas wie ein Vater sei. »Unablässiges Trachten also, ihm jedes seiner Bedürfnisse zu verschaffen, Sorge bei Tag und Nacht, auf Märschen und in Biwaken für vernünftige Schonung des Mannes, für seine Verpflegung, Bekleidung, Beschuhung, Gegenwart und Zuspruch in üblen Lagen des Krieges bei Beschwerden und Mühseligkeiten, die in unserem Stande unerläßlich sind, Sorge endlich für seine Gesundheit und gute Behandlung – dies sind die Grunderfordernisse und Hauptpflichten desjenigen, der sich einen wahren Führer der Truppe nennen will.«

Der Feldmarschall bemühte sich, ein solcher Truppenführer zu sein. Er praktizierte den Patriarchalismus, auf dem theoretisch das restaurierte Österreich beruhte. Und da er, ein Siebziger nun, ein Patriarch war, wurde er bald als Soldatenvater angesehen.

»Und das merken's Sich, wann's je was kommandieren, sorgen's erst für den Magen von Ihre Leut, denn zu einem braven Soldaten gehört a voller Magen, und der Soldat, der nix z' essen hat, kann kei Courage haben«, erklärte er dem Prinzen Kraft zu Hohenlohe-Ingelfingen, einem Preußen. Er sorgte für ein feineres Kommißbrot und den täglichen Wein. Er führte eiserne Bettstellen ein, verschaffte jedem Soldaten sein eigenes Bett, was damals keine Selbstverständlichkeit war. Die Kasernen wurden wohnlicher, die Spitäler menschenwürdiger.

Und er behandelte seine Soldaten besser, als sie es gewohnt waren. Die »Gemeinen«, wie in Österreich immer noch die einfachen Soldaten genannt wurden, durften nur noch im äußersten Notfall geprügelt werden; denn Stockstreiche seien »entehrend für unseren Stand«, und »das Bewußtsein, unter dem Stock zu stehen, unterdrückt alles Ehrgefühl und macht den Menschen verächtlich; militärische Ehre muß nach den Forderungen des Zeitgeistes nicht bloß den Offizieren, sie muß der ganzen Mannschaft gegeben werden«.

Die Unteroffiziere sprach er mit »meine Herren« an, die Offiziere kannte er fast alle beim Namen. Und er bemühte sich – freilich mit wenig Erfolg – »die Bezahlung der Offiziere, über die man erröten muß«, zu verbessern. Immerhin wurde ihnen eine goldene Säbelkuppel zugebilligt; eine goldene Feldbinde, die ihnen der Feldmarschall darüber hinaus verschaffen wollte, bekamen sie nicht.

Aber nicht nur um das materielle Wohlergehen, auch um das geistige Wohl der Truppe kümmerte sich Radetzky. Er hatte immer schon eine pädagogische Ader gehabt, war auf die Erziehung des Menschen- wie Soldatengeschlechts bedacht gewesen. Nun betätigte er sich als oberster Schulmeister seiner Armee. »Militärische Ehre ohne Bildung ist ein Unding«, lehrte er. »Mit dem gebildeteren Geist verbreitet sich auch gerechter Sinn und Mannhaftigkeit.« Es war die Maxime der Klassik, auf das Militär übertragen: Wer immer strebend sich bemüht, den können wir gebrauchen.

»Die Bildung eines Heeres muß in seinen Führern liegen.« Darum waren »die Herren Generäle, Regiments- und Bataillonskommandanten« aufgerufen, zunächst sich selber und dann ihre Untergebenen, »mithin vom Gemeinen bis zum Hauptmann« zu bilden. Der Feldmarschall errichtete Regiments-, Offiziers- und Unteroffiziersschulen, Lese-, Schreib- und Rechenschulen für die Soldaten. Und erließ Richtlinien für die Schulung: »Die einzige gute Methode, einen Unterricht wirksam zu machen, ist diejenige, welche dem Zuhörer Gelegenheit gibt, das Gehörte auch gegebenenfalls selbst anzuwenden und somit gleichsam in seine eigenen Ideen zu verwandeln.« Und: »Die tägliche moralische Einwirkung der Vorgesetzten ist eine ebenso wichtige Triebfeder der Untergebenen.«

Er selber wirkte unablässig auf seine Soldaten ein, was diese zu Höchstleistungen antrieb. Sein täglicher Dienst schien eine ständige Bestätigung seiner Devise zu sein: »Nicht das wilde Jagen vor der Front bezeichnet den Führer, es ist die Ruhe, das rasche Auffassen des richtigen Augenblicks, die Bestimmtheit der Anordnungen, die Klarheit des eigenen Wollens und die Geschicklichkeit, die passenden Manöver zu finden.«

Und wenn der Truppe Außergewöhnliches abverlangt wurde, auf Märschen, im Lager, im Manöver, war der Feldmarschall mitten unter ihr, stieg kaum mehr aus dem Sattel, teilte mit ihr die Strapazen, gab Zuspruch und – was wichtiger war – ein Beispiel.

Die Armee war bereit, mit ihm durch dick und dünn zu gehen. »Vater Radetzky« nannten ihn seine Soldaten, denen die Ausführung seiner Befehle fast wie eine Demonstration der Zuneigung erschien. »Er verstand es, die Herzen der Offiziere zu gewinnen; deswegen waren wir auch alle bereit, uns zu opfern, um ihm die Ehre des Triumphes der kaiserlichen Waffen zu sichern«, erklärte Graf Pimodan, ein Ordonnanzoffizier Radetzkys, und der Generalstabsoffizier Mollinary erläuterte: »Er hat wie kein anderer seiner Zeit es verstanden, durch persönliche Einwirkung den guten Geist in der Armee zu wecken; aus diesem gingen wieder jene strenge Pflichterfüllung und hingebende Arbeitsfreudigkeit hervor, die immer eine erste Bedingung zum Erfolg im Kriege bilden. Selbst ein so kritischer Beobachter wie der preußische General Wrangel konstatierte 1845: »Die Seele der von ihm auf eine solche Stufe der Ausbildung gebrachten Armee, wird er von ihr auf eine seltene Art geliebt und verehrt.«

Der Geist der Truppe war gut, und diesen Geist hatte ihr Radetzky eingehaucht. »Der Armee in Italien wird niemand das Zeugnis verwehren, daß sie sich moralisch-physisch in dem Zustand befindet, gegen das geübteste Heer in Europa mit Vorteil in den Kampf zu treten.« Stolz stellte er das 1846 fest, und ohne große Erwartung, daß er, der Achtzigjährige, noch die Kriegsbewährung seiner Friedenstätigkeit erleben könnte.

EINE DENKMALFIGUR sah man bereits in ihm, das Urbild des österreichischen Militärs, Österreichs überhaupt, erhaben über den Niederungen der Gegenwart, von Legenden verklärt, mit Anekdoten umrankt, mit Orden behangen – 1839 war noch der russische St.-Andreas-Orden, 1845 der päpstliche St.-Gregorius-Orden, 1847 der preußische Schwarze-Adler-Orden dazugekommen.

Nicht nur in den k. k. Offiziersmessen, auch in preußischen und sogar in Offizierskasinos in Sardinien – Piemont kursierten Radetzky-Geschichten. Wie leutselig er seine Soldaten behandelte: Einen Tiroler Landesschützen, auf dessen Brust er das »Kanonenkreuz« der Befreiungskriege sah, begrüßte er als alten Kameraden. Wie er wohlwollend mit seinen Offizieren umging: Als er ein Kaffeehaus betrat, sprangen die Offiziere auf, rissen die Mützen herab und warfen die Zigarren fort – doch der Feldmarschall forderte sie auf, kommod zu bleiben. »Bleibt's sitzen, Freund, macht's keine Geschichten!« Doch er konnte saugrob werden, wenn ein Offizier seine Untergebenen nicht so behandelte, wie der Oberbefehlshaber die seinen: »Ich hab' gemeint, man hab' mir einen Obersten geschickt. Ich hab' einen Zugsergeanten kriegt. Ich kann Sie nit brauchen.«

Wundersames erzählte man sich über die Rüstigkeit des Greises. Bei einem Manöver habe er die steile Höhe von Valmarana, auf die Generäle mit Saumtieren geschafft wurden, beinahe so leichtfüßig wie eine Gemse erklommen. Lebhaft zöge er jeden ins Gespräch, schöbe dabei gerne seinen Arm unter den des anderen oder nehme ihn gar bei der Hand, um mit ihm auf und ab zu spazieren. Er lache oft und laut, wische sich hinterher mit dem Sacktuch über Augen und Stirn. Unwahrscheinlich frisch sei sein Gedächtnis geblieben: Er vergäße keinen, der etwas geleistet oder auch etwas verpatzt habe, und noch aus dem Türkenkrieg Kaiser Josephs II. wußte er Einzelheiten zu erzählen, als habe er sie erst gestern erlebt.

Einen Bart trug er nicht, blieb glatt rasiert, wie er es von Anno Dazumal gewohnt war. »No, laßt's mi aus mit Euren modernen Geschichten«, beschied er seine Stabsoffiziere, die sich einen modischer und martialischer aussehenden Chef wünschten. Erst 1849 legte er sich einen Schnurrbart zu, wohl weil er sich selber davon überzeugt hatte, daß ein solcher Akzent seinem gutmütigen Antlitz einen strengeren Ausdruck geben und vielleicht auch von den Spuren des Alters ablenken konnte, die sich in sein lange genug glatt gebliebenes Gesicht eingegraben hatten. Der Schädel war ohnehin das Markanteste an ihm, stand in einem auffallenden Mißverhältnis zum gedrungenen Rumpf und den kurzen Reiterbeinen.

Wer ihm begegnete, wußte Erstaunliches zu berichten. Der preußische General Wrangel: Der Greis besitze »die körperlichen Kräfte eines Mannes von fünfzig Jahren. Er ist überaus tätig und ohne Anstrengung acht Stunden hintereinander zu Pferde, wobei er des Abends noch den liebenswürdigsten Wirt in seinem Hause macht. Sein Geist ist frisch und seine Ansicht über militärische Gegenstände überaus klar.«

Einen kleinen Greis mit gewinnendem und sympathischem Gesichtsausdruck erblickte der französische Schriftsteller Blaze de Bury. »Er reichte uns beide Hände und ging mit der zuvorkommendsten Weise mit uns in sein Kabinett zurück. Da wir uns von seiner Gewohnheit, im Gespräch stets aufrecht stehen zu bleiben, unterrichtet hatten, so wollten auch wir der Einladung, uns niederzusetzen, nicht Folge leisten, worauf er sogleich selbst auf einem alten gelben Lehnstuhl Platz nahm. Die Lebendigkeit seines Geistes ließ ihn jedoch nicht fünf Minuten lang ruhen; kaum war das Gespräch nur einigermaßen im Gange, als er auch schon aufstand, lebhaft gestikulierte und so rasch auf und ab schritt, als es etwa nur ein Fünfziger vermocht hätte.«

»Ich habe nie jemand artigeren gesehen«, schwärmte die österreichische Gräfin Leopoldine Thun-Hohenstein, die seine Einfachheit und Natürlichkeit »sehr aimable« fand, auch wenn sie sich einen Feldmarschall imposanter vorgestellt hatte. »Selbst in Augenblicken höchster Erregung trat er nie verletzend, geschweige denn roh auf«, konstatierte der Generalstabsoffizier Mollinary. Er lasse nie die Überlegenheit seiner Stellung und Persönlichkeit fühlen, bemerkte der Korrespondent der »Augsburger Allgemeinen Zeitung«, Friedrich Wilhelm von Hackländer. »Ebenso gerne, wie er einen Spaß anhört, macht er auch selbst einen.«

Von einem solchen Spaß mit ernstem Hintergrund erzählte der österreichische Diplomat Alexander von Hübner: »Großes militärisches Diner bei dem Feldmarschall mit allen Spitzen seiner

Armee: die Wallmoden, Karl Schwarzenberg, Clam-Gallas, Wohlgemuth, Wocher, Schönhals und tutti quanti. In meiner Eigenschaft als Zivilist, der einzige meiner Art, hatte mich der Feldmarschall an seine Seite gesetzt und gefiel sich darin, eigenhändig meinen Teller mit Leckerbissen zu beladen. Zu meiner Rechten saß sein Altersgenosse, General Wallmoden. ›Sehen Sie‹, sagte mir dieser, ›wie er mit der Hand zittert; er wird alt, sehr alt.‹ Dies gesagt, schlief er an meiner Seite ein. Nun kam die Reihe an Vater Radetzky. ›Sehn Sie, sehn Sie‹, sagte er, mit einem Auge blinzelnd. ›Er will noch den Galanten machen, schwärmt für das schöne Geschlecht und schnarcht bei Tische.‹«

Noch schlief Radetzky nicht bei Tisch, und er machte immer noch den Galanten. In Mailand hatte er eine feste Freundin, Giuditta Meregalli, eine Wäschebüglerin, deren vier Kinder ihm zugeschrieben wurden. Von seiner Gemahlin lebte er getrennt. Wenn ihn Truppenbesichtigungen in die Nähe von Strassoldo führten, besuchte er sie dort, berichtete darüber am 11. Oktober 1847 der Tochter Friederike: »Die Mutter altert stark, ist aber gesund.«

Der »geliebten Fritzi«, seiner jüngsten Tochter Friederike, verheirateter Gräfin Wenckheim, schrieb er häufig, berichtete von seinen nachlassenden Freuden und wachsenden Sorgen, schickte ihr Geld, Lebensmittelpakete (»Sobald es friert im künftigen Monat, sende ich Austern und Straßburger Pasteten«) und Schikkes zum Anziehen (»ein fertiges Kleid, grün, Atlas, mit breiten schwarzen Moiré-Streifen«).

Ihr Brautkleid hatte sie sich selber nähen müssen. In der Familie schienen die finanziellen Sorgen erblich zu sein. Der Ratschlag des Vaters, der seiner Lieblingstochter die Erfahrung, die er selber gemacht hatte, ersparen wollte, hatte wenig genutzt. Bevor man eine eheliche Verbindung eingehe, müsse man vorher seine Vernunft zu Rate ziehen, »a) über den Charakter desjenigen, mit dem man die Verbindung eingehen will, b) sich über die Vermögensumstände genau und nicht leichtsinnig überzeugen«. An Charakter fehlte es dem Bräutigam nicht, Oberleutnant Karl Graf Wenckheim, einem seiner Adjutanten, aber an Vermögen.

Der Vater mußte immer wieder einspringen, und er tat es gern, denn er war seiner Tochter Friederike, seinem Schwiegersohn

Karl und seinen Enkeln herzlich zugetan. »Alles Übrige läuft mit jedem Tage so vorüber und ohne Wert, nur das Innere bleibt und mit diesem das Gefühl meiner Liebe für Euch«, schrieb er dem »guten, lieben Karl«, und »meiner alten lieben Fritzi«: »Mein Denken an Dich ist nicht stündlich, ja es ist stets, wenn ich allein mir selbst gehöre.« Und: »Deine Briefe sind der einzige Trost für mich.«

Mit seinen anderen Kindern hatte er kein Glück gehabt. Luise Anna, verehelicht mit Oberstleutnant Emerich Horváth von Zalabér, war mit Vierundzwanzig, Franziska Romana, verehelicht mit dem Grafen Josef Berchtold, mit Neunzehn gestorben. Die Söhne Josef Franz, Franz Xaver, Karl Leopold und Anton versuchten sich als Soldaten, verschwendeten Geld und vergeudeten ihr Leben. Der erste starb 1837 mit Achtunddreißig als Rittmeister im 5. Husarenregiment. Der zweite starb 1828 mit Achtundzwanzig als Oberleutnant im 3. Kürrassierregiment. Der dritte starb 1847 mit Dreiundvierzig als krankheitshalber pensionierter Major im 45. Infanterieregiment. Der vierte starb 1847 mit Dreißig als Rittmeister im 5. Husarenregiment. Seinen besser geratenen Sohn Theodor Konstantin nahm er 1850 als zweiten Generaladjutanten zu sich – vielleicht auch deswegen, um ihn ständig im Auge zu haben.

Der Vater klagte sich an, er habe die Söhne nicht richtig erzogen. Er billigte sich mildernde Umstände zu, weil er als Soldat dazu keine Zeit gehabt habe. Und er neigte zu der Entschuldigung, daß alles sowieso nichts genützt hätte, weil sie ihrer Mutter, der Schuldenmacherin, nachgeschlagen seien. Immerhin griff er für sie oft in die Tasche, obwohl diese nie viel enthielt.

Auch als Feldmarschall steckte er in Finanznöten. Seine Gage war zwar entsprechend gestiegen, vom Kaiser mit einer Zulage »in Rücksicht seiner sowohl in Kriegs- als Friedenszeiten geleisteten ausgezeichneten Dienste und aus besonderer Gnade« bedacht worden, und es kam vor, daß der Monarch Schulden seines Dieners beglich. Als Träger des Militär-Maria-Theresien-Ordens bezog er eine Pension. »Tafelgelder« standen zur Verfügung, und 1841 genehmigte ihm der Hofkriegsrat Quartiergeldbeihilfen, weil »der Kommandierende General mehr als jeder andere in die Notwendigkeit versetzt ist, in seiner Wohnung Personen aus höchsten Ständen, ja selbst regierende Herren zu empfangen; er muß sich mit einem höheren Glanz umgeben, an den man zu Mailand gewohnt und welchen er auch seiner hohen Stellung schuldig ist«.

Aber es reichte nicht hinten und vorne. Die Einkünfte standen ihm nie ganz zur Verfügung, weil sie teilweise im voraus an die Gläubiger abgetreten worden waren. Und die Ausgaben waren beträchtlich: für die Mailänder Wohnung in der Casa Arconati, das offene gastfreundliche Haus, das er führte, den Marstall mit sieben, später zwölf Pferden, die Zuwendungen an die Familie und was sonst noch alles zusammen kam: Geschenke, Patenschaften, Stiftungen, Spenden und Almosen, die er gern und reichlich gab. Man erzählte sich, daß er den sich morgens unter seinen Fenstern drängenden Bettlern Silberstücke zugeworfen habe.

Freigebig und großzügig war er immer gewesen, Haushalten hatte er nie gelernt, auch seine Söhne nicht gelehrt. Nun suchte er es wenigstens seinen Untergebenen beizubringen. In seiner Schrift »Balancierung des Einkommens mit den Auslagen« dozierte er die von ihm selber nicht praktizierte Binsenwahrheit: »Nichtgeregelte Haushaltung führt zum Schuldenmachen.«

Seine Schulden waren auch dadurch entstanden, daß er seine Haushaltsführung anderen überlassen hatte – zuerst seiner Frau und dann seinem Kammerdiener Karl Foerstl. Der ehemalige Pferdeknecht hatte es verstanden, sich seinem Alltagskram gerne aus dem Weg gehenden Herrn unentbehrlich zu machen, und da dieser Anhänglichkeit schätzte, erwiderte er sie auch dann noch, als er sie eigentlich hätte aufgeben müssen.

Karl führte selbständig und nicht ganz selbstlos den Generalshaushalt, auch wenn er, der Analphabet, sich die Rechnungen vom ehemaligen Gendarmerieunteroffizier und späteren Oberleutnant der Stabsdragoner Ribose schreiben lassen mußte. Der Kammerdiener kuranzte Köchinnen wie Ordonnanzen, bestimmte, wer den Feldmarschall sprechen durfte und wer nicht, war überall dabei und redete immer dazwischen. So soll er 1849, als sich Viktor Emanuel II. und Radetzky in Vignale trafen, dem Gefolge gesagt haben: »Wenn er nur nicht nachgibt, der Alte! Hab's ihm heut beim Anziehen noch eigens eingeschärft.«

Mußte »Großvater Radetzky« denn schon auf den Damm

gebracht werden? Ohne Zweifel war er gesünder als die meisten Männer seines Alters. Im Winter 1834 auf 1835 hatte der Achtundsechzigjährige eine Krise gehabt, Husten, Durchfall, Schwäche. Er hatte sich wieder aufgerappelt, und mit Achtzig schien er jenseits aller Anfälligkeit zu sein. Nur seine Augen machten ihm Schwierigkeiten, waren immer wieder entzündet, hinderten ihn oft am Lesen und Schreiben.

Der Appetit ließ nichts zu wünschen übrig. Für das Essen nahm er sich immer Zeit, und er schätzte es, in Gesellschaft zu speisen, den Genuß gewissermaßen vervielfacht zu sehen. Zum Diner versammelte er um sich seine ständige Umgebung und wechselnde Gäste. Mit kaum verhehlter Ungeduld erwartete er die Meldung, daß serviert sei. Mit einer Verbeugung lud er die Gesellschaft ein, in den Speisesaal zu treten, den er erst hinter den vor ihm hergeschobenen Gästen betrat. Er setzte sich in die Mitte der Längsseite des Tisches, plazierte die Vornehmsten um sich und gab aufgeräumt das Zeichen zum fröhlichen Tafeln.

Auf Märschen ließ er zwei Küchenwagen mitführen. Im größten Zimmer des Quartiers oder in einem schattigen Hof wurde gedeckt. Jeder, der ins Hauptquartier kam, wurde dort auch verpflegt. Zwei Generalstabsoffizieren, die vor lauter Arbeit nicht am Frühstückstisch erschienen waren, brachte der Feldmarschall persönlich Kaffee und Brot: »Jetzt pausiert und stärkt Euch!« Für die Soldaten ließ er immer erst abkochen, bevor er sie weiter auf den Marsch oder gar ins Gefecht schickte.

Nur mit vollem Magen könne man etwas leisten, pflegte er zu sagen, und hielt sich zuvorderst selbst daran. Er war mehr Gourmand als Gourmet, aß bei Tisch immerzu, nahm von jedem Gericht zweimal, schätzte Hausmannskost wie Reissuppe, gekochtes Rindfleisch und Schweinsbraten. Dazu trank er gewöhnlich Tiroler Landwein, bei besonderen Anlässen schon einmal eine Flasche Bordeaux.

Seine Leibspeise waren Tiroler Speckknödel. Der Leibarzt mußte sie ihm schließlich verbieten. Aber er aß sie dennoch – freilich nur am Donnerstag, wenn der Doktor nicht mit am Tisch saß. »Da freute sich der alte Herr schon seit Montag auf den Donnerstag und vertilgte von diesen harten Knödeln eine ganze gehäufte Schüssel voll«, berichtete Prinz Hohenlohe-Ingelfingen.

Feineres und Leichteres schmeckte ihm durchaus. Seiner Tochter Friederike übermittelte er ein »Rezept für Granite zur Servierung in Gläsern, wobei ich nur bemerke, daß für zwanzig Personen eine halbe Bouteille Champagner genügt; hat man eine gute fleur d'orange, so wird, ein Eßlöffel hineingeschüttet, nichts verderben«. Er schrieb sich sogar in die Geschichte der Gastronomie ein. In einem Bericht nach Wien hob er hervor, daß es in Mailand etwas besonders Gutes gäbe: ein Kalbskotelett, in Ei gewälzt, paniert und in Butter gebraten. In Wien nahm man das wichtiger als vieles andere, was man aus Italien vernahm – das Costoletta alla Milanese wurde, ohne Knochen und Käse, als Wiener Schnitzel rezipiert.

»Welch liebenswürdiger Greis«, replizierte der Wiener Diplomat Hübner. Radetzky habe »die Lebhaftigkeit, den Frohsinn, die Beweglichkeit eines Jünglings bewahrt«. Dies verdankte er nicht nur seiner robusten Konstitution, seinem starken Nervenkostüm und seiner unkomplizierten Geistesverfassung, sondern auch dem geregelten Leben, das er führte.

Um fünf Uhr morgens stand er auf und nahm sich, nach kurzer Toilette, die ersten Arbeiten vor. Um sechs Uhr besprach er mit Adjutanten und Ordonnanzen die täglichen Geschäfte. Als weitere feste Punkte im Tageslauf, der mit Schreiben und Unterschreiben, Entgegennahme von Rapporten und Ausgabe von Befehlen, Besichtigungen und Besuchen ausgefüllt war, galten ihm das Gabelfrühstück um zehn Uhr, das Diner um vier Uhr, der Tee um sieben Uhr abends. Anschließend spielte er gern eine Partie Tarock oder beschäftigte sich mit seiner Spezialbibliothek. Gewöhnlich legte er sich um halb neun zu Bett, um sofort in den Schlaf des Gerechten zu fallen.

Wenn er ins Theater ging, durfte es später werden. »Bleibe bis 10 1/2 Uhr in der Scala, wenn die Elßler tanzt«, berichtete er anfangs 1847 der Tochter Friederike. »Die Elßler macht Furore und erntet vollen verdienten Beifall, ebenso wie die Caldolini in der Oper Attila.« Und: »Die Engelhard gibt kleine Soiréen, wo bei einer Geige getanzt wird.«

Auch im Manöver gab es einen Stundenplan. »Von vier Uhr morgens bis acht Uhr haben wir auf der Heide Beschäftigung, dann ist Frühstück bei mir, wo großer Appetit entwickelt wird; bis zwölf Uhr ist Ruhe, dann kommt die Post, sodann bis vier Uhr große ennui, dann Mittag, wo es an Fremden nicht fehlt, nach Tisch Zeitungen gelesen, um sieben Uhr wird die Fußpromenade angetreten, um achteinhalb Uhr bin ich im Bette, die anderen noch eine Stunde im Kaffeehaus.«

Er mußte seine Ordnung haben. Seine Pünktlichkeit war nicht nur eine Höflichkeit des Feldmarschalls, ein Entgegenkommen an andere, sondern auch eine stetige Selbstdisziplinierung. Die genaue Einteilung des Tages ermöglichte dessen maximale Nutzung, die Regelmäßigkeit der Beschäftigung dessen optimale Gestaltung. Und die ständige Wiederholung, die immerwährende Wiederkehr schien seinem Leben mit der Beständigkeit die Dauer zu geben. Tag reihte sich an Tag zu einer schier endlosen Lebenskette.

Die Einfachheit der Lebensführung schuf dafür physische wie psychische Voraussetzungen. Sie war von seinen Lebensumständen erzwungen, in seinem Beruf gefordert, vom Geist seiner Zeit idealisiert. Von Jugend auf war er an ein karges Leben gewöhnt, seine Geldnöte hatten ihm »Entbehrungen aller Art« auferlegt, ein österreichischer Offizier hatte aerarisch zu leben, was hieß, haushaltend mit dem, was ihm aus der Staatskasse spärlich gegeben wurde. Die Klassik hatte dann die Einfachheit zu einer Tugend erhoben, das Biedermeier das schlichte Leben als das beste hingestellt. Schließlich erklärte Radetzky: In der höchsten Einfachheit liege die höchste Vollendung – des Lebens wie der Kriegskunst.

Vielen war das zu einfach, Italienern zumal. Ihnen mißfiel die Eintönigkeit des Denkens, die Eingleisigkeit des Handelns. Die Schlichtheit erschien ihnen als raffinierte Attitüde, der Charme als penetrante Waffe. Und sie fragten sich, ob er nicht aus der Not einer mangelnden Bildung die Tugend der Simplizität gemacht habe. Im Italienischen war er jedenfalls »nicht so ferm«, wie er selber zugab – nicht nur in der Sprache, sondern auch in der Literatur, in der Kultur des Landes. Und sein Wienerisch war eben nicht nur Deutsch, die fremde Sprache; es erinnerte sie an das Schmeicheln einer Katze, die im nächsten Moment ihre Krallen zeigen konnte.

Selbst Österreicher, die genauer hinhörten und hinsahen, hatten einiges an ihm auszusetzen. In Wien, vornehmlich im Hofkriegsrat, wurde ihm Eigensinnigkeit nachgesagt und Eigenmächtigkeit vorgeworfen. Der österreichische Historiker Alexander von Helfert verwies auf die Kehrseite seiner Liebenswürdigkeit. Er habe Untergebene abqualifiziert und abgeschoben, ohne es diese merken zu lassen, ja, er habe sie sogar durch eine besonders entgegenkommende Behandlung in Sicherheit gewiegt. »Das war bald in der ganzen Armee bekannt, und es fühlte sich jeder seiner Offiziere nicht recht zumute, wenn ihn der Feldmarschall mit besonderer, etwas übertriebener Artigkeit behandelte, weil er darin ein sicheres Zeichen von dessen Unzufriedenheit erblickte. Radetzky ist dadurch bei den Gekränkten in den Ruf der Falschheit geraten.«

»Merkwürdig diese unbeschreibliche Popularität des Marschalls bei seiner unansehnlichen Natur und der totalen Unfähigkeit, öffentlich zu sprechen«, wunderte sich Oberst Ludwig von Wattmann, aber hier begann bei einem Österreicher bereits das Lob. »Es glaube niemand, daß er etwa damals eine Null gewesen ist, keineswegs, er wurde sehr gut unterstützt, doch er blieb stets der leitende Geist.«

So hatten ihn Österreicher vor Augen: Auf seinem Mecklenburger Schimmel, im deutschen Sattel mit reich gestickter Schabracke, den Kavalleriesäbel an der Seite, das Kommandeurkreuz des Maria-Theresien-Ordens auf dem hechtgrauen Rock, mit dem Generalshut, dessen grüne Federn im Winde wehten. Er glich einem Standbild, das die Standfestigkeit der österreichischen Herrschaft in Italien symbolisierte.

# *Mailand und Custoza*

Der politische Horizont scheine sich zu trüben, bemerkte Radetzky am 20. Februar 1847. »Hier fangen Arretierungen bereits wegen Hochverrat an – bald werden mehrere folgen«, notierte er am 26. März 1847, fügte am 18. April hinzu: »Bei uns ist Ruhe, doch tobt es unter der Asche; wie das enden soll, ist Gott allein bekannt.«

Das Wetter verschlechterte sich, klimatisch wie politisch. Das Jahr hatte mit ungewöhnlicher Kälte und anhaltender Trockenheit begonnen. »Alles fürchtet für die Erntezeit, hiezu die Umtriebe der Propaganda vermengt mit denen des Communisme.« Seine Besorgnis erwies sich als begründet. Die knappen Lebensmittel wurden teurer, Getreidetransporte überfallen und Bäckerläden geplündert; der Hunger machte die Menschen radikal, trieb sie politischen Agitatoren in die Arme.

An solchen herrschte kein Mangel, wie Radetzky registrierte. Die Geheimgesellschaft der Carbonari wollte die Italiener zum Köhlerglauben an die Autonomie der Kreatur und an das Risorgimento, die Wiederauferstehung der Nation, bekehren, Untertanen zum Widerstand, ja zum Aufstand gegen die legitime monarchische Ordnung verleiten. Giuseppe Mazzini und seine Jünger predigten die italienische Republik, die nationale Demokratie, den »Communisme«, die politische und soziale Revolution.

Gemäßigter, doch kaum ungefährlicher erschienen ihm die Neoguelfen, deren Katechismus der Turiner Geistliche Vincenzo Gioberti verfaßt hatte, im Glauben an die Vereinbarkeit von bürgerlichem Liberalismus und nationalem Katholizismus. Wie die alten wollten die neuen Guelfen die Ghibellinen, die Kaiserlichen, die Habsburger aus Italien verdrängen, dessen Staaten unter einheimischen, liberalen Fürsten zu einem Staatenbund vereinigen – unter dem Präsidium des Papstes in Rom.

Viele Italiener nahmen das ernst, und die Österreicher mußten es ernst nehmen, als 1846 mit Pius IX. ein Papst die Bühne betrat, der das anzustreben schien, was die Neoguelfen von ihm erhofften. Er entstammte dem als fortschrittlich geltenden italienischen Grafengeschlecht Mastai-Feretti, begann den Kirchenstaat zu reformieren und hielt sich als Einiger Italiens in Reserve. »Ein liberaler Papst«, rief Metternich, »das ist das Unerhörteste, was man sich denken kann!« Radetzky schüttelte den Kopf: Der neue Papst kokettiere mit den Liberalen und glaube, sie bekehren zu können.

Und distanzierte sich von den Österreichern. Als ihm Radetzky anbot, zur Aufrechterhaltung von Ruhe und Ordnung Truppen in die päpstliche Romagna einrücken zu lassen, lehnte Pius IX. entrüstet ab. Als Radetzky von seinem Besatzungsrecht im päpstlichen Ferrara ausgedehnteren Gebrauch machte, protestierte er dagegen im Namen des Welt- wie Nationalgewissens, erhielt Zuspruch aus England und Frankreich und Zustimmung in ganz Italien: »Es lebe Pius IX., der König Italiens, der Befreier des Volkes!«

Das nicht nur in seiner geistlichen Allmacht, sondern auch in seiner staatlichen Souveränität restaurierte Papsttum war bisher die eine Stütze Österreichs in Italien gewesen. Als andere galt der Monarch von Sardinien-Piemont, der stärkste einheimische Fürst. Der König in Turin war mit dem Kaiser in Wien durch eine förmliche Allianz verbunden, und mit dem Feldmarschall in Mailand teilte er sich in die Inhaberschaft des 5. Husarenregiments. »Piemont ist falsch«, konstatierte Radetzky am 15. August 1847, und am 16. November 1847: »Der König von Piemont hat die Maske abgeworfen und ist an der Spitze der Revolution.«

Als junger Mann war Karl Albert ein Carbonaro gewesen, aber das hatte ihn bald selber gereut, und von den Monarchen war es ihm als Jugendsünde verziehen worden. Inzwischen hatte er wieder Anschluß an die Nationalstaatsbewegung gesucht und gefunden. 1845 ließ er verbreiten, daß zum gegebenen Zeitpunkt »sein Leben, das Leben seiner Kinder, seine Waffen, seine Schätze, sein Heer, daß alles bereit stehe für die italienische Sache«.

Das erhofften sich auch immer mehr Italiener von ihm. Die piemontesischen Schriftsteller Cesare Balbo und Massimo d'Azeglio hatten ihm bereits die Rolle eines Einigers Italiens zugedacht. Karl Albert, der sich dadurch persönlich geschmeichelt und politisch gestärkt fühlte, suchte sein Königreich zu einem Modellstaat für ganz Italien zu machen. Er visierte eine Verfassung an, begann mit liberalen Reformen. Und da das piemontesische Muster wohl nur mit Waffengewalt zur Anwendung gebracht werden konnte, empfahl er sich durch eine beachtliche, wenn auch überstürzte und die Kräfte des Landes überfordernde Rüstung, als »Schwert Italiens«. Im Frühjahr 1848 sollten 52 993 Mann mit 90 Geschützen bereitstehen.

»Ich glaube demnach, mich in die Verfassung des Krieges versetzen zu müssen, um vor den Toren Mailands mich anfangs des Frühjahrs zu schlagen«, befürchtete Radetzky im November 1847. Ihm war klar, daß er sich allein würde schlagen müssen. Denn auf die anderen italienischen Fürsten und Fürstlein, die mit österreichischer Hilfe nicht nur restauriert, sondern auch bislang auf ihren Thronen gehalten worden waren, konnte er nicht rechnen. Ferdinand II., der König von Neapel-Sizilien, war zwar stark im reaktionären Glauben, aber schwach an entsprechenden Mitteln. Und in Florenz glaubte der »toskanische Morpheus«, wie Leopold II. genannt wurde, seinen Schlaf durch Zugeständnisse an die Revolution bewahren zu können, und mit der Erklärung, er sei in erster Linie italienischer Fürst, nicht Habsburger.

Jenseits des Po präpariere sich ein großes Unwetter, bemerkte Radetzky am 24. Juli 1847, und am 23. September: »Im Römischen arbeitet der Revolutionsfluß sein Bett vor.« Piemont zog Truppen zusammen und sammelte politische Punkte: Im November 1847 schloß es mit der Toskana und dem Kirchenstaat einen Zollbund nach dem Vorbild des von Preußen gegründeten Deutschen Zollvereins. Und in der Schweiz, laut Radetzky »Zufluchtsort des revolutionären Gesindels«, wurde der sogenannte »Sonderbund« der sieben katholischen Kantone, in dem er den Hort der eidgenössischen Tugenden sah, mit Waffengewalt zerschlagen und ein Bundesstaat nach amerikanischem Muster geschaffen. Der Feldmarschall in Mailand, der an die schwer zu überwachende Grenze zwischen der Schweiz und der Lombardei dachte, fand es traurig, daß man die konservativen Kantone fallen ließ: »Die Folgen werden wir bezahlen.«

»Nun haben wir Radikale zur Rechten, vor uns Piemont, dessen König noch zappelt, aber über lang oder kurz mit fortgerissen wird, und zur Linken die Revolution in Mittel-Italien. Dahero Front auf drei Seiten machen muß«, konstatierte er am 4. Dezember 1847, und kommentierte fünf Tage später: »Der Radikalismus als ein fait accompli wird seinen Samen in Deutschland und Italien ausstreuen, bis er zum allgemeinen Ausbruch gelangt.«

»Bei uns halten die Bajonette noch den Ausbruch zurück.« Im Lombardo-Venetianischen Königreich hatte er die Situation noch unter Kontrolle. Aber es war nur noch eine Frage der Zeit, bis der Brand auf die italienischen Provinzen der Österreicher übergriff, die zu verjagen das erste Ziel der nationalen Revolution blieb.

Zündstoff war genug angesammelt. Die Widerstandsbewegung war gewachsen, trat offen in Erscheinung. Der in Venedig abgehaltene italienische Gelehrtenkongreß war eine politische Demonstration. Die Einführung des neuen Erzbischofs Romilli in Mailand – ein Italiener war auf einen Deutschen gefolgt – führte zu Ausschreitungen, die der Kirchenfürst auch noch zu billigen schien. Romilli, kritisierte Radetzky, »ein bergamaskischer Graf, läßt den Palast auf das modernste brillant herstellen, läßt drei Paar Geschirre zu Zweispännern verfertigen, wovon ein Paradepaar 10 000 Lire kostet, da alle Beschläge reich mit starker Vergoldung und Wappen, zwar plump, aber reich sind«.

An Maria Empfängnis erscholl bei einem Krawall der Ruf »Es lebe Romilli! Tod den Deutschen!« Gesellschaftlich waren sie für die Mailänder Aristokratie ohnehin schon gestorben. »Hier ist der Adel von uns ganz getrennt, selbst vom Hof«, bemerkte Radetzky am 9. Dezember 1847. Er gebe keine Soirées und keine Bälle mehr, und in der Scala bleibe man unter sich. »Nun bin ich allein, verlassen, mürrisch, und mir bald selbst zuwider.«

Auch für Reformen war es jetzt zu spät. »Den Verfall und die Vernachlässigung aller Regierungszweige während 30 Jahren«, vom Ende des Wiener Kongresses bis zum Anfang der Revolution, bezeichnete er rückblickend als Ursachen der Erschütterung. Aber hätten selbst rechtzeitige Reformen in Italien etwas genützt? Man vergesse zu leicht, daß man es »mit einem Volk zu tun habe, welches uns hasse, und den Moment gekommen glaube, in die Reihe der großen Nationen treten zu können«.

Selbst wenn mit allen österreichischen Untertanen auch den italienischen mehr Freiheiten und Rechte eingeräumt worden wären, hätte dies das Debakel höchstens hinausgeschoben, doch keineswegs vermieden. Denn Österreich mochte den bürgerlichen Liberalismus verdauen, vielleicht sogar eine gemäßigte Demokratisierung überdauern – die Anerkennung des Nationalitätsprinzips, der dritten Komponente der revolutionären Dreiheit »Freiheit, Gleichheit, Brüderlichkeit« hätte das Vielvölkerreich zerstört.

So mußte es der Repräsentant des übernationalen Österreich in Italien sehen, der einem Entgegenkommen an den Zeitgeist nicht abgeneigt war und dies auch eine Zeitlang gefordert, in seinem Bereich sogar zu praktizieren versucht hatte. Unter dem Druck der Entwicklung rückte er zunehmend vom Reformismus ab, zunächst im Militärischen.

In der Begeisterung des Befreiungskrieges war ihm der Gedanke einer Volksbewaffnung, zumindest einer Landwehr, nicht abwegig erschienen. Aber konnte man ein Volk bewaffnen, das Österreich nicht verteidigen, sondern sich von ihm befreien wollte? Schon in der Linientruppe machten ihm die durch Konskription eingezogenen Lombarden und Venetianer zunehmend Sorge.

Einmal spielte er mit dem Gedanken, aus lombardischen und venetianischen Bauern, die Österreich nicht feindselig gegenüberstanden, Freiwilligenverbände zu bilden. Er ließ ihn wieder fallen, wie überhaupt die Idee der Miliz. Bereits 1834, kaum in Italien, hatte er geschrieben: »Das System einer Nationalbewaffnung hat viel Verlockendes und ist auch dort, wo zwischen dem Beherrscher und den Beherrschten ein vollkommener Einklang besteht, ganz ausführbar.« Dies sei aber gegenwärtig nicht der Fall, nicht einmal in Preußen, wo Scharnhorst seinerzeit diese geniale Idee entwickelt hatte. »Jetzt gewahren wir allenthalben statt des reinen Soldatengeistes nur politischen Schwindel.«

Mehr und mehr geriet Radetzky in die Nähe Metternichs, den er lange kritisiert hatte. »Weder mit Metternich noch sonst einer Allmacht bin ich gespannt, denn ich handle nur in ihrem Willen, wenngleich oft nicht mit Überzeugung.« Angesichts des Feindes wußte ein Soldat zu gehorchen. Er hätte es lieber getan, wenn Metternich der Gefahr so energisch begegnet wäre, wie er es immer geraten hatte. Doch der alt gewordene Metternich meinte, er könne immer noch mit Diplomatie, in der er ein Meister gewesen war, die Probleme wenn schon nicht bereinigen, so doch entschärfen. Und seine richtige Erkenntnis, daß als Ultima ratio eine schlagkräftige Armee bereit stehen müßte, konnte er nicht voll und ganz durchsetzen, weil er seit dem Tode Franz I. nicht mehr die Macht dazu hatte.

»Man spürte die Unruhe, blieb aber lässig«, klagte Radetzky. »Der Hofkriegsrat mit unseren Staatsmännern an der Spitze verlachte die Berichte, glaubte, die Gefahr sei noch entfernt.« Immerhin stellte Metternich den Grafen Karl Ludwig Ficquelmont dem Vizekönig Erzherzog Rainer in Mailand zur Seite, damit dieser nicht mehr wie ein Rohr im Winde hin- und herschwankte.

Zur Enttäuschung Radetzkys schlug sich der General der Kavallerie Ficquelmont im Streit zwischen Gouvernement und Generalkommando, die sich gegenseitig Versagen vorwarfen, auf die Seite der Zivilisten, zeigte sich »aus gewöhnter Submission gegen alles, was Hof war, so auch gegen den Mailänder Vizekönig hörig«. Und Erzherzog Rainer, nun dreißig Jahre in Amt und Würden, verstand die Welt und sein Italien nicht mehr, in dem einst der Österreicher so angesehen war und in dem es sich so gut leben ließ.

Der Feldmarschall wetterte gegen den »schläfrigen Vizekönig«, »die schlappohrige Regierung«. Während sie früher, als es nicht notwendig war, die Italiener zu straff an die Kandare nahm, ließ sie jetzt, da dies angebracht gewesen wäre, die Zügel schleifen. Demonstrationen häuften sich, »die die schwachköpfigen Beamten nicht zu unterdrücken die Courage haben, ich daher in ewigem Zank mit solchen leben muß«. Und Regierungsaufgaben übernehmen mußte: »Polizei-Maßregeln mit der Armee ergreifen«, um Ordnung und Ruhe im Innern zu erhalten, mit seiner Armee, die primär zur Sicherung der bedrohten Grenzen da war.

»Die Lage der Dinge gestaltet sich immer bedenklicher, und ich würde gegen meine Pflicht fehlen, machte ich Eure kaiserliche Hoheit nicht auf die Notwendigkeit aufmerksam, daß ohne die Entwicklung der größten Energie von seiten der politischen und polizeilichen Behörden wir dem Ausbruch einer Revolution unvermeidlich entgegensehen«, erklärte er dem Vizekönig. Aber er fand in Mailand ebenso wenig das gewünschte Echo wie in Wien, wo er immer dringender Truppenverstärkungen anforderte. Noch Ende Dezember 1847 erhielt er Befehl, er »habe nochmals die in Piemont bemerkten Rüstungen und die Mobilität der dortigen Truppen nachzuweisen, damit der Hofkriegsrat darüber befinden könnte, ob sich daraus auf die Absicht einer Offensivbewegung gegen die Lombardei schließen lasse«.

Schon war er drauf und dran, seinen Abschied zu nehmen. Mit Einundachtzig wäre das nicht zu früh gewesen. Aber konnte er die Armee, die er sich geschaffen hatte, kurz vor der Bewährungsprobe aufgeben? Durfte er seine Soldaten, die zu ihm standen, im Stich lassen? Und seinem Kaiser die Treue aufkündigen in einem Moment, da er deren am meisten bedurfte? Denn davon war er überzeugt: »Der Verlust Italiens wäre der Todesstoß unserer Monarchie.«

Radetzky raffte sich auf, erklärte dem Vizekönig: »Ich habe dem Kaiser, meinem Herren, die Bekämpfung seiner Feinde, die Verteidigung seines Throns und seiner Rechte beschworen und werde diesem Schwur bis zum letzten Atemzug treu bleiben. Ich werde das Blut beweinen, welches fließen muß, aber ich werde es vergießen. Der Nachwelt überlasse ich es, mich zu richten.«

Solche Worte begannen, wenn auch zu spät, Eindruck zu machen – in Wien, das endlich Truppenverstärkungen genehmigte, und bei Österreichern in Mailand. »Allein der Anblick Radetzkys, umgeben von seinen Paladinen, reichte hin, um die trübe Stimmung zu verscheuchen«, bemerkte Hübner. »Sie sind keine Rummelpuffe. Sie verlangen nicht die rebellischen Untertanen ihres Kaisers samt und sonders über die Klinge springen zu lassen. Aber sie sehen ein, daß die Zeit der halben Maßregeln und der kleinen Auskunftsmittel vorüber ist.« Und: »In Wien scheine man vergessen zu haben, daß es ein Lombardo-Venetianisches Königreich gibt. Bleibe also die Armee. So sprechen diese Herren. Im Grunde nichts als der Widerhall dessen, was der Feldmarschall denkt.«

In Österreichs Lombardo-Venetianischem Königreich, das ein einziges Militärlager geworden war, sollte schon bald der Feldmarschall die Regierungsgewalt übernehmen. Und den Beweis antreten, daß nur noch in der Armee Österreichs Lager war und nur noch bei Radetzky Österreichs Rettung lag.

DAS JAHR 1848 begann mit Rauchzeichen, die den Brand ankündigten. In Mailand war zum Boykott der österreichischen Tabakregie aufgerufen worden. Es kam zu Zusammenstößen zwischen Italienern, die rauchenden Landsleuten die Zigarren aus dem Mund rissen, und Österreichern, die – mitunter zwei Zigarren im Mund – den Boykotteuren Rauch ins Gesicht bliesen. Radetzky ließ die Straßen von Truppen säubern, zog sie dann in die Kasernen zurück.

»Seit 3., wo unsere Soldaten sowohl in als außer Dienst so trefflich mit ihren Säbelklingen Beweis von Herzhaftigkeit abgelegt, ist allenthalben in der Stadt Ruhe, wenigstens scheinbar, im Stillen arbeitet das radikale Comité fort, ist so gut organisiert, daß die Befehle der Capis augenblicklich vollzogen werden.« So schrieb er am 11. Januar 1848 der Tochter Friederike, der er sich umso mehr offenbarte, als er sich von Offiziellen unverstanden fühlte. »Ernste Maßnahmen dagegen sollten ins Werk gesetzt werden, die erbärmliche Schwäche der Behörden haben sie verschoben und nun fast unmöglich gemacht. Wir müssen daher neuem Sturm entgegensehen.«

Er ließ nicht lange auf sich warten. Am 13. Januar erhob sich Sizilien gegen den König in Neapel, der mit der Proklamation einer Verfassung das Unheil aufzuhalten suchte, es aber nur beschleunigte. Am 7. Februar gab Karl Albert dem Königreich Sardinien eine liberale Konstitution, die als Muster für ganz Italien vorgesehen war. Der Großherzog in Florenz und der Papst in Rom konnten und wollten sich diesem Beispiel nicht entziehen, schwenkten in die Verfassungsbewegung ein.

Die Pariser Februarrevolution war ein Fanal auch für Italien, obwohl das Aufbegehren des Vierten gegen den Dritten Stand der revolutionär gesinnten italienischen Aristokratie und Bourgeoisie ein Warnzeichen setzte. Doch die Wiener Märzrevolution, in der mit Metternich das reaktionäre System gestürzt wurde, erweckte namentlich bei Lombarden und Venetianern die Hoffnung, daß damit auch der habsburgische Völkerkäfig geöffnet würde und alle befreiten Nationen ihre eigenen Staaten gründen könnten.

Vizekönig Erzherzog Rainer verließ Mailand, zog sich hinter die Mauern von Verona zurück. In der Hauptstadt der Lombardei verblieb Feldmarschall Radetzky, der bereits am 15. Januar einen

Armeebefehl erlassen hatte, der sich nicht nur an seine Soldaten, sondern auch an deren Herausforderer richtete:

»Seine Majestät der Kaiser, fest entschlossen, das Lombardo-Venetianische Königreich mit aller Kraftanstrengung, ebenso wie jeden anderen Teil Ihrer Staaten zu beschützen und gegen jeden feindlichen Angriff, komme er von außen oder von innen, recht- und pflichtgemäß zu verteidigen«, habe ihn, den Oberkommandierenden in Italien, beauftragt, diesen Entschluß bekanntzugeben und gegebenenfalls auszuführen. »Soldaten! An Eurer Treue und Tapferkeit wird das Getriebe des Fanatismus und treuloser Neuerungssucht zersplittern, wie am Fels das zerbrochene Glas. Noch ruht der Degen fest in meiner Hand, den ich 65 Jahre lang mit Ehre auf so manchem Schlachtfeld geführt. Ich werde ihn gebrauchen, um die Ruhe eines jüngst noch glücklichen Landes zu schützen, das nun eine wahnsinnige Partei in unabsehbares Elend zu stürzen droht.«

Inzwischen waren Kaiser Ferdinand I. durch die Revolution in Wien die Hände gebunden. Nicht nur das Schwert, sondern auch die Entscheidung darüber, wann und wie es einzusetzen wäre, lag in Radetzkys Hand. Der Feldherr war einsatzbereit, der Geist der Truppe gut – doch das Schwert war nicht so scharf, wie er es sich gewünscht hätte.

Er hatte zwar 70 000 Mann, immerhin ein Drittel der österreichischen Streitkräfte, zur Verfügung, und es war seine Armee, von ihm in langen Friedensjahren zusammengeschweißt. Aber es gab in dieser Vielvölkerarmee Bruchstellen. Auf die Italiener in ihren Reihen, ein Drittel der Gesamtstärke, war wenig Verlaß, vielleicht auch nicht auf die Ungarn, wenn sich ihr Heimatland für unabhängig erklären sollte. Die Einheiten waren nicht auf vollem Stand, die Garnisonen nicht voll besetzt, die Streitkräfte nicht auf Kriegsfuß, Verstärkungen, unzureichend genug, erst auf dem Marsch. Verona, ohne dessen starke Befestigung auf »keine hartnäckige Verteidigung von Oberitalien mehr zu rechnen sei«, war noch nicht hinreichend ausgebaut. Und in Mailand gab es nur ein Kastell, das man schon seit 1796 nicht mehr als Zitadelle zu bezeichnen wagte.

»Das Kastell hier wird in Verteidigungsstand gesetzt«, berichtete Radetzky am 27. Februar 1848. 8000 Österreicher lagen in dem 150 000 Einwohner zählenden Mailand, »ganz abgesondert und von der Stadt geschieden«, und alles war »eingepackt, um auf den ersten Ruf uns in Marsch zu setzen. Meine Meubles sind daher preisgegeben.«

Am 18. März 1848 gingen sie verloren. Radetzky hatte am Morgen, etwas früher als sonst, seine Wohnung in der Casa Arconati in der Contrada Brisa verlassen. An allen Straßenecken waren die Konzessionen des Kaisers an die Revolution angeschlagen: Pressefreiheit, Provinzialstände, Versprechung einer Verfassung. In seiner Kanzlei, in der Casa Cagnola, Via Cusani, besprach sich Radetzky mit seinem Generaladjutanten Schönhals, als ihm ein Schreiben des die lombardischen Regierungsgeschäfte führenden Gubernial-Vizepräsidenten Graf O'Donell übergeben wurde: Der Feldmarschall werde ersucht, keine militärischen Machtmittel zu entfalten, damit das Volk die Konzessionen ruhig zur Kenntnis nehmen und akzeptieren könnte.

Die Herren von der Zivilbehörde seien nicht zu kurieren, meinte Schönhals. Dasselbe traf auf das Volk von Mailand zu. Gegen 10 Uhr rottete es sich auf den Straßen zusammen, die Maueranschläge wurden abgerissen, andere angebracht: »Morte ai Tedeschi!«

Radetzky stand am Fenster und sah sich das an. Einlaufende Meldungen beunruhigten ihn: Am Broletto, dem Stadthaus, sei die italienische Trikolore gehißt, man verteile Waffen an das Volk und errichte Barrikaden. Bürgermeister Gabrio Graf Casati verlangte von O'Donell die Aufhebung der politischen Polizei und der Zensur sowie die Freilassung der politischen Gefangenen. Der mit dem liberalen Podestà in das Regierungsgebäude eingedrungene Volkshaufen forderte mehr, erzwang vom Gubernial-Vizepräsidenten die Zustimmung zur Auflösung der gesamten Polizei und zur Aufstellung einer Guardia civile – und nahm ihn gefangen. Mit einem Schlag stand die Stadt in hellem Aufruhr.

»Wir sind am 18. mittags überfallen worden, ich war in der Kanzlei und mußte, begleitet von allen, zu Fuß ins Kastell flüchten«, berichtete Radetzky. Dessen Kern, die im Mittelalter erbaute Burg Rocchetta, war sein Reduit, von dem aus er Mailand wieder in seine Gewalt bringen wollte.

Zunächst galt es, die strategischen Punkte der Stadt – die militärischen wie politischen – zu halten beziehungsweise wiederzugewinnen, vor allem die Wälle und Tore. Auf dem Dach des Doms waren Tiroler Jäger postiert, die auf die Menge auf dem Domplatz feuerten. Von der Villa Reale aus bestrichen sie mit ihren gutgezielten Schüssen die Contrada Larga. Das Regierungsgebäude wurde wieder besetzt, aber O'Donell war bereits abgeführt worden. Das Rathaus, der Sitz der revolutionären Stadtverwaltung, wurde gestürmt; Casati entkam jedoch, führte den Kampf fort, eher gedrängt als unterstützt von einem Kriegsrat unter Carlo Cattaneo.

Radetzky hatte den Belagerungszustand verhängt, mit der Androhung, jeden als Hochverräter zu behandeln, der sich widersetze. Doch nur einen einzigen, mit der Waffe in der Hand festgenommenen Aufständischen befahl er zu erschießen, einen ehemaligen österreichischen Soldaten, einen Mährer. Die italienischen Gefangenen ließ er, bis auf siebzig Geiseln, wieder laufen. Wo hätte er sie auch einsperren, womit füttern sollen? Von einem Bombardement der Stadt nahm er Abstand – weil er nicht wie einst Friedrich Barbarossa Mailand zerstören wollte, und weil er über keine schweren Wurfgeschosse verfügte.

Der 18. März klang mit Wolkenbrüchen und anhaltendem Sturmgeläut der Kirchenglocken aus. Ab und zu fiel noch ein Schuß. Die Truppe lagerte im Freien, die Mailänder waren, wie Schönhals vermutete, »im Trockenen gegen jede Unbilde der Witterung geschützt, gut verpflegt und genährt, durch geistige Getränke erhitzt, durch Weiber und Pfaffen aufgemuntert«. Der Feldmarschall saß in gedrückter Stimmung in einem zugigen Zimmer des Kastells, umgeben von seinem schwadronierenden Stab, bei einer dünnen Reissuppe und einem zähen Stück Rindfleisch. Angezogen legte er sich hin, fand nur wenig Schlaf.

Auch die nächsten Tage kam er nicht aus der Uniform. Am frühen Morgen des 19. März begann der Straßenkampf von neuem, auf den seine Armee nicht entsprechend vorbereitet war, weil er immer nur einen geregelten Krieg gegen einen erklärten Feind auf offenem Feld im Auge gehabt hatte. Und Mailand war ein Riesengebirge aus Häusern, ein Labyrinth aus Gassen, ein einziger Sperriegel aus Barrikaden! Und diese Bewohner Italiens, über das österreichische Offiziere zu spotten pflegten, es sei das »Land der Feigen«, wußten zu kämpfen und zu sterben.

Am 19. März blieb die Lage unverändert. In der Nacht vom 19. auf den 20. März gab es eine Mondfinsternis, die eher für die Österreicher als für die Mailänder ein schlechtes Omen war. Radetzky hielt es für ratsam, seine Truppen aus dem Stadtinnern in das Kastell und auf die Wälle zurückzuziehen. Man verteidigte sich nur noch. Die Mailänder hißten, mit dem Segen des Erzbischofs Romilli, auf dem Dom die Trikolore und bildeten eine provisorische Regierung unter Casati. Mit kleinen Luftballons wurde diese Nachricht in das Land hinausgeschickt, wo sich der Aufruhr ausbreitete.

Venetien fiel ab. Der Rechtsanwalt Daniele Manin, der anfänglich nur die Autonomie innerhalb des österreichischen Staatenverbandes verlangt hatte, verkündete als Chef der Revolutionsregierung die Widerherstellung der unabhängigen Republik von San Marco. Habsburgs Lombardo-Venetianisches Königreich bestand nur noch im Festungsviereck zwischen Etsch und Mincio, in ein paar lombardischen Städten und im Kastell von Mailand.

Einige Garnisonen schlugen sich zu Radetzky durch, der damit seine Truppen auf 18 000 Mann brachte. Aber auch das war zuwenig, um Mailand wieder zur österreichischen Raison zu bringen. Die Verpflegung wurde knapp, die Munition ging aus. Und seine italienischen Soldaten desertierten en masse; schließlich waren es – samt Matrosen – 15 937, von denen 8000 die gegnerischen Streitkräfte verstärkten, die Waffen gegen ihre ehemaligen Kameraden kehrten.

Casati lehnte ein Waffenstillstandsangebot Radetzkys ab. Er hoffte auf die Piemontesen, deren baldiges Eingreifen die Österreicher befürchteten. Am 22. März entschloß sich der Feldmarschall, Mailand aufzugeben. Nun ließ er doch noch die Stadt beschießen, um deren Bewohner von seinen Vorbereitungen zum Rückzug abzulenken. In der Nacht vom 22. auf den 23. März, um Mitternacht, trat er ihn an. Die Schlüssel des Kastells wurden mitgenommen, an der Porta Romana drehte sich Radetzky noch einmal um und sagte: »Wir werden wiederkehren!«

Seinen Soldaten hatte er erklärt, er sehe sich genötigt, »eine kurze rückgängige Bewegung zu machen, um mich den Streitkräften zu nähern, die zu meiner Verstärkung im Anzuge begriffen sind«, und versprach ihnen: »Wir werden die Verräter und Empörer züchtigen!« Der Tochter schrieb er am 3. April aus Verona, daß er am 1. April erreicht hatte, mit seinem ramponierten Korps und vier Zwanzigern in der Tasche: »Ich besetze die festen Plätze und halte. Wie lange und wohin, weiß ich nicht. Ohne Geld, ohne Mittel, ohne Hilfe von Wien weiß ich nicht, wie das enden soll und kann.«

In Wien gab es eine neue Regierung, die genauso unentschlossen wie die alte, nur noch bedeutend schwächer war, Revolutionären entgegenkommend und zurückhaltend gegenüber den Verteidigern der Monarchie. Konnte er erwarten, daß ihm die neue Regierung aus dem Schlamassel helfen würde, in das ihn die alte gebracht hatte? »Ich forderte Truppen, man handelte in Bataillonen mit mir. Ich forderte Verpflegung, man sandte mir Reskripte«, bilanzierte er. »Was ich jahrelang vorausgesagt, ist auch haarklein eingetroffen. Ich stehe mit meiner braven Armee allein.«

Mit den Resten seiner Armee. Die beiden unter den Mauern Veronas sich vereinenden Armeekorps – das 1., das mit dem Feldmarschall gekommen war, und das 2., das Feldmarschalleutnant d'Aspre herangeführt hatte – zählten nur noch 50 000 Mann. Von seinen ursprünglich 70 000 Mann hatte er 20 000 verloren.

Und dieses Häuflein stand gegen fast ganz Italien! König Karl Albert war am 25. März 1848 mit der piemontesischen Armee in der Lombardei einmarschiert, nachdem er am Tag zuvor die Unabhängigkeit Italiens proklamiert und alle Italiener zum »heiligen Krieg« gegen Österreich aufgerufen hatte. Viele kamen, aus dem Kirchenstaat, dem Königreich Neapel-Sizilien und dem Großherzogtum Toskana, deren Souveräne im Revolutionsstrom mitschwammen, und aus Parma und Modena, deren Herzöge von ihm weggeschwemmt worden waren. Dazu kamen Lombarden und Venetianer, die sich befreit hatten und aus freien Stücken gegen Österreich kämpften. Schon jetzt zählten die italienischen Streitkräfte, reguläre Truppen, Freiwilligenverbände und Freischaren, hunderttausend Mann. Sie bedrohten das Festungsviereck, die Fluchtburg der Österreicher, von Westen, Süden und Osten, und gefährdeten sogar Radetzkys Verbindungslinien nach Norden.

Italien schien für Habsburg verloren zu sein. Ein anderer General und ein jüngerer Mann als Radetzky hätte sich in dieser Situation vielleicht in die Alpen-Zitadelle zurückgezogen, Richtung Wien abgesetzt. Aber der einundachtzigjährige Feldmarschall handelte so, wie er es vor Ausbruch der Revolution dem inzwischen vor Aufregung gestorbenen Hofkriegsratspräsidenten angesagt hatte: »Ich stehe am Ziel ... Kann mir das Schicksal ein beneidenswerteres Los bereiten, als auf dem Boden zu siegen oder zu sterben, um den wir so lange blutig gerungen?«

Doch man sah es ihm an, daß ihm die Entscheidung, in Italien stehenzubleiben und den Italienern entgegenzutreten, nicht leicht fiel. »Wir erinnern uns«, so Generaladjutant Schönhals, »damals ihn oft wanken und an einem Stuhl stützen gesehen zu haben.« Aber »er verzweifelte nicht, und seine Soldaten verloren den Mut nicht, mit Vertrauen blickten sie in die Zukunft, und oft hörten wir sie an den Lagerfeuern von der Rückkehr nach Mailand sprechen«.

Ihr Feldmarschall war sich da nicht so sicher: Das zwischen dem Festungsviereck und österreichischen Landen eingekeilte Venetien könnte eher zurückerobert werden als die zu weit nach Westen, in den Machtbereich Piemonts vorgeschobene Lombardei. Zunächst wäre er schon zufrieden gewesen, wenn er seine Rückzugsstellung hätte halten können: »Ich danke meinem Schöpfer, wenn er mir die Möglichkeit gibt, mich hier noch lange halten zu können, da ich noch keine Verstärkung von einer oder andern Seite erhalte«, schrieb er am 13. April 1848 aus Verona. »Kurz, das Elend groß, kein Geld, wenig zu leben und stets in kämpfender Unruhe. Lange kann dies nicht währen, indessen der Wille und der Mut fest.«

Die Piemontesen waren im Anmarsch auf Verona. Am 8. April 1848 hatten sie bei Goito eine schwache österreichische Stellung durchstoßen, die Mincio-Linie gewonnen. Am 30. April warfen sie die Österreicher bei Pastrengo zurück, umzingelten die Festung Peschiera. Und am 6. Mai griffen sie die der Hauptfestung Verona vorgelagerten Stellungen bei Santa Lucia an – 40 000 Piemontesen, die von 20 000 Österreichern blutig zurückgewiesen wurden.

»Nur schade, daß ich zu wenig Truppen hatte, um den Sieg verfolgen zu können«, sagte Radetzky. Das vom Isonzo heranrükkende Verstärkungskorps unter Feldzeugmeister Nugent kam nur langsam voran, hatte sich erst seinen Weg durch Venetien freizukämpfen. »Somit muß ich hier kuschen und sein Eintreffen abwarten«, klagte der Feldmarschall.

Mit seinem Erfolg konnte er zufrieden sein. Er hatte gezeigt, daß die Armee den Piemontesen standhalten, den Revolutionären Einhalt gebieten konnte. Alle, die Österreich erhalten wollten, begannen in Radetzky den Feldherren zu sehen, der dies erreichen könnte, und in seiner aus vielen Nationalitäten gebildeten Armee nicht nur die Retterin, sondern auch die Verkörperung des Vielvölkerreiches. »In deinem Lager ist Österreich«, dichtete damals Franz Grillparzer.

Erzherzogin Sophie, die Mutter des späteren Kaisers Franz Joseph, hatte das vorausgesehen und den achtzehnjährigen Thronfolger in Radetzkys Lager geschickt. Der Feldmarschall war nicht gerade entzückt: Er habe nun sechs Erzherzöge hier, »was meine Sorgen vermehrt«. Der Mutter schrieb er, um sich für alle Fälle zu salvieren, ob es nicht angebracht wäre, den Sohn zurückzubeordern, solange die Straße nach Tirol noch offen sei. Im Grunde fühlte er sich nicht nur geehrt, daß der Thronfolger sich unter seine Fittiche begeben hatte; er benützte auch die Gelegenheit, den künftigen Kaiser als Bewunderer seiner Armee wie als Fürsprecher für deren Forderungen zu gewinnen.

»Die Piemonteser sind uns so überlegen, daß, wenn nicht bald Hilfe kommt, die Armee sich hier schwer wird halten können«, schrieb Franz Joseph vor Santa Lucia nach Wien. »Darum machen Sie, liebe Mama, daß man Truppen schicke.« Nach Santa Lucia – »Ich habe zum ersten Male die Kanonenkugeln um mich pfeifen gehört und bin ganz glücklich!« – war er so optimistisch wie Radetzky: »Der FM. sagte mir, wenn nur Nugent bald kommt (der übrigens schon sehr nahe ist), so werden wir hoffentlich hier fertig und dann marschieren wir nach Wien.«

Inzwischen war der kaiserliche Hof vor der eskalierenden Revolution nach Innsbruck geflohen, zu den treuen Tirolern und näher zu Radetzky. Die in Wien verbliebene Regierung erhoffte sich nichts von Radetzkys Waffen, erwartete Erfolge der Revolution, die sie parieren zu können glaubte – beispielsweise durch einen Verzicht auf die Lombardei.

Als Radetzky davon hörte, wurde er fuchsteufelswild. Seine Siegeszuversicht war mit dem Eintreffen Nugents in Verona am 25. Mai gewachsen. Ein Vorstoß zum Entsatz von Peschiera mißlang zwar; die Festung fiel am 30. Mai, am selben Tag, an dem Radetzky bei Goito zurückgeschlagen wurde. Doch mit der Unterwerfung Venetiens, der er sich dann zugewandt hatte, ging es zügig voran: Venedig war eingeschlossen, Vicenza kapitulierte am 11. Juni.

Und da erhielt er am 12. Juni den kaiserlichen Befehl zum Abschluß eines Waffenstillstandes! Das war – wie Radetzky meinte – das Werk eines hasenfüßigen Kabinetts, das nicht schnell genug der Revolution entgegenlaufen konnte. Und der österreichischen Diplomatie, die wie immer das kleinere Übel suchte und aus vielen kleinen Übeln das große Übel schuf. Und selbstverständlich Palmerstons, des Londoner Lords, der so lange revolutionären Wind gesät hatte und selbst noch vom Sturm profitieren wollte.

Der Feldmarschall schickte Felix Fürst zu Schwarzenberg, der mit Ministern und Diplomaten umzugehen verstand, aber ein guter General und starker Mann war, an den Hof in Innsbruck. Der defaitistische Befehl mußte aus der Welt geschafft werden! Schwarzenberg hatte Erfolg, nicht zuletzt mit seiner lebhaften Schilderung des grollenden Alten in Verona. Kaiser Ferdinand I., der erleichtert war, daß ihm wieder fester Halt geboten wurde, wollte nun keinen Fußbreit österreichischen Gebietes mehr abtreten, die Entscheidung auf dem Schlachtfeld suchen – er legte das Schicksal der Monarchie in die Hände seiner Soldaten.

»Der Feldmarschall hatte einen Sieg erkämpft, den wir weit höher anschlagen als den Sieg von Custoza«, erklärte Generaladjutant Schönhals, das Sprachrohr der Militärs. Nun konnte Radetzky zum Schlag gegen Karl Albert ausholen – zur Entscheidungsschlacht, die am 25. Juli 1848 bei Custoza stattfand.

Wie das geschehen könnte, hatte er sich schon vor Jahren überlegt. »Nach einer allenfallsigen Schlappe«, hatte er 1842 notiert, könnten sich die Truppen in Verona vereinen, »dem Vordringen des Feindes Einhalt gebieten und so die aus dem Inneren nach und nach eintreffenden Truppen abwarten, dann wieder die Offensive ergreifen, um das verlorene Terrain wieder zu erobern.«

Den ersten Teil, den Rückzug, hatte er schon hinter sich, nun schickte er sich an, den zweiten, die Rückeroberung, zu vollenden.

Am 23. Juli eröffnete er die Offensive gegen die verzettelt zwischen Rivoli und dem belagerten Mantua stehenden Piemontesen. Karl Albert schien die Kordon-Aufstellung der Alt-Österreicher übernommen zu haben, die diesen nie Glück gebracht hatte. Sona und Sommacampagna wurden im Frontalangriff genommen, die Mitte des Feindes durchbrochen, dessen Flügel voneinander getrennt. Doch Radetzkys linker Flügel wurde von Karl Albert bedroht, der mit rasch zusammengezogenen Truppen, etwa 19 000 Mann, von Villafranca aus in die Flanke der Österreicher marschierte, in deren Rücken gelangte, weil diese schon westlich des Mincio standen.

Radetzky reagierte kühn wie ein Kavallerist und überlegt wie ein Feldherr. Als er die Gefahr erkannte, von Verona abgeschnitten zu werden, schwenkte er sofort um, machte Front gegen Südosten, nun seinen Rücken der anderen Seiten zukehrend, von der auch Gefahr kommen konnte, aber keine so große wie von der zwischen Verona und dem Mincio stehenden Hauptmacht des Feindes.

Der 25. Juli 1848 war ein heißer Tag. Das Thermometer kletterte auf 30 Grad, und es wurde eine heiße Schlacht. Die Gegner waren ungefähr gleich stark, je 19 000 Mann, und auf beiden Seiten mangelte es nicht an Einsatzbereitschaft und Tapferkeit. Aber die Österreicher waren von ihrem alten Feldherren besser geführt als die Piemontesen von ihrem König, der tatsächlich kein Feldherr war.

Die Österreicher mußten ein zweites Mal die Riegelstellungen von Sona und Sommacampagna nehmen, welche die Piemontesen wiedergewonnen hatten. Die Entscheidung fiel bei Custoza, nach hin- und herwogendem Kampf, der schließlich durch die im Gewaltmarsch herangezogene Brigade Eduard Schwarzenberg zugunsten der Österreicher entschieden wurde. Der Feind zog sich geschlagen und entmutigt nach Villafranca zurück. Aber auch Radetzkys Truppen waren so mitgenommen, daß eine sofortige Verfolgung nicht möglich war.

Am nächsten Morgen konnte man den Piemontesen nachsetzen, die Villafranca bereits verlassen, die Belagerung von Mantua aufgegeben und bis Volta gelangt waren. Hier kam es am 26. Juli zum letzten Gefecht, einem Straßenkampf, der bis in die Nacht hinein dauerte und am Morgen noch einmal aufflammte. Man fand einen österreichischen Jäger und einen piemontesischen Soldaten, die sich gleichzeitig die Bajonette in den Leib gerannt hatten.

So erbittert und konsequent wie sein Soldat wollte Karl Albert nicht kämpfen; er bot Radetzky einen Waffenstillstand an – mit dem Oglio als Demarkationslinie. Wenn schon, dann die weiter westlich gelegene Adda, Übergabe der Festungen, vor allem Peschieras, und Räumung von Parma und Modena, konterte Radetzky, in der richtigen Annahme, daß dies Karl Albert nicht akzeptieren konnte, wenn er sein Gesicht vor Italien nicht ganz verlieren wollte.

Vor dem Ziel gab Radetzky erst recht nicht mehr auf. Seiner Frau, an die er sich im Krieg wieder erinnert zu haben schien, schrieb er am 29. Juli 1848 aus dem Hauptquartier Aqua Negra am Oglio: »Ich beeile mich, Dir mitzuteilen, daß nach Wahrnahme, die Piemonteser haben ihre Kräfte zum Teil gegen Mantua entsendet, habe ich mit Gottes Hilfe den 23ten den Feind in seiner Stellung angegriffen und geschlagen, die folgenden zwei Tage hat er mich angegriffen, wurde zurückgeworfen, ich ging bei Valeggio über den Mincio, zweitägige harte Gefechte bei Volta haben mich als Sieger in die Lage versetzt, ihn an den Oglio zu verfolgen. Nun lasse ich ihn nicht aus den Augen, um ihn nochmals zu schlagen und so die Lombardei meinem Herrn wieder zu erobern.«

Karl Albert trat den Rückzug an und appellierte an die Italiener: »Bewaffnet Euch und tretet der Gefahr mit jener Tatkraft entgegen, welche sich bei Erben so vielen Ruhmes mit dem Wachsen der Gefahr erhöht! Ihr werdet das letzte Opfer der Erniedrigung und dem Verluste Eurer Unabhängigkeit vorziehen!« Selbst Piemontesen wollten die großen Worte nicht mehr hören. Soldaten drängten in die Heimat zurück, warfen hinderliches Gepäck ab, erzwangen sich bei Cremona die Überfahrt über den Po gegen die eigenen Carabinieri.

Auch Freiwilligenverbände lösten sich auf. Es gab Patrioten, die von vornherein dem zwischen Reaktion und Revolution pendelnden Karl Albert mißtraut hatten, seinem Feldherrentalent ohnehin, aber auch dem Engagement eines Königs für die nationale Sache, die eigentlich eine demokratische war und logischerweise republikanisch enden mußte.

Und die Potentaten, die widerwillig mit in den Krieg gezogen waren, konnten sich nicht schnell genug zurückziehen. Sie hatten sich nolens volens zu eng mit der Revolution eingelassen, waren Piemont, das die Vorherrschaft über Italien erstrebte, zu weit entgegengekommen. Pius IX., der es längst bereute, päpstliche Truppen unter General Durando in Marsch gesetzt zu haben, hatte sich schon vorher vom Krieg mit Österreich distanziert – in dubio für seine Pflicht als Oberhaupt der römisch-katholischen Kirche, nicht für die patriotischen Wünsche eines Italieners. König Ferdinand II., über den Separatismus der Sizilianer erbittert, und durch einen Volksaufstand in Neapel erschreckt, hatte seine Truppen bereits zurückbeordert.

Lombarden und Venetianer hatten ohnedies ein gespaltenes Verhältnis zu Piemont im allgemeinen und zu diesem König im besonderen. Man brauchte sie, um die Unabhängigkeit zu bewahren und die Einheit zu gewinnen. Aber selbst die Mailänder Adelspartei, die sich unter den Schirm eines konservativen Monarchen begeben wollte, zögerte mit einem Anschluß an das unitarische Königreich Sardinien. Die Mailänder Volkspartei widersetzte sich. Sie wollte die Demokratie, und weil diese noch nicht in ganz Italien durchzusetzen war, wollte sie diese wenigstens in der Lombardei einführen – ähnlich wie Daniele Manin die Republik in Venedig.

Erst im Mai 1848 – als die Hoffnung auf einen raschen Sieg über Radetzky gesunken war – erklärten die lombardischen und venetianischen Städte ihren Anschluß an das Königreich, unter der Bedingung, daß durch demokratische Wahlen eine konstituierende Nationalversammlung einberufen werde. Vorerst hielt man sich zurück. Die Lombardei strengte sich für Karl Alberts Krieg nicht besonders an, verpflegte nicht einmal hinreichend seine Truppen.

Als dann den König das Glück verließ, wendeten sie sich von ihm ab. Schon auf dem Vormarsch – das Savoyerwappen in der Trikolore – war er von den Mailändern, die auf ihre Selbstbefreiung in den »Cinque giornate« stolz waren, nicht besonders freundlich empfangen worden. Nun, auf dem Rückzug, wäre er in dieser Stadt beinahe wie Radetzky behandelt worden, schlimmer noch, als Verräter.

Dabei hatte er noch versucht, die Österreicher unmittelbar vor Mailand aufzuhalten – voll guten Willens, doch mit zu schwachen Kräften. Nun gab er auf, offerierte die Räumung Mailands und der Lombardei. Als dies in Mailand bekannt wurde, kam es zu einem Volksauflauf vor dem Palazzo Greppi, wo Karl Albert ohne Eskorte abgestiegen war. Man schrie »Verrat«, warf Equipagen um, drohte das Haus zu stürmen, aus dem der König angeblich schon geflohen war. Um die Mailänder von seiner Anwesenheit zu überzeugen, empfing er eine Abordnung, erklärte: »Es ist besser, mit den Österreichern zu kämpfen, als uns unter den Augen des Feindes einander selbst zu zerfleischen!«

Karl Albert warf den Mailändern vor, daß sie sich für die gemeinsame Sache nicht genug geschlagen, und diese dem König, daß er sie verraten hätte. Schon wurde auf seine Fenster geschossen, schlugen Kugeln in die Decke seines Zimmers. Das Tor des Palastes sollte aufgesprengt, der König als Geisel genommen werden. In der Nacht vom 5. auf den 6. August holten ihn ein Gardebataillon und eine Kompanie Bersaglieri heraus. Zu Fuß, von seinem Sohn begleitet, mußte Karl Albert Mailand verlassen.

Am 5. August hatten Generalleutnant Salasco für Karl Albert und Feldmarschalleutnant Heß für Radetzky die Waffenstillstandsvereinbarung geschlossen. Binnen zwei Tagen sollten sich die Piemontesen über den Ticino nach Piemont zurückziehen. Am 6. August, 12 Uhr mittags, sollten die Österreicher wieder in Mailand einziehen.

Am 6. August, 9 Uhr vormittags, erhielt Radetzky in San Donato ein Schreiben des Bürgermeisters von Mailand, Paolo Bassi: »Herr Marschall! Ich bitte Sie inständigst, den Einmarsch der k. k. Truppen in Mailand möglichst zu beschleunigen, denn der Pöbel hat die Zeit, in der die Stadt ohne Truppen steht, benützt und begeht aller Art Exzesse, die man leicht auf die schlimmste Art zu deuten im Stande wäre. Ich habe die Ehre zu versichern, daß mit Ausnahme dieser wenigen Übeltäter die Stadt ruhig ist und sich anschickt, die kaiserlichen Truppen geziemend zu empfangen.« Eine Stunde später war ein zweiter Brandbrief da: Schickt sofort Kavallerie, um die öffentlichen Kassen und die Häuser der Wohlhabenden vor Plünderung zu bewahren!

Zuerst hatten sie ihn nicht schnell genug hinausbekommen können, nun konnten sie ihn nicht schnell genug hereinbekommen – Radetzky nahm diese Wendung zur Kenntnis, ohne sich allzu sehr darüber zu wundern. Er war immer der Meinung gewesen, daß die liberale Bewegung in die demokratische Revolution übergehen und schließlich im Kommunismus enden würde. Er hatte es nie verstanden, daß sich Mailänder Aristokraten mit einheimischen wie dahergelaufenen Radikalen einlassen konnten; er dachte dabei an dumme Kühe, die ihre Metzger selber wählten. Und er hätte darauf wetten wollen, daß eine Dynastie, die sich wie die savoyische der Revolution in die Arme geworfen hatte, bald nicht mehr Herr im eigenen Hause sein würde.

Das Volk, von dem so viel geredet und für das so viel gefordert wurde, war für ihn nicht das arrivierte Bürgertum. Das Volk – das waren für ihn nach wie vor die Bauern. Von ihnen wußte er, daß sie von einem Krieg, für oder gegen wen auch immer, nichts wissen wollten. Und von ihnen erwartete er, daß sie sich daran erinnerten, wie lange ihnen Österreich Frieden und Wohlstand bewahrt hatte, und daß sie die Wiederkehr von Ruhe und Ordnung begrüßen würden.

Er hatte nicht falsch spekuliert. Nach dem Sieg bei Custoza hatte er – in einem Aufruf – den Lombarden »die Hand zur aufrichtigen Versöhnung« dargeboten. Als erste schienen Bauern sie anzunehmen. Schon wurden hier und dort die Österreicher mit dem Ruf »Vengano i nostri« empfangen, die anrückenden Unsrigen als Befreier begrüßt, und grüne Reiser geschwenkt für den, der da kam im Namen des Kaisers.

Und nun öffneten ihm die Mailänder ihre Tore, wobei es der die Interessen von Adel und Bürgertum vertretenden Stadtbehörde nicht schnell genug gehen konnte. Radetzky kam ihren dringenden Bitten entgegen, zog zwei Stunden früher als vorgesehen, am 6. August 1848, 10 Uhr vormittags, in die Stadt ein, der er vor neunzehn Wochen seine Wiederkehr angesagt hatte.

Er ritt auf seinem Schimmel, »in seinem grauen Röcklein, mit seinem kleinen Hute«, umgeben von Erzherzögen. Franz Joseph, der Thronfolger, war nicht mehr dabei; man hatte ihn an den Hof zurückgeholt, als es brenzlig geworden war. Die Soldaten des zweiten Armeekorps, die hinter ihrem Oberbefehlshaber einmarschierten, trugen grüne Reiser an den Tschakos. »Die Haltung der Bevölkerung«, berichtete Generaladjutant Schönhals, »war übrigens vollkommen freundlich. Man sah wohl manch finstere Physiognomie, auf der Haß und Rache deutlich geschrieben stand, aber doch bei weitem mehr uns wohlbekannte Gesichter, die mit stummen Freudentränen in den Augen uns für die Befreiung aus ihrer bisherigen Lage dankten.«

Der Feldmarschall zog in die Villa Reale, die Residenz des Vizekönigs, dessen Rolle er nun mit zu übernehmen hatte. Als erstes schickte er seinem Kaiser die Schlüssel der Stadt und einen Bericht: »Die Armee hat vor zwei Wochen von Verona aus ihre Offensive ergriffen; sie hat während dieser Zeit bei Sommacampagna, Custoza, Volta, Cremona, Pizzighettone und zwei Tage vor Mailand siegreiche Schlachten und Gefechte geliefert und ist nun den vierzehnten Tag Herr der lombardischen Hauptstadt; die Armee und ihre Führer glauben somit ihre Schuldigkeit für ihren geliebten Kaiser und das geliebte Vaterland treulich erfüllt zu haben, denn kein Feind steht mehr auf lombardischem Boden!«

Ferdinand I. nahm in Innsbruck das Großkreuz des Militär-Maria-Theresien-Ordens von der Brust und schickte es seinem Feldmarschall, der sich um Kaiser und Reich so verdient gemacht hatte. König Karl Albert war »eine Lektion über seinen Treubruch« erteilt, das nach der Vorherrschaft über Italien strebende Piemont in seine Schranken verwiesen. Über der Lombardei und Venetien, die Stadt Venedig noch ausgenommen, stand wieder der Doppeladler.

Vor allem dieses hatte Radetzky den Revolutionären aller Nationen und Fraktionen gezeigt: Das alte, für überlebt erklärte und bereits totgesagte Österreich war noch willens und in der Lage, sich zu behaupten, mit seinem Bestand das Bestehende zu verteidigen – mit einem Vielvölkerheer, das die Stärke und die Einheit des Vielvölkerreiches bezeugte.

Der einundachtzigjährige Feldmarschall stand am Ziel, das er sich selbst gesteckt und mit eigener Kraft erreicht hatte. »Ich würde mich gerne zurückziehen, da es mir wahrlich schon sehr schwer fällt, die Fatiguen auszuhalten; ich sehe aber, daß ich die Maschine, die noch nicht konsolidiert, noch nicht aus meiner Hand lassen kann.« Er konnte noch nicht wegtreten, mußte bleiben und bald wieder marschieren.

# *Novara und Venedig*

DER HYDRA DER REVOLUTION war erst ein Kopf abgeschlagen. An der Grenze zur Schweiz hielt sich noch die Freischar Giuseppe Garibaldis. In Turin wuchs die Opposition gegen den glücklosen König. In Rom war Pius IX. ein Gefangener der Geister, die er gerufen hatte. In Neapel hatte Ferdinand II. nach seinem reaktionären Gewaltstreich nur scheinbar das Heft in der Hand.

In Ungarn begann der Bürgerkrieg zwischen den Magyaren, die sich von Wien, und den Kroaten, die sich von Budapest losreißen wollten; er führte zum Unabhängigkeitskrieg der Magyaren gegen Österreich. In Wien, wohin der Hof voreilig zurückgekehrt war, tagte der verfassunggebende Reichstag – ohne Abgeordnete aus Ungarn und Lombardo-Venetien. Er verkündete die Gleichheit aller Bürger vor dem Gesetz und verfügte die Befreiung der Bauern von Feudallasten.

Und in Frankfurt am Main, dem Wahlort und der Krönungsstadt der alten Könige und Kaiser, am Sitz des Bundestages tagte die deutsche Nationalversammlung – unter Einschluß deutsch-österreichischer Abgeordneter. Selbst die Wahl von Erzherzog Johann zum Reichsverweser konnte nicht darüber hinwegtäuschen, daß das habsburgische Vielvölkerreich auch von der deutschen Nationalbewegung in Frage gestellt wurde.

Doch die Gegenrevolution formierte sich. In Mailand regierte der Militär Radetzky, in Prag – nach der Niederwerfung des Aufstandes – der Militär Windisch-Graetz. Der kaisertreue Kroate Jellačić marschierte gegen die kaiserfeindlichen Magyaren. »Warum gelang es der Armee allein, die Pflicht der Fahnentreue nicht zu vergessen?«, fragte sich Radetzky hinterher und fand die Antwort: Die Armee, von Zucht und Ordnung zusammengehalten, »unter humaner Leitung der Vorgesetzten«, habe wie ein »Familienverband« zusammengestanden. Die Armee basiere auf dem Volk und »die Revolution ging nicht vom Volke aus«, das »gerne und willig« dem Ruf zu den kaiserlichen Waffen, zur Verteidigung des Reiches nach innen wie nach außen gefolgt sei.

Der Fisch habe vom Kopf her zu stinken begonnen, das Übel – so Radetzky – habe wie immer in Wien gelegen. »Die zur Beratung Seiner Majestät des Kaisers Berufenen waren entweder uneins unter sich« oder ihnen »galt ihre Haut mehr als der Dienst.« Der Oberbefehlshaber in Italien hatte sich von diesen Herren im Stich gelassen gefühlt, nach seinem Rückzug aus der Hauptstadt der Lombardei ausgerufen: »Ein Trost bleibt mir, Wien, nicht Mailand hat mich besiegt!« Und hätten sie ihn dann nicht beinahe um seinen Sieg gebracht, als sie Mailand dem Feind als Friedenspreis angeboten hatten, während er dabei gewesen war, es auf eigene Faust für Kaiser und Reich zurückzuerobern?

Sein Erfolg schien sie nun zu genieren: Die Minister, die mehr nach der Volksgunst schielten als auf das Staatsinteresse schauten. Die Wiener, die nach Frankfurt starrten und die ihnen von Radetzky geschickten eroberten Fahnen nicht beachteten. Den Reichstag, in dem der Kriegsminister nach dem Wiedereinzug der Österreicher in Mailand gefragt wurde, »ob er schon auf eine Armeeverminderung vorgedacht habe«.

Dem neuen Kriegsminister Theodor Graf Baillet de Latour – den Radetzky schätzte – mochte es in einer solchen Situation schwergefallen sein, sich an seinen eigenen Erlaß zu halten, der verbot, »daß einzelne sich erlauben, gegen den ausgesprochenen Willen des Monarchen sich gegen die neue Gestaltung des Staatsgebäudes auszusprechen«.

Auch der Oberbefehlshaber in Italien mußte an sich halten, wenn er armeefeindliche Töne aus dem Staatsgebäude hörte, dessen Neugestaltung er grundsätzlich bejahte, wie er in seiner Antwort auf den Erlaß Latours bekannte: »Die Armee hat keinen Grund, mit großer Vorliebe an dem gefallenen System zu hängen. Dieses System war, wenn man es eine Despotie zu nennen beliebt, eine Zivil-, keine Militärdespotie, die Armee war vernachlässigt, hintangesetzt; es sprach sich daher auch durchaus kein feindseliger Geist gegen die freisinnigen Institutionen aus, die Seine Majestät Ihren Völkern erteilte.«

Doch die Armee sei vom reaktionären Regen in die revolutionäre Traufe gekommen. Sie werde nun »von den seinsollenden Vätern des Vaterlandes ein Feind der Freiheit, ein Despotenknecht genannt« und entsprechend behandelt. »So lohnten nicht Rom, nicht Griechenland, noch die blutige Republik Frankreich ihre Heere, ein solch unwürdiges Schauspiel der Welt zu geben, war der modernen Freiheit aufbewahrt.« Noch schwieg die Armee. Doch »könnte die Neuerungssucht sich so weit vergessen und die Rechte des Kaisers oder gar die Sicherheit seiner Person anzutasten, dann freilich könnten Dinge geschehen, die die junge Freiheit in Frage stellen würden«.

Die Leistung der Soldaten wurde bereits angetastet. Im Reichstag kam der Antrag eines patriotischen Abgeordneten nicht durch, in dem die Armee in Italien belobigt werden sollte: Ihre Einigkeit sei ein Vorbild für das ganze Reich, durch ihre Waffentaten habe sie sich »um die Ehre des Vaterlandes verdient gemacht«. Österreich unterdrücke die Italiener, erwiderte ein Volksvertreter, ein anderer plädierte für die Abtretung der Lombardei und Venetiens, ein dritter hielt ein Dankeschön für die Armee für undemokratisch.

Wenn so etwas schon am grünen Holz, im Wiener Reichstag, geschah, durfte man sich nicht wundern, wenn in der Frankfurter Nationalversammlung der norddeutsche, linksdemokratische Abgeordnete Arnold Ruge erklärte: »Wir, die Deutschen, müssen es wünschen, daß die Radetzkys aus Italien verjagt werden ..., daß die Tyrannen der Italiener, die Tillys der neueren Zeit, die Radetzkys geschlagen werden.« Selbst der preußische konservative Abgeordnete General Josef Maria von Radowitz meinte, daß Radetzkys Kampf »von vielen unter uns als ein fremder, ja antinationaler angesehen werde«.

Wenn schon, dann wollten viele Frankfurter Parlamentarier höchstens die Deutsch-Österreicher, auf keinen Fall die nichtdeutschen Österreicher im anvisierten Nationalreich haben. Österreichische Abgeordnete wandten sich gegen einen Anschluß der deutschen Kronländer, gegen eine Auflösung des Vielvölkerreichs – unter Zuspruch Radetzkys:

»Man werfe einen Blick auf die Karte und frage sich, ob es möglich ist, die deutschen Provinzen Österreichs aus einem Staatsverbande herauszureißen, in dem sie jahrhundertelang ihr

Glück und ihren Wohlstand gefunden. Glaubt man denn ernstlich in Frankfurt, daß das mit einem Votum möglich sei? In meiner Brust schlägt ein treues deutsches Herz, aber wahrlich, um diesen Preis müßte ich es zum Schweigen bringen. Man faselt viel in Deutschland von den Gefahren des Panslawismus; man tut aber wirklich alles, um dieses Gespenst zu verkörpern, denn schon ist Empörung fast identisch mit deutsch geworden. Österreich mit seinen nicht-deutschen Provinzen zählt 38 Millionen; möge man das in Frankfurt nicht vergessen, um sich nicht mit einem starren Deutschtum um einen solchen Bundesgenossen bringen. Österreich wird sich eher von Deutschland als von Österreich trennen. Die Zeit wird lehren, ob ich mich in meinen Ansichten irre.«

Was in Frankfurt debattiert wurde, blieb vorerst graue Theorie, was in Österreich geschah, war blutige Wirklichkeit. In der Hauptstadt Ungarns wurde am 27. September 1848 der kaiserliche Kommissar Lamberg ermordet; der Verfassungsstreit zwischen Wien und Budapest steigerte sich zur kriegerischen Auseinandersetzung. In der Reichshauptstadt wurde am 6. Oktober Kriegsminister Latour, der Truppen gegen die Magyaren schicken wollte, erschlagen und an einen Laternenpfahl gehängt. Die Garnison zog sich zurück, der Hof floh aus der Stadt – Wien war in der Hand der Revolution.

»Alles, was den Menschen heilig und teuer ist, was die Reiche gründet und erhält, will man vernichten, *das* und nicht die Freiheit ist der Zweck jener Aufwiegler«, kommentierte Radetzky, der am liebsten von Mailand nach Wien marschiert wäre, um die Aufständischen zu züchtigen. Das besorgte, im Verein mit Jellačić, Feldmarschall Windisch-Graetz, Oberbefehlshaber aller kaiserlichen Truppen – außer Radetzkys italienischer Armee. Wien wurde am 31. Oktober 1848 zurückerobert. Das Strafgericht konnte beginnen, das auch Robert Blum, einen Abgeordneten der Frankfurter Nationalversammlung traf – was Radetzky mißfiel: »Das schadet Österreich mehr als eine verlorene Schlacht.«

Doch ihm gefiel, daß auf dem Stephansturm wieder die schwarz-gelbe Fahne wehte, daß in Wien eine – wenn auch friedhofsähnliche – Ruhe und eine – vorerst nur mit Gewalt aufrechtzuerhaltende – Ordnung eingekehrt war. Und er begrüßte die Ernennung des Fürsten Felix Schwarzenberg zum Ministerpräsidenten. Er kannte ihn als fähigen Soldaten und geschickten Diplomaten, schätzte ihn als Politiker im Generalsrang und mit militärischem Auftreten, hielt ihn für den starken Mann, den der Staat in dieser Situation benötigte.

Schwarzenberg erfüllte diese Erwartung. Er verlegte den verfassunggebenden Reichstag von Wien nach Kremsier, in die Nähe der Festung Olmütz, in die sich Hof und Regierung zurückgezogen hatten, löste ihn ein paar Monate später auf und oktroyierte Österreich eine Reichsverfassung, staatsbürgerliche Rechte und nationale Gleichberechtigung, aber auch Monarchensouveränität, Einheitsstaat und zentralistische Regierung – eine Zusammensetzung, die im Sinne Radetzkys war: »Mit großem Jubel empfingen wir gestern die von Seiner Majestät erteilte Konstitution sowie die Nachricht der Auflösung des Reichstages. Glück dem Ministerrat zu diesem wichtigen, die Monarchie erhaltenden Schritt.«

Zunächst – am 2. Dezember 1848 – hatte Österreich einen neuen Kaiser erhalten – anstelle des verbrauchten Ferdinand I. den achtzehnjährigen Franz Joseph I., den Schwarzenberg für Wachs in seinen Händen hielt und Radetzky als Kaiserhusaren kennengelernt hatte, der »sich mehrmals im lebhaftesten Feuer befunden und die größte Ruhe und Kaltblütigkeit an den Tag gelegt«.

Der alte wie der neue Kaiser wußten, was sie dem Feldmarschall verdankten, und daß er nach wie vor vonnöten war. Kurz vor seiner Abdankung richtete Ferdinand I. ein Handschreiben an Radetzky, »dem Ich es unmittelbar verdanke, daß Ich die Monarchie ungeteilt in ihrer Integrität meinem geliebten Neffen und Nachfolger übergeben kann«. Franz Joseph I. schrieb ihm noch am Tage seiner Thronbesteigung: »Ich lade Sie ein als Mann von Ehre, Mir mit festem Sinne und freiem Worte zur Seite zu stehen. Ich bedarf Ihren Rat und Ihre Unterstützung.«

Zum 19. März 1849, seinem Namenstag, erhielt er ein Geschenk der Kaiserinmutter: Einen Doppeladler aus oxydiertem Silber, der in seinen Fängen ein Miniaturbild Franz Josephs hielt. Ein Zettel lag dabei, mit einem handgeschriebenen Gedicht der Erzherzogin Sophie:

»Der Du gedeckt den Kaiseraar,
Du Gottes starker Heldenschild,

O werd' der Mutter Dank gewahr,
In ihres Herrn und Sohnes Bild.«

Radetzky las das mit gemischten Gefühlen. Denn eine Woche zuvor, am 12. März 1849 war bei ihm, in der Villa Reale in Mailand, der piemontesische Major Cadorna erschienen. »Ich weiß schon, was Sie mir bringen und danke Ihnen«, begrüßte ihn der Feldmarschall und öffnete das übergebene Schreiben, das die erwartete Aufkündigung des Waffenstillstandes durch Sardinien-Piemont enthielt.

»Niemand bezweifelt hier den Wiederausbruch der Feindseligkeiten in balden«, hatte er am 15. Januar 1849 bemerkt, am 19. Januar hinzugefügt: Er sei »in voller Bereitschaft zum täglichen Aufbruch bereit«. Am 23. Januar hatte er notiert, »moralisch führt Piemont den Krieg im Stillen fort«, und am 1. Februar den offenen Krieg bis spätestens Ende März erwartet. Er forderte vom Kaiser 10 000 Mann Verstärkung, mit der Versicherung: »Dann werden Eure Majestät auch moralisch der Herr von ganz Italien sein.«

Davor hatte Karl Albert nun einen neuen Kampf gesetzt. Major Cadorna war irritiert, daß sich die österreichischen Offiziere vor Freude in die Arme fielen, als ihnen der Feldmarschall erklärt hatte: »Meine Herren, man hat uns den Waffenstillstand aufgekündigt!« Alle steckten grüne Feldzeichen auf, vor der Villa Reale musizierten die Militärkapellen und in der Scala – vor uniformiertem Publikum – erklang das »Gott erhalte unsern Kaiser.«

Zuversichtlicher als im Jahr zuvor zogen die Österreicher in den Krieg. 1848 hatte er mit dem Rückzug aus Mailand begonnen, 1849 begann er mit dem Vormarsch auf Turin. »Dort finden wir den Frieden, um den wir kämpfen«, hieß es im Armeebefehl Radetzkys, und: »Der Kampf wird kurz sein.«

DER FELDZUG DAUERTE FÜNF TAGE. Er begann am 20. März 1849, als der Waffenstillstand ablief, die Österreicher bei Pavia den Ticino überschritten, in Piemont einmarschierten. Und er endete am 24. März, als Viktor Emanuel, nach der Niederlage bei Novara und der Abdankung Karl Alberts, um einen neuen Waffenstillstand nachsuchte.

Radetzky hatte im Interview mit dem Korrespondenten der *Augsburger Allgemeinen Zeitung* nicht zu viel versprochen: »Gelobt wollen wir nicht sein, wo wirs nicht verdienen. Aber meine braven Offiziere und Soldaten werden Ihnen schon was Schönes zeigen.«

Schon der Ausmarsch war sehenswert. Mit Musik und wehenden Fahnen zogen die Truppen dahin, hinter jedem Bataillon die Schlachtochsen, an deren Hörnern Feldflaschen baumelten. Dem Stab trabten Serezaner voran, Reiter von der Militärgrenze, auf kleinen türkischen Pferden, mit roten Mänteln und Kappen. Stabsdragoner folgten, ungarische Husaren und Ulanen mit schwarz-gelben Fähnlein an den Lanzen. Und dann kam, mit glänzender Suite, der Feldmarschall. Der Zweiundachtzigjährige saß auf seinem Schimmel, von dem er – als man außer Sichtweite von Mailand gekommen war – abstieg, in einen mit vier Pferden bespannten Wagen umstieg.

»Via per Torino« hatte einer an die Porta Romana geschrieben, die nach Lodi führte, also in die entgegengesetzte Richtung. Radetzky wollte den Feind täuschen, dessen Hauptmacht zwischen Turin und Mailand stand. Er zog sich nicht, wie die Piemontesen annahmen, hinter die Adda, auf das Festungsviereck zurück. Bei San Angelo schwenkte er nach Pavia, überschritt den Grenzfluß und stieß dem Feind in die rechte Flanke.

Das war wieder ein echter Radetzky. Der Feldmarschall habe vorgehabt, hieß es im *Operationsjournal der Armee in Italien* unter dem Datum des 19. März, »bei Pavia den Ticino zu passieren, die auf beiden Po-Seiten verteilten feindlichen Streitkräfte in ihrem strategischen Zentrum zu sprengen, in einem Flankenmarsch von da auf Mortara gegen des Königs Hauptmacht vorzurücken, ihn aufzusuchen und zu schlagen«.

So kam es, so klappte es – wie es Radetzky vorgehabt hatte. In diesem Hauptquartier kommandierte nicht nur, sondern plante auch der Oberbefehlshaber; der Generalstabschef mußte und durfte ihm dabei helfen.

Feldmarschalleutnant Heinrich Freiherr von Heß war 1788 in Wien geboren, doch sein Vater war aus dem »Reich« gekommen, Protestant geblieben, Leiter des Studienwesens in Österreich geworden. Sein später geadelter Sohn behielt etwas Schulmeisterliches an sich, vergaß nie Luthers »Hier stehe ich und kann nicht anders«, pflegte stets eine gewisse Abneigung gegen Adel und Hof.

Bereits von 1831 bis 1834 war er Chef der Generalstabsabteilung bei Radetzkys italienischer Armee gewesen, hatte dessen »Manöverinstruktion« und »Feldinstruktion« mitgestaltet, ein gutes Zeugnis mitbekommen: Mit seinen seltenen Geistesgaben und entwickelten Kenntnissen werde er »in jedem Bezug ein richtiges Urteil im militärisch höheren Sinne fällen und mit Entschlossenheit ausführen«.

1848 war Heß Generalquartiermeister der Italien-Armee geworden – doch erst nach Santa Lucia eingetroffen, als Radetzkys Feldzugsplan bereits fix und fertig gewesen war. Die Mitarbeit des von ihm Angeforderten wußte der Oberkommandierende zu schätzen: »Ich verehre an dieser Stütze nicht nur alles Operative als selbst freundschaftlichste Hilfe; ich wurde instandgesetzt, die Truppen so zu organisieren, daß man im Juni eine offensive Bewegung unternahm.«

»Heß ist meine rechte Hand und arbeitet Tag und Nacht«, lobte Radetzky vor dem Feldzug von 1849. Danach erklärte er, Heß »gebührt der bei weitem größte Anteil an den Erfolgen« – doch mit der angebrachten Einschränkung: »Und führte ich, ihn an der Seite, die Armee zum gewissen Sieg.« Dem pflichtete Heß bei, nicht ohne Hinweis auf seine Mitwirkung: »Er hatte alles überlegt – in öfteren tiefdurchdachten Besprechungen.«

Als »Vater – den Gönner und den Freund«, bezeichnete der Generalstabschef seinen Oberbefehlshaber. Das Gönnen-Können, auch den Anteil am Siegeslorbeer, war eine liebenswürdige Eigenschaft Radetzkys. Und er wollte Heß nicht das antun, was dem Generalstabschef Radetzky der Oberkommandierende Schwarzenberg angetan hatte. Kein Zipfelchen des Ruhms hatte ihm dieser gegönnt, was besonders schäbig war, weil damals die erfolgreichen Pläne nicht vom Feldmarschall, sondern vom Feldmarschalleutnant stammten. Nun war es umgekehrt, der Oberbefehlshaber hatte die Pläne, die er auszuführen hatte, selbst gemacht – unter Mithilfe des Generalstabschefs, den er auch deshalb, fast übertrieben, loben konnte, weil er seiner Führungsrolle gewiß war.

Deshalb hatte er es auch nicht nötig, sich über die Rivalität zwischen Generalstabschef und Generaladjutant befriedigt zu zeigen, sie gar nach der Devise »Wenn zwei sich streiten, freut sich der Dritte« auszunutzen.

Feldmarschalleutnant Heß und Feldmarschalleutnant Schönhals waren sich spinnefeind. Ihr fast natürlicher Kampf um den dem Oberbefehlshaber nächsten Platz wurde durch die Verschiedenheit ihrer Naturen potenziert: hier der steife, trockene, nüchterne Heß, dort der Figaro-Typ Karl von Schönhals, ein Hesse, der so flink schrieb wie er sich fix bewegte, der dazu neigte, die Formulierung eines Problems bereits für dessen Lösung zu halten. Generaladjutant Schönhals verfaßte die Berichte für Wien und die Aufrufe an die Armee, trug auf diese Weise zum Ruhm Radetzkys bei. Ihn jedoch zum eigentlichen Sieger in Italien zu erklären, was gewagt wurde, wäre noch abwegiger als diese Rolle dem Generalstabschef Heß zuzuschreiben, was ebenfalls versucht worden ist.

Radetzky war und blieb die Nummer Eins – auch 1849. Er führte die Österreicher in die Flanke der Piemontesen, dirigierte seine Hauptmacht – nach dem ersten Erfolg bei Mortara am 21. März – Richtung Vercelli, wo er die feindliche Hauptmacht vermutete, und dirigierte sie Richtung Novara um, nachdem er erfahren hatte, daß Karl Albert dort stand. Er setzte, wie so oft, wohlüberlegt und doch risikoreich, alles auf eine Karte – und gewann.

Der 23. März 1849 war ein trüber Tag. Um 11 Uhr, nach dem Abkochen, griffen 15 000 Österreicher – das 2. Korps – 60 000 Piemontesen an. Gegen 4 Uhr nachmittags kam das 3. Korps zu Hilfe, gegen 5 Uhr setzte das 4. Korps zum Stoß in die Flanke des Feindes an. Als der Abend anbrach, trat das ein, was ein Patriot poetisch verklärte:

»Wenn Nacht umschlingt die müde Welt,
Von Wolken trüb und bleich,
Strahlt auf Novara's blutigem Feld
Der Stern von Österreich.«

Der Feldmarschall hatte die Schlacht persönlich geleitet. »Ich hatte das Glück, bei Novara lange an seiner Seite zu sein, und hielt ihm mehrere Male sein Fernrohr«, berichtete der Korrespondent der *Augsburger Allgemeinen Zeitung,* Friedrich Wilhelm von Hackländer, und vermerkte, »daß ich auf diese Dienstleistung mit Recht stolzer bin als vielleicht mancher Großwürdenträger, der seinem Fürsten die Krone vortrug«.

Nach der Schlacht wurde eine Krone niedergelegt und »auf dem Felde der Niederlage« wieder aufgehoben. König Karl Albert konnte den neuerlichen Triumpf der Österreicher nicht verwinden, die Auflösung seines Heeres, die Plünderung Novaras durch eigene Truppen nicht verschmerzen. Er sandte Minister Cadorna und General Lassato zu Radetzky, mit der Bitte um unverzügliche Einstellung der Feindseligkeiten. Sie wurde abgeschlagen.

Noch am Abend des 23. März 1849 rief Karl Albert Prinzen und Generäle zu sich und eröffnete ihnen: Er fühle, daß seine Person das einzige Hindernis eines Friedens sei, den das Königreich benötige. »So will ich meinem Lande das letzte Opfer bringen; ich lege die Krone nieder und entsage ihr zu Gunsten meines Sohnes.« Er umarmte alle, sagte Adieu und verließ Novara.

Eine Stunde vor Mitternacht kam ein Zivilist in das Bauernhaus, in dessen Küche der Kommandant des 4. österreichischen Armeekorps, Graf Thurn, mit seinen Offizieren saß. Er heiße Graf di Barge, habe als piemontesischer Kavallerieoberst seine Entlassung genommen, nach der verlorenen Schlacht und der Abdankung Karl Alberts. Er wolle sich auf seine Güter bei Nizza zurückziehen und erbitte einen Paß. Nachdem er ihn bekommen hatte, bestieg er wieder seinen Reisewagen, auf dessen Bock ein einziger Diener saß. Es war Exkönig Karl Albert gewesen, auf dem Weg ins Exil nach Portugal, wo der Fünfzigjährige wenige Monate später, am 28. Juli 1849, in Oporto starb.

»Jetzt gehört er der Geschichte an«, meinte die Marchesa Costanza d'Azeglio, »die vermutlich etwas ganz anderes aus ihm machen wird, als er wirklich war. Was man aber in Wahrheit wird sagen können, ist dies: Hätten alle sich geopfert wie er, die Sache wäre nicht verloren.« Man vergaß, daß er in einer ungünstigen Situation mit einem schlecht vorbereiteten und noch schlechter ausgerüsteten Heer einen neuen Waffengang gewagt hatte. Man vergaß, daß er kein Feldherr war, und auch mit der Berufung eines Obergenerals, des Polen Chrzanowski, keine glückliche Hand gehabt hatte. Man dachte nun vornehmlich an seine patriotische Gesinnung, seinen guten Willen, und an den Dienst, den er durch seine Abdankung der italienischen Sache erwiesen hatte.

»So gesehen, war die Niederlage Unterpfand der künftigen Größe der Dynastie«, meinte der italienische Historiker Adolfo

Omodeo. Der neue König, der neunundzwanzigjährige Viktor Emanuel II. habe sogleich das Entscheidende begriffen, daß nunmehr das Schicksal seines Königreiches an die Nationalstaatsbewegung gebunden sei. »Novara war nur eine Pause« – auf dem Marsch nach Rom, in dem die Denkmäler beider Savoyer von ihrer bleibenden Einschätzung durch die Italiener zeugen: dasjenige Karl Alberts steht versteckt in einem kleinen Park vis-à-vis der Seitenfront des Quirinals, dasjenige Viktor Emanuels steht auf dem Monumento inmitten der Hauptstadt.

Es hatte, am 24. März 1849, mit einem Canossa-Gang des neuen Königs zum Sieger begonnen. Radetzky ritt ihm entgegen, durch ein Spalier seiner »Hoch«, »Zivio« und »Eljen« rufenden Soldaten. In Novara, das weiße Fahnen zeigte, winkten ihm Frauen und Mädchen zu. In Vignale, einige Kilometer von Novara auf der Straße nach Borgomanero, in der Mitte des Dorfes erwartete der Feldmarschall Viktor Emanuel II. »Endlich kam der König auf der Straße einhergesprengt«, so der Augenzeuge Schönhals; »er war nur von wenigen, etwa 6 bis 8 Personen begleitet. Er mit seinem ganzen Gefolge trug eine Art polnischen Kostüms; uns, die wir diesen Hof öfters mit einer strengen, aber würdevollen Etikette umgeben gesehen hatten, kam diese Vermummung etwas sonderbar vor. Es war eben auch schon eine Revolution über ihn weggezogen.«

Mit vorrevolutionärer Höflichkeit behandelten sich Sieger und Besiegter. Der König küßte den Feldmarschall, dieser schenkte Viktor Emanuel dessen Rappen, der bei Mortara vom Regiment Gyulai erbeutet und ihm von Radetzky abgekauft worden war.

Der Ort der Unterredung war weniger standesgemäß: der Hof einer Meierei, eine ausgetrocknete Dungstätte, auf der sie zusammenstanden und etwa eine Stunde lang unter vier Augen miteinander sprachen. Radetzky legte Wert auf unmittelbare Verhandlungen mit dem Monarchen, weil er mit dessen konstitutionellem Ministerium nichts zu tun haben wollte, und weil er meinte, daß »ohne das Vertrauen des neuen Königs und die Wahrung seiner Würde kein Zustand in Piemont uns irgendeine Garantie der Ruhe des Landes für die nächste Zukunft geben kann«.

Eine leichte Abmilderung der schweren Waffenstillstandsbedingungen konnte Viktor Emanuel erreichen, der Radetzky vorgestellt hatte, daß eine Demütigung seinen Thron gefährde, seine Absicht durchkreuze, »der demokratischen Umsturzpartei Meister zu werden«.

So machte der Feldmarschall dem König das Zugeständnis, daß Alessandria, der einzige befestigte Platz Piemonts, nur zur Hälfte, von 3000 Österreichern besetzt werden sollte. Die Waffenstillstandsbedingungen empfand Viktor Emanuel noch hart genug: militärische Besetzung des piemontesischen Gebiets zwischen dem Po, der Sesia und dem Tessin; Rückzug der sardinischen Truppen aus Parma und Modena; Abzug der sardinischen Flotte aus der Adria, wo sie bisher die Belagerung Venedigs durch die Landmacht Österreich behindert hatte; Auflösung der Freischaren und Demobilisierung der Armee; unverzügliche Einleitung von Verhandlungen über »einen schnellen und dauernden Frieden«.

Der Waffenstillstand wurde am 26. März 1849 in Novara unterzeichnet – nicht in Turin, wohin zu führen Radetzky seinen Truppen zu Beginn des Feldzuges versprochen hatte, in die Hauptstadt des Feindes, wo er den Frieden hatte diktieren wollen.

Doch jetzt noch nach Turin zu marschieren, hätte er für einen billigen Triumph, eine überflüssige Anstrengung und ein konterproduktives Unterfangen gehalten. Da er in Turin, schrieb er nach Wien, »eine bedeutende Garnison hätte zurücklassen und dann doch auf Alessandria hätte zurückmarschieren müssen, um die auf dem rechten Po-Ufer noch befindlichen dreißigtausend bis vierzigtausend Mann à front renversé anzugreifen, so hätten sich selbe höchstwahrscheinlich nach Alessandria hineingeworfen und mich daselbst einige Zeit gefesselt; somit wäre meine Hauptstellung doch wieder in der Höhe dieser Festung gewesen. Ich zog daher das Sicherere, Gediegenere, der allgemeinen Lage der Dinge Angemessenere dem Ruhmvolleren vor, um so mehr, als es auch einerseits die diplomatischen Verwicklungen vermindert, je weniger wir uns den Alpen und den Grenzen des unsicheren Frankreichs nähern, andererseits aber die Stellung des Königs bei Beginn seiner Regierung beinahe unhaltbar würde, wenn durch Besetzung der Hauptstadt seines Königreiches seine Regierungskraft gelähmt gewesen wäre.«

Der Feldherr wie der Staatsmann hatte gesprochen. Südlich des Po stand noch eine intakte sardinische Armee, Venedig war noch nicht zurückerobert, Ungarn verließ unter Kossuth das Haus Habsburg, mußte wieder zurückgeholt werden. Radetzky durfte seine Armee, die schlagkräftigste Österreichs, nicht verzetteln und nicht verbrauchen.

Die militärische Lage gebot Vorsicht, die politische Lage Umsicht. Noch war die Revolution nicht besiegt, die Habsburgermonarchie nicht gesichert. In der Frankfurter Nationalversammlung debattierten »großdeutsche« Österreicher, in Ungarn kämpften Magyaren für ihre nationale Unabhängigkeit. Und in Italien gab es – auch nach der Zähmung Sardinien-Piemonts – Unruhe und Unordnung. In der Toskana hielten sich noch immer die Demokraten, auf Sizilien wurde gekämpft, und Rom war seit dem 9. Februar 1849 Republik – Pius IX. war gegangen, Garibaldi und Mazzini kamen.

Nichts wäre gewonnen und vieles aufs Spiel gesetzt worden, wenn Radetzky nach Turin marschiert wäre, härtere Friedensbedingungen erzwungen hätte. Außenpolitische Schwierigkeiten wären unvermeidlich gewesen – mit Frankreich, das den Ticino für seine Grenze, Piemont für seine Pufferzone hielt, und mit England, das auch auf der Apenninenhalbinsel für ein Gleichgewicht der staatlichen Kräfte und ein Übergewicht der modernen Ideen eintrat.

Nachsicht mit Viktor Emanuel war angebracht, weil man angesichts der Demokraten einen Monarchen nicht schwächen durfte. Und Rücksicht auf das Königreich Sardinien, das als Einigungsmacht Italiens zwar besiegt, aber nicht beseitigt werden konnte. Radetzky wollte keine Kriegsentschädigung und schon gar keine Gebietsabtretungen haben. Er wollte einen wenn schon nicht freundschaftlichen, so doch friedfertigen Nachbarn gewinnen – und einen Partner für die fällige Neuordnung Italiens.

Vom Ministerpräsidenten Schwarzenberg verlangte er, was Staatskanzler Metternich versäumt hatte: die Lega italica, eine italienische Union unter Einschluß Österreichs, »die Angelegenheiten Italiens gemeinschaftlich bei einem italienischen Kongresse aller Regierungen der Halbinsel dauernd und friedlich zu lösen« habe.

Der Deutsche Bund von 1815, den die deutsche Nationalbewegung für überlebt erklärt hatte und die deutsche Nationalversammlung beseitigen wollte, blieb sein Vorbild: Österreich müsse »aus freiem Antrieb« den italienischen Staaten »eine gewissermaßen selbständige Union« ermöglichen. Sie würde, »mit der Großmacht der gesamten österreichischen Monarchie aufs engste verbunden, ohne es zu wollen, durch die stille Suprematie dieses Reiches, die nur schützend und wohltätig einwirken könnte, in allen Schritten ihrer künftigen Entwicklung auf vernünftige und staatsmännische Weise geleitet«.

Es war eine österreichische Rechnung ohne den italienischen Wirt, das Rezept von 1815, mit dem der zweiundachtzigjährige Radetzky nicht nur die italienische, sondern auch die deutsche Krankheit kurieren wollte. Von einer Lösung der italienischen Frage in österreichischem Sinne erhoffte er sich Rückwirkungen auf Deutschland, eine Neubelebung des Deutschen Bundes im monarchischen Prinzip und mit dem Primat der Habsburgermonarchie: Dann werde Deutschland »in Österreich – je weniger selbes von allen Seiten revolutionären Feinden face bieten muß – endlich den Leiter der Geschicke seiner Zukunft und den einzigen wahren Freund erkennen, der es mit dem ganzen Gewichte seiner Macht ebenso vor demagogischem Treiben als vor exzentrischen Einheitsgelüsten bewahren kann«.

Das war Zukunftsmusik nach alten Noten. Die Dissonanzen drangen bis ins Londoner Exil Metternichs: »Radezky hatte gesagt, daß er erst in Turin die ihm beliebigen Bedingungen stellen würde. Unglücklicherweise vermied er es, nach Turin zu gehen, um dem neuen König nicht zu große Schwierigkeiten zu bereiten ... Ich fürchte, der Edelmut Radetzkys wird schlecht belohnt werden.« Auch Ministerpräsident Schwarzenberg, der Radetzky noch vor kurzem ermahnt hatte, »diplomatischen Verwicklungen vorzubeugen«, kritisierte nun: »Unser alter Feldmarschall versteht es, den Feind zu schlagen, mit ihm zu unterhandeln versteht er nicht«.

Platon hätte mit ihm zufrieden sein können, weil er von ihm aufgezählte Kardinaltugenden vorlebte: Weisheit im Planen, Tapferkeit im Krieg, Mäßigung im Sieg. Radetzky hätte es nicht nötig gehabt, sich für seine richtigen Taten zu rechtfertigen – und das in Worten, die Reaktionäre nicht befriedigten und Revolutionäre noch aufsässiger machten: »Wir wollten der Welt, wir wollten selbst unseren Feinden die Mäßigung erneut zeigen, die Österreich stets bewies. Wir bringen nicht Despotie, sondern Freiheit, vielleicht mehr Freiheit, als die Völker zu ihrem Wohl ertragen können.«

Kaiser Franz Joseph schickte dem glänzenden Sieger von Novara das Goldene Vlies, Ministerpräsident Schwarzenberg dem nachgiebigen Unterzeichner des Waffenstillstands den Minister Karl Ludwig von Bruck, der ihm die Friedensverhandlungen abnahm, eine Kriegsentschädigung von 230 Millionen Franc forderte.

König Viktor Emanuel wandte sich an »Mon cousin«, den Feldmarschall, faßte ihn am Portepee des Geistes von 1815, in dem das restaurierte Frankreich glimpflicher behandelt worden sei als das monarchische Sardinien, lobte das Maßhalten Radetzkys, tadelte die Unmäßigkeit Brucks und appellierte an den Partner von Vignale, zu seinem Wort zu stehen. Dieser schrieb zurück: »Noch immer beseelt von denselben Gefühlen der Achtung vor dem monarchischen Prinzip, die ich gelegentlich der Unterredung zu Vignale Eurer Majestät auszudrücken mir die Freiheit nahm, schätze ich mich glücklich, einen neuen Beweis zu liefern, indem ich das letzte Hindernis zur Unterfertigung des Friedensvertrages beseitige.«

Es blieb bei den gemäßigten Bedingungen des Waffenstillstands, doch um eine Kriegsentschädigung kamen Viktor Emanuel wie Radetzky nicht herum; sie wurde indessen auf 75 Millionen Franc ermäßigt. Am 6. August 1849 wurde der Friedensvertrag in Mailand unterzeichnet.

Die sardinische Deputiertenkammer in Turin verweigerte zunächst die Ratifizierung, weil keine Amnestie für die lombardischen Flüchtlinge vereinbart worden war. Hinter vorgehaltener Hand sprach man in Turin von einem »moralischen Sieg«. In Mailand murrte Generaladjutant von Schönhals über den »politischen Mißgriff«. Der alte Feldmarschall antwortete: »Wenn ich meinen Gegner nicht zum äußersten drängte, so geschah es, weil ich wußte, daß Gott die Mäßigung mehr als den Übermut des Siegers schätzt.«

»DAS NOCH ZUR RUHE UND ORDNUNG MANGELNDE wird sich machen«, hoffte Radetzky. Nach der zweiten und eine Zeitlang wirksamen Niederwerfung Sardinien-Piemonts war die österreichische Position in Lombardo-Venetien gefestigt, gewann die monarchische Reaktion in ganz Italien die Oberhand.

Österreichische Truppen stellten »die gesetzmäßige Ordnung der Dinge« wieder her – in Piacenza, Parma, Modena, in der Toskana und – im Verein mit Franzosen – im Kirchenstaat. Die Befreiung Roms hatte sich der neue französische Präsident, Prinz Louis Napoleon, vorbehalten; sein Marschall Oudinot zog am 3. Juli 1849, nach heftigen Kämpfen, in der Ewigen Stadt ein. Pius IX. folgte erst im April 1850.

Selbst im Lombardo-Venetianischen Königreich mußten noch Revolutionsherde ausgelöscht werden. Am 23. März 1849 – am Tag von Novara – hatte sich Brescia erhoben, unterstützt und angefeuert von ein paar tausend fremden Freischärlern. Die Beamten wurden verjagt, die Garnison im Kastell belagert, eine Revolutionsregierung gebildet. Einzelne österreichische Soldaten und Zivilisten, die sich nicht schnell genug in Sicherheit gebracht hatten, wurden mißhandelt, ja erschlagen.

Die Niederwerfung des Aufstands übernahm Feldmarschalleutnant Julius von Haynau, ein unehelicher Sohn des Kurfürsten Wilhelm I. von Hessen-Kassel und der Apothekertochter Rebekka Ritter. Italiener behaupteten, sein italienischer Sprachschatz habe nur aus drei Worten bestanden: Canaglia, fucilare, pagare. Auch im Kameradenkreis war er umstritten: Die einen hielten ihn für energisch, stolz und hart, die anderen für forsch, arrogant und brutal.

Radetzkys Urteil war gemischt. Einerseits bemerkte er, daß Haynau »mein bester und eifrigster Korpskommandant ist, so zwar, daß ich ihn stets von einem zum andern Korps-Kommando senden muß, da er der energischste ist, und mich versteht«. Andererseits erklärte er: »Er ist mein bester General; aber er ist wie ein Rasiermesser; wenn man es benützt hat, muß man es in sein Futteral zurückgeben.«

In Brescia wurde er benützt. Als die Stadt Haynaus Aufforderung, sich zu unterwerfen, nicht nachkam, ließ er sie stürmen. Am 31. März und 1. April 1849 tobte ein erbitterter und blutiger

Straßenkampf. Haynau, durch Grausamkeiten gegen verwundete Österreicher gereizt, gab Befehl, jeden niederzumachen, der mit der Waffe in der Hand ergriffen, und jedes Haus anzuzünden, aus welchem geschossen würde. Auf österreichischer Seite gab es 52, auf italienischer ein Mehrfaches an Toten.

Den Überlebenden legte Haynau eine Kontribution von sechs Millionen Lire auf. »Hyäne von Brescia« nannten ihn die Italiener, und was das bedeutete, bekamen bald die Magyaren zu spüren. Im Mai 1849 übernahm er als Feldzeugmeister mit unbeschränkten Vollmachten das Oberkommando in Ungarn, besiegte – mit russischer Hilfe – die Aufständischen, übte Rachejustiz, pazifizierte das Land auf seine Weise. Schließlich steckte Kaiser Franz Joseph das Rasiermesser ins Futteral zurück. Als der Pensionist Haynau sich von Graz nach London wagte, wurde er von Bierkutschern verprügelt.

Als letztes Bollwerk der italienischen Revolution fiel Venedig. Daniele Manin, Diktator der Republik von San Marco, verteidigte es hartnäckig und geschickt, mit Hilfe des neapolitanischen Generals Guglielmo Pepe und der ihm bereits 1848 zugeströmten italienischen Soldaten und Freischärler. Doch Novara hatte das Blatt auch zuungunsten Venedigs gewendet. Die sardinische Kriegsflotte, die der österreichischen überlegen war, mußte sich nach dem Waffenstillstand aus der Adria zurückziehen; eine Seeblokkade der Stadt konnte beginnen, der Belagerungskrieg von der Landseite her intensiviert werden.

Vor seiner Abkommandierung nach Ungarn war Haynau vor Venedig eingesetzt worden, hatte aber nur einen Teil der in ihn gesetzten Erwartungen erfüllt. In der Nacht vom 29. auf den 30. April 1849 wurden die ersten Laufgräben gegen das wichtigste, den Zugang zur Lagunenstadt beherrschende Fort Malghera ausgehoben. Am Mittag des 4. Mai eröffneten die ersten Batterien das Feuer. Mitte Mai, nach der Ablösung Haynaus durch Feldmarschalleutnant Graf Thurn, war das Fort immer noch nicht gefallen. Am Morgen des 24. Mai begann das eigentliche Bombardement. Nach drei Tagen, in denen 36 500 Projektile auf das Fort gefeuert worden waren, war es ein Trümmerhaufen. Daniele Manin zog die Überlebenden zurück.

Als Radetzky, der Anfang Mai beim Beginn der Beschießung

dabei gewesen war, wieder vor Venedig eintraf, wehte die schwarz-gelbe Fahne über Malghera. Doch Manin, den er schon damals vergeblich zur Kapitulation aufgefordert hatte, gab nicht auf. Die Österreicher setzten nun die von den Brüdern Uchatius hergestellten Luftbomben ein, Ballons, die Sprengkörper mit Zeitzündern gen Venedig trugen, doch keinen Schaden anrichteten. Wirksamer war der Einsatz von 17 schweren Geschützen mit 45 Grad Elevation, mit denen die weit draußen in der Lagune gelegene Stadt beschossen werden konnte. Am 30. und 31. Juli wurde sie von 2130 Geschossen getroffen.

Radetzky hatte zur Ultima ratio, dem schweren Belagerungsgeschütz gegriffen, weil er es nicht länger dulden konnte, daß die zweite Stadt des Lombardo-Venetianischen Königreiches immer noch den Kaiserlichen trotzte, und weil er es nicht mehr länger mitansehen wollte, daß seine Soldaten in der Sumpfluft der Lagune wie die Fliegen dahinstarben.

Die Venezianer waren nach siebzehn Monaten am Ende ihrer Widerstandskraft. In der Stadt wütete die Cholera, die Lebensmittel gingen aus, das Hartgeld schmolz dahin, das Papiergeld nahm überhand. Am 24. August 1849 ergab sich Venedig, zu milden Bedingungen: Es verlor – für zwei Jahre – das Freihafenprivileg, die Führer des Aufstands mußten die Stadt verlassen, alle anderen erhielten Generalpardon. Daniele Manin ging nach Paris, wo er Italienischstunden gab und stets daran dachte und immer davon sprach, daß mit seiner Vaterstadt das ganze Vaterland befreit werden müßte.

Am 30. August 1849 zog Radetzky in das seinem Kaiser wiedergewonnene Venedig ein. Die große Glocke von San Marco läutete und die Kriegsschiffe schossen Salut, als er an der Piazzetta landete und die Schlüssel der Stadt aus der Hand des Podestà entgegennahm. Venedig hatte zwar keine Tore, aber so verlangte es der Brauch, und die goldenen Schlüssel waren bereits für Napoleon angefertigt worden. Den Dankgottesdienst in der Markuskirche hielt der Patriarch; die Wandlung wurde von Geschützsalven annonciert.

Der Feldmarschall appellierte an seine Soldaten: »Als alles wankte um den ehrwürdigen Thron, da wanktet ihr nicht. Wie an den Felsen die Wogen des vom Sturm aufgewühlten Meeres sich brechen, so brach sich an eurer treuen Brust Verrat, Meineid und Empörung.« Und: »Friede und Versöhnung wird zurückkehren und Österreichs makellose Fahne wird wieder an der Spitze eines versöhnlichen Bruderheeres wehen, dem sie Jahrhunderte lang, in so mancher heißen Schlacht, ein Vereinigungspunkt, ein Führer auf der Bahn der Ehre und Pflicht gewesen.«

Die schwarz-gelbe, die kaiserliche Fahne – Radetzky hatte sie im Revolutionssturm hochgehalten. Der Dank des Hauses Habsburg war ihm gewiß, und er begab sich nach Wien, um ihn entgegenzunehmen.

# *Der Generalgouverneur*

EIN HOFGALAWAGEN stand für Radetzky am 13. September 1849 am Südbahnhof bereit, Ministerpräsident Schwarzenberg und Feldzeugmeister Jellačić begrüßten ihn, geleiteten ihn durch ein Spalier von begeisterten Wienern zur Hofburg, wo er wohnen durfte. Von »Jubelgeschrei, Blumenwerfen, Tücherwedeln etc. etc.« hörte Franz Joseph I., der selber nicht dabei war, das vorgesehene Diner im Schloß Schönbrunn nicht geben konnte, weil er mit einer Magenverstimmung im Bett lag.

Am Tag darauf empfing er den Feldmarschall, dem er so viel verdankte und dem er sich so dankbar zeigte. Das Goldene Vlies hatte er ihm bereits durch Erzherzog Wilhelm überreichen lassen, und durch Generaladjutant Grünne eine ihm zu Ehren geprägte Medaille mit der Widmung: »Summus Austriacum dux«. Nun verlieh er ihm ein Gut in Déva, doch Radetzky erbat sich dafür eine »äquivalente Summe«. Später schenkte ihm der Kaiser das Schloß Unterthurn bei Laibach, das der weiterhin in finanziellen Schwierigkeiten steckende Feldmarschall nicht erhalten konnte; Franz Joseph nahm es zurück, unter Erstattung der angefallenen Kosten.

Der Kaiser wußte, was er ihm schuldig war, vergaß ihm nicht die Bewahrung seines Thrones und die Rettung seines Reiches. Die k. k. Armee, die unter ihm und mit ihm die Habsburgermonarchie nicht nur verteidigt, sondern auch das zu Verteidigende verkörpert hatte, ehrte in Radetzky sich selbst, verehrte ihm einen goldenen, mit Edelsteinen verzierten Marschallstab. In der Verleihungsurkunde entfaltete Generaladjutant Schönhals noch einmal seine militärisch-patriotische Rhetorik: »Ihr erhabenes Beispiel wirkte mit magischer Kraft. Eine gleiche Begeisterung für die Erhaltung der Monarchie ergriff das ganze Heer; wie *ein* Mann reihte es sich um den Thron des Kaisers. Verrat und Anarchie floh besiegt vor der Macht der Tugend.«

Ähnlich tönte die Adresse der Wiener Nationalgarde, seltsam genug, weil sie an der Revolution nicht ganz unschuldig gewesen war. Nun suchte sie sich zu salvieren, mit einem prächtigen Ehrensäbel für den »Führer der heldenmütigen Armee in Italien«, wie die beflissene Widmung auf der Klinge lautete, und einem selbstbewußten Hinweis auf die veränderten Verhältnisse: »Die Verbrüderung des Kriegerstandes mit dem bewaffneten Bürgertum und die Verleihung der Verfassung« versinnbildlichte ein Relief auf der Scheide.

Die Stadt Wien, noch im Vorjahr die Hauptbastion der Revolution, verlieh Radetzky, einer der Hauptpersonen der Reaktion, das Ehrenbürgerrecht. Jeden Wiener, behauptete der Präsident des Gemeinderates, schmerze der Makel, »womit ein wahnsinniges Beginnen entfesselter Leidenschaften den reinen Spiegel seiner Ehre zu trüben wagte«. In der Urkunde hieß es: »Auf die höchste Stufe des Kriegs- und Bürgertums« sei »Graf Josef Radetzky, Feldmarschall und Großkreuz des Maria-Theresien-Ordens« durch die jüngste Vergangenheit gehoben worden, »als sein Name und sein Heer der alleinige Ausdruck von der einst gefürchteten Macht Österreichs waren«.

Franz Grillparzer, der Verfasser der Urkunde, repetierte sein »In deinem Lager ist Österreich«, und »die dankbare Armee in Italien« revanchierte sich beim »k. k. Herrn Hofrat Archiv-Direktor und des Leopold-Ordens Ritter« mit einem Ehrenbecher. Auch andere Dichter rühmten Radetzky, selbst Adalbert Stifter, der Künder des »sanften Gesetzes«:

»Denn, was nur als groß auf Erden besteht
Besteht aus Sitte und Treue.
Wer heute die alte Pflicht verrät,
Verrät auch morgen die neue.«

Poeten im zweiten Glied strapazierten das Lied von »Leier und Schwert«. Joseph Christian von Zedlitz, der 1809 mit Radetzky bei Wagram als Husar gefochten und dann den Pegasus bestiegen hatte, verfaßte 1848 einen poetischen Soldatenkatechismus mit dem Titel »Soldatenbüchlein«. Der Feldzeugmeister Albin von Teuffenbach dedizierte ein »Vaterländisches Ehrenbuch«, der Hauptmann Johann Mahl-Schedl von Alpenburg flocht einen

»Ehrenkranz«, der bayerische Gymnasialprofessor Franz Josef Adolf Schneidawind steuerte »Radetzky-Lieder« bei.

Der »Radetzkymarsch« von Johann Strauß, dem Vater, erklang am 22. September 1849 auf dem Glacis zwischen dem Burgtor und dem Schottentor, als der bald dreiundachtzigjährige Feldmarschall und der neunzehnjährige Kaiser den Vorbeimarsch der Wiener Garnison abnahmen. Drei Tage später starb der Komponist; sein letztes Opus, der »Radetzky-Bankettmarsch«, war unvollendet geblieben.

In der Walhalla bei Regensburg, dem Ruhmestempel aller Deutschen, stellte König Max II. von Bayern eine Radetzky-Büste auf. Die Anerkennung der europäischen Gegenrevolution drückte der französische Marschall Bugeaud aus: »Sollte der Bürgerkrieg in Frankreich ausbrechen, so würde ich keinen höheren Ehrgeiz kennen, als der Radetzky desselben zu sein.« Zar Nikolaus I. nannte ihn »einen wahren Helden der alten Zeit«, »den Hort aller Ordnung«, ernannte ihn zum Feldmarschall der russischen Armee und zum Inhaber des weißrussischen Husarenregiments. König Friedrich Wilhelm IV. von Preußen verlieh ihm den Roten-Adler-Orden erster Klasse mit Schwertern.

An den Befreiungskrieg von französischen Revolutionsideen und napoleonischem Imperialismus wurde Radetzky durch den Glückwunsch der Offiziere des königlich-preußischen Gardekorps erinnert. Die Kameraden in Berlin bekannten sich zur Waffenbrüderschaft von 1813 bis 1815, nannten den österreichischen Feldmarschall »unsern Feldherrn«, erklärten seine Sache für die Ihrige, feierten seine Siege wie die eigenen: »Sie gehören allen Soldaten deutscher Nation, die ihren Fürsten und ihren Fahnen treu geblieben sind und ewig treu bleiben wollen.« Und gaben der Hoffnung Ausdruck: »Möge der Tag nicht mehr fern sein, wo der Ruf des gemeinsamen Vaterlandes uns Gelegenheit gibt, Ihnen zu zeigen, daß wir noch die alten Waffenbrüder früherer Zeiten sind, stets und gern bereit, an der Seite unserer tapferen österreichischen Kameraden und mit ihnen gemeinschaftlich die Sache des Rechts zu verfechten und Schlachten zu schlagen.«

Die Adresse trug das Datum des 18. August 1848, war also nach Custoza verfaßt worden, erreichte den Adressaten jedoch erst am 14. April 1849. Das war nach Novara, wofür die Glückwünsche ebenso zutrafen, aber auch nach der Rückberufung der österreichischen Abgeordneten aus der deutschen Nationalversammlung in Frankfurt, die den König von Preußen zum Erbkaiser eines deutschen Reiches ohne Österreich erheben wollte.

Radetzky begrüßte es, daß die österreichischen Abgeordneten »eine Versammlung verließen, in der kein Österreicher mehr sitzen kann«, unter Parlamentariern, die herumzögen, »um hinter Barrikaden die Anarchie zu organisieren«. Und deren Mehrheit Österreich, »das eine lange Reihe von Kaisern dem deutschen Thron gegeben«, aus dem alten Bund und dem neuen Reich verstoßen wollte.

Doch »die gelehrten Herren in Frankfurt« würden Österreich nicht aus Deutschland hinausreden können. Noch lebe »deutscher Sinn und deutsche Treue in den Herzen deutscher Krieger«, noch gebe es in Deutschland Fürsten, »die eher unter den Trümmern ihrer Hauptstädte sich begraben, als dulden werden, daß Deutschlands Geschicke so unwürdig behandelt und zu Grabe getragen werden«.

König Friedrich Wilhelm IV. von Preußen schien dazu zu zählen. Er wies die vom Frankfurter Parlament angetragene Kaiserkrone zurück, dieses – wie er meinte – »Diadem aus Dreck und Letten der Revolution, des Treubruchs und des Hochverrats geknetet«. Für ihn käme nur eine Krone von Gottes Gnaden in Frage – die »aber vergibt keiner als Kaiser Franz Joseph – ich und unseresgleichen, und wehe dem, der es ohne uns versucht, und wehe dem, der sie annimmt, wenn ihr Preis der Verlust eines Drittels von Deutschland und der edelsten Stämme unseres deutschen Volkes ist«.

In diesem Sinne verstand Radetzky die Adresse des königlich-preußischen Gardekorps und beantwortete sie – nach Rücksprache mit dem Ministerrat – entsprechend: Nimmer solle der Bund zerreißen, den Österreich und Preußen im Kampf gegen Napoleon geschlossen und im Kampf gegen die Revolution von 1848/49 bekräftigt hätten. »Könnte je Bruderzwist diese Heere noch einmal spalten, dann ist es auf immer um Deutschlands Größe und Einheit geschehen.«

Das ganze Deutschland müßte es sein, aber »es soll es mit und durch seine Fürsten sein, denn nur durch Eintracht, nicht durch

Zwiespalt kann dieses Ziel erreicht werden. Möge das preußische, möge das österreichische Heer das Band sein, das Hohenzollerns und Habsburgs Throne unzertrennlich miteinander verbindet, dann werden die Wetterwolken entschwinden, die jetzt noch drohend den Horizont unseres deutschen Vaterlandes umhüllen.«

Das war der Geist der gegenrevolutionären, monarchischen und militärischen, gesamtdeutschen und europäischen Allianz von 1813, dem Radetzky immer noch verbunden war. Doch man schrieb das Jahr 1849, bürgerlicher Liberalismus und kleindeutscher Nationalismus, die gegen die habsburgische Vielvölkermonarchie wirkten, waren einzukalkulieren – und die preußische Staatsraison, die weg vom »friedlichen Dualismus« Preußens und Österreichs im Zeichen der Heiligen Allianz und hin zu einer kriegerischen Austragung der Rivalität der beiden Großmächte führte.

»Ob Fürstenehrgeiz oder aufgewiegelter Volksgeist uns in Bruderzwist und Verderben stürzen, das gilt gleich«, schrieb Radetzky dem königlich-preußischen Gardekorps. Dessen langjähriger Kommandeur, der spätere König und Kaiser Wilhelm I., war zwar mit dem Volksaufstand in Baden fertig geworden, wurde jedoch vom Fürstenehrgeiz erfaßt: »Wer Deutschland regieren will, muß es sich erobern«, erklärte er am 20. Mai 1849. »Daß Preußen bestimmt ist, an die Spitze Deutschlands zu kommen, liegt in unserer ganzen Geschichte.«

Selbst Friedrich Wilhelm IV., der mehr von den Kaisern des alten Reiches als von Friedrich dem Großen zu halten schien, auch dieser »Romantiker auf dem Throne« konnte sich den Forderungen der preußischen Staatsraison nicht verschließen. Getrieben von seinem aus einer ungarischen Familie stammenden, notorisch österreichfeindlichen Minister Josef Maria von Radowitz, und geschoben von kleindeutschen Ex-Abgeordneten der Nationalversammlung, versuchte er eine deutsche Fürstenunion ohne Österreich zu gründen.

Auf einmal lag Krieg in der Luft. Preußen ließ sich von seiner Unionspolitik nicht abbringen, weder durch Beschwörungen der Heiligen Allianz, noch mit diplomatischen Mitteln. Österreich verbündete sich mit Bayern, Württemberg, Sachsen und Hannover, betrieb die Restauration des alten, Wien wie Berlin umfassenden Deutschen Bundes, und begann zu rüsten. Schließlich standen sich Österreich und Preußen mobilisiert gegenüber.

Oberkommandierender der preußischen Armee war der dreiundfünfzigjährige Thronfolger Wilhelm, ein Berufsoffizier, der darauf brannte, endlich in seinen ersten richtigen Krieg zu ziehen. Und es für eine Ehre, wenn auch nicht für ein Vergnügen hielt, die Klingen mit Feldmarschall Radetzky kreuzen zu dürfen, »le plus grand capitaine de nos jours«.

Denn der Sieger von Custoza und Novara war zum Oberbefehlshaber gegen Preußen bestellt, nach Wien gerufen worden. Grundsätzlich willens, sich einem Ausschluß Österreichs aus dem deutschen Staatenbund zu widersetzen, klagte er über sein »fatales Schicksal, nach Böhmen zu gehen und das dumme Kommando der großen Armee zu übernehmen«, hielt er den drohenden Krieg »für ein entschiedenes Unglück«, denn ein Sieg würde viele Opfer kosten und sein Ergebnis wäre sie nicht wert.

Die k. k. Armee zweifelte nicht daran, daß der Vierundachtzigjährige noch imstande gewesen wäre, einen neuen Krieg zu führen, der schwieriger und härter als die Feldzüge in Italien geworden wäre: »Vom Rollstuhl aus noch hätte er, durch seinen Anblick allein, die Armee zum Siege geschickt«, meinte sein Ordonnanzoffizier Graf Schönfeld.

Im letzten Moment griff Zar Nikolaus I. ein, der es nicht mitansehen wollte, wie sich zwei reaktionäre Mächte zur Freude und zum Nutzen der Revolution zerkriegten. Im Vertrag zu Olmütz gab Preußen seine kleindeutsche Unionspolitik auf und trat dem von Österreich wiedererrichteten Deutschen Bund bei.

Der Kaiser bedankte sich bei seinem Feldmarschall »für den erneuten Beweis Ihrer mit jugendlicher Raschheit an den Tag gelegten Bereitwilligkeit«. Und: »Sollten es die Umstände abermals erheischen, so gibt mir Ihre ruhmvolle Laufbahn das Recht, auf Sie als den tapferen Verteidiger der Ehre Meiner Krone in jeder Gelegenheit zu zählen.«

Radetzky war froh, daß er nach Hause, zurück nach Italien konnte. Bevor seine Lebensuhr ablief, wollte er die dort begonnene Aufgabe fortführen, womöglich zu Ende bringen: nach der Niederwerfung der Revolution die Wiederaufrichtung der österreichischen Herrschaft.

DER NEO-ABSOLUTISMUS beruhte auf der Dreiheit von Monarch, Armee und Bürokratie, und sein Repräsentant im Lombardo-Venetianischen Königreich war diese Dreieinigkeit in Person: General-, Zivil- und Militärgouverneur, Vertreter des Kaisers, Behördenchef und Befehlshaber der 2. Armee.

Doch Radetzkys Machtfülle war nicht so groß, wie es schien, und seine Machtausübung nicht so unumschränkt, wie es Franz Joseph I., der ihm dieses dreifache Amt übertragen hatte, und auch der Amtsinhaber selber für erforderlich gehalten hätte.

Schon die Wahl des Amtssitzes konnte eher für ein Eingeständnis der Schwäche als der Stärke gelten. Er wurde nicht mehr das unruhige, zu nahe an Turin gelegene Mailand, sondern das von Weißröcken wimmelnde Verona, die Zitadelle des Festungsvierecks, in die Mitte des in Schach zu haltenden Lombardo-Venetiens postiert, aber auch am Rande der schützenden Alpen und am Beginn eines Rückzugsweges gelegen.

Verona war eine schöne, doch keine bedeutende Stadt. Das mittelalterliche Milieu war der Restauration angemessen, ohne sie attraktiver zu machen. Die Erinnerung an den Ostgoten Theoderich den Großen wurde gepflegt, der bei Verona den römischen Patricius Odoaker besiegt hatte, respektive an Dietrich von Bern, wie König und Stadt in der deutschen Heldensage hießen. Die deutschen, jedenfalls deutschsprechenden Österreicher waren hier unter sich, bei der Arbeit wie beim Vergnügen, was die Langeweile wachsen und die Intriguen wuchern ließ.

»Die neue Wohnung ist für einen Kreishauptmann gut und schön, für einen Generalgouverneur schlecht«, bemerkte Radetzky. Er trauerte der Villa Reale in Mailand nach und fühlte sich auch dadurch beengt, daß seine Frau wieder bei ihm wohnte. »Niemals recht essend, stets naschend, daher ohne Hunger und nie recht gesund«, beschrieb er sie der Tochter. »Die Mutter ... spricht am liebsten von Euch, Ihr Lieben, zahlt fleißig Abend beim Tarock; ich bin diesen Sommer mehr auswärts als zu Hause.«

Ein Idyll à la Philemon und Baucis war das nicht, und auch im Parterre, in der Kanzlei, hatte er wenig zu lachen. »Ich bin der Pantaleone«, klagte der Mittachtziger, »muß mich abarbeiten, den Freund aller Narren spielen, während oben die Konfusion herrscht.«

Am meisten Freude machte ihm noch das Militär, seine 2. Armee mit vier Landesmilitärkommandos in Verona, Mailand, Triest und Laibach, und fünf Armeekorps. Er war nun siebzig Jahre Soldat, der Dienstbetrieb war ihm in Fleisch und Blut übergegangen, auch wenn die Dienstfertigkeit nachließ. An die neue Adjustierung, die langschößigen, doppelreihigen Waffenröcke anstelle der frackartigen Uniformen konnte er sich nur schwer gewöhnen, wenn er auch das Urteil des Militärschriftstellers Carl von Torresani teilen mochte: »Mit einfachen Mitteln, durch künstlerische Farbenzusammenstellung und gefälligen Schnitt, ohne alles Pompöse oder komödienhafte Beiwerk, wurde eine Wirkung erzielt, wie man sie sich schöner kaum denken kann.«

Im Grunde wollte er keine schöne, sondern eine starke Armee. Und – wie sein ganzes Soldatenleben lang – hatte er weiterhin über die Unterschätzung des Militärs durch das Zivil zu klagen: »Solange bei den obersten Behörden der Wahn besteht, die Armee sei ein notwendiges Übel, kann eine zweckentsprechende Friedensorganisation nur als ein Unding angesehen werden. Die Armee ist ein Bestandteil des Gesamtwesens des ganzen Staates und bringt in Anwendung die Kraft des gesamten Wesens in der Verteidigung. So wie die Bürgerpflicht jeden einzelnen fähigen Mann ohne Unterschied zur Verteidigung aufruft, ebenso sind die nicht hierzu berufenen zum Beitrag für das Bestehen des Heeres verpflichtet.«

Doch immer wieder dasselbe mußte er konstatieren: Kaum war ein Krieg, trotz mangelhafter Vorbereitung, mit letzter Anstrengung gewonnen, wurde die Rüstung schon wieder abgebaut, die Armee verringert – und die Bürokratie vermehrt. Bereits ein Jahr nach Novara habe die Mobilmachung von 1850 bedenkliche »Blößen und Mängel aufgedeckt«. Sie zu bedecken und zu beheben geschah nichts, im Gegenteil: »In Wien will man reduzieren, ich protestiere; soll es wieder so fortgehen, so werden sie es mir nicht übel nehmen, wenn ich mein Binkl (Ränzlein) schnüre.«

Darauf warteten immer mehr, und zeigten immer weniger Skrupel, entsprechend nachzuhelfen – in Wien und sogar in seinem eigenen Bereich. »Der Feldmarschall ist eine Null, ein Spielball in den Händen seiner Umgebung«, behauptete Albert Graf Montecuccoli, Zivilsektionschef des Generalgouverneurs, respektlos gegenüber Radetzky und eifersüchtig auf dessen militärischen Stab – in dem es auch schwarze Schafe gab. Der Militäradlatus Johann Baptist Graf Nobili intrigierte gegen seinen Oberkommandierenden. Sogar Generalstabschef Ludwig von Benedek, der sich gern »Radetzky Nummer Zwei« nennen ließ, bemerkte, daß »Radetzky Nummer Eins« seinen Bürden nicht mehr gewachsen sei, und beteiligte sich am Ränkespiel.

Die Fäden hielt in Wien Karl Graf Grünne in der Hand, der allmächtige Generaladjutant des Kaisers. Zunächst wagten sie sich an den Sohn, Oberst Theodor von Radetzky, den zweiten Adjutanten des Feldmarschalls. So berichtete es der Vater: »Am 14. telegraphiert Grünne an Benedek: Trachte, daß Oberst Radetzky um seine Pensionierung als General einschreite, Benedek schreibt an Nobili, daß er es beschleunige. Am 16. kommt Benedek mir es zu erzählen, an eben dem Tag meldet Nobili und sendet das dem Theodor zur Unterschrift vorgerückte Gesuch gefertigt ein, am 17. Juni sende ich es ab, und bitte seine Majestät um die Enthebung des Armee-Kommando. Welche Folgen hieraus entstehen, weiß ich nicht, aber als Mann war ich mir diesen Schritt schuldig, mich nicht meiner braven Truppe als Puppe vorzustellen.«

Man fragte ihn nicht, wenn man seine Armee reduzierte, man fragte ihn nicht, wenn man seinen Adjutanten, den eigenen Sohn, pensionierte. Er mußte ein Exempel statuieren – und erhielt Genugtuung. »In Wien desavouiert man Benedek und Nobili. Seine Majestät sendete den Generaladjutant Kellner mit einem von eigener Hand durchaus huldvoller Güte Schreiben an mich zur Aufforderung der Fortsetzung meiner Dienste«, berichtete er am 23. November 1852. »Mir bleibt nun nichts übrig als faire bon mine au mauvais jeu, zu kuschen und fortzurudern.«

Aber es tat ihm gut, von seinem Kaiser hofiert zu werden, der ihm bescheinigte, daß »Ich noch vor kurzem die freudige Überzeugung persönlich Mir verschafft, mit welcher Frische des Geistes und des Körpers mit stets gleich auszeichnender Weise Sie das Commando Meiner zweiten Armee führen«. Und ihn bat, »Mir Ihre wahrhaft unersetzlichen Dienste noch ferner zu widmen«.

Natürlich hörte er es auch gern, wenn ihm von Offizieren versichert wurde, welche hohe Ehre es sei, unter ihm dienen zu dürfen. Der Preuße Prinz Kraft zu Hohenlohe-Ingelfingen verstieg sich zu dem zweideutigen Kompliment: »Diese 2. Armee war in der Tat der übrigen Armee so weit voraus, daß ich zuweilen in die Täuschung versetzt ward, ich lebe unter preußischen Offizieren.« Der Gardeartillerist und Militärschriftsteller machte auch das eindeutige Kompliment, »daß hunderttausend Österreicher, richtig geführt, imstande seien, einem Gegner von zweihunderttausend Mann innerhalb des Festungsvierecks einen siegreichen Widerstand zu leisten«.

Radetzky hatte dieses Heer geschaffen, es 1848/49 richtig geführt, wäre gegen einen neuen Angriff von außen gewappnet gewesen. Zunächst mußte er es im Lombardo-Venetianischen Königreich selber einsetzen, gegen die inneren Fortwirkungen von 1848/49.

Die 2. Armee glich einer Besatzungstruppe, die das Österreich mit Waffengewalt erhaltene Oberitalien vorerst nur im Belagerungszustand beherrschen konnte. Doch mit militärischen Mitteln sollte ein politischer Zweck erreicht werden: die Einfügung des Kronlandes in den österreichischen Einheitsstaat. So hatte es Ministerpräsident Schwarzenberg proklamiert, so wollte es Innenminister Bach praktizieren – weniger mit der zentripetalen Kraft der Einheitsverfassung, die am 31. Dezember 1851 ohnehin aufgehoben wurde, als mit der von Wien aus bis in die letzten Winkel des Reiches wirkenden Bürokratie.

Als Militärgouverneur hatte Radetzky seine Vollmachten vom neo-absolutistischen Monarchen. Als Zivilgouverneur unterstand er dem neo-bürokratischen Innenminister, und seine Zivilsektion war auf Bach und nicht auf Radetzky ausgerichtet. Diese Ungereimtheit führte zu Unstimmigkeiten.

Über »Vielschreiberei und Bürokratie« beklagte er sich beim Innenminister. Es gebe schon zu viele Beamte und es würden immer mehr. 1853 stieg »in diesem kleinen Teil der Monarchie« ihre Zahl um 1030 auf 7130, und mit ihr die Anzahl der politisch Unzuverlässigen, ja Staatsfeinde unter den Einheimischen. »Schon jetzt kommt der Fall vor, daß Erzrevolutionäre Anstellungen erhalten und wieder rechtliche Anhänger der Regierung durchfallen.«

Mit wenigen Offizieren könnte er die Verwaltungsgeschäfte

rascher und zuverlässiger führen, erklärte er Bach, der ihm erwiderte: »Der Italiener wird nicht eher daran glauben, daß wir für den Besitz von Italien eher unseren letzten Kreuzer, unseren letzten Mann in die Schanze schlagen müssen, wenn nicht die Administration wieder in einen normalen Zustand zurückgeführt wird. Dies ist aber nur möglich, wenn die Statthaltereien den laufenden Geschäftsdienst gleich den Statthaltereien in den anderen Kronländern versehen.«

Was Bach am grünen Tisch im fernen Wien für normal hielt, war für den Kenner von Land und Leuten noch lange nicht annehmbar. Österreichs italienische Frage war zentralistisch schon gar nicht zu lösen. Radetzky schwebte eine – nicht zu weit gehende und unter Kontrolle gehaltene – Autonomie für die italienischen Provinzen vor: Nur so könnte, wenn überhaupt, das Lombardo-Venetianische Königreich der Habsburgermonarchie erhalten und Österreich in Italien präsent und potent bleiben.

Ein erster, wenn auch eher theoretischer Schritt in diese Richtung war das in den »Grundsätzen für organisatorische Einrichtungen in den Kronländern« von 1852 enthaltene kaiserliche Versprechen: »Im Lombardo-Venetianischen Königreich ist die daselbst bestehende Gemeindeordnung mit dem Vorbehalt allfälliger durch Erfahrung hervorgerufener Verbesserungen aufrechtzuerhalten.«

Wer jedoch sollte darüber befinden, der Generalgouverneur in Verona mit seinen Offizieren oder der Innenminister in Wien mit seinen Statthaltern in Lombardo-Venetien? Der Militär, der den Italienern eine gewisse Autonomie gewähren wollte, aber mit dem Belagerungszustand regieren mußte? Oder die Beamten, die sich zwar zivil benahmen, doch die Lombardei und Venetien in den österreichischen Einheitsstaat einzuschmelzen gedachten?

Die militärischen und die zivilen Gewalten, de jure im Amt des Generalgouverneurs vereint, strebten de facto auseinander, wirkten in der Praxis gegeneinander. »Tritt aber neuerdings Spaltung der Gewalten ein und bekämpfen sich das Zivil und das Militär«, orakelte Radetzky, »dann sind wir in Kürze, wo wir 1848 waren.«

Der Spalt verbreiterte sich. Am 1. Mai 1853 wurde der Belagerungszustand aufgehoben. Der Generalgouverneur erhielt einen Ziviladlatus, den Diplomaten Bernhard Graf Rechberg, und einen

Militäradlatus, den General Johann Baptist Graf Nobili. Der Dualismus war nun organisiert und personifiziert. »Viele Ratsherrn versalzen die Suppe«, meinte Radetzky. »Der Staat gewinnt nichts hiebei.«

Einiges gewannen die Lombardei und Venetien. Die Landwirtschaft, das Lieblingskind Radetzkys, blühte auf: Reis, Getreide, Futtermittel, Milchprodukte, Wein. Die Industrie kam wieder in Schwung: Seide und Baumwolle, Sicheln und Nägel. Der Eisenbahnbau kam nur langsam voran; 1857 entfielen von 11 582 Bahnkilometern in ganz Österreich 913 auf Lombardo-Venetien. Venedig, dessen Bevölkerung auf 120 000 abgesunken war, wurde von Triest und seinem Hafen überflügelt. Mailand florierte, zählte 210 000 Einwohner.

Adel und Großbürgertum, die Träger der italienischen Nationalstaatsbewegung, wurden unter Druck gesetzt, was ihre wirtschaftliche Entwicklung, gesellschaftliche Entfaltung und politisches Avancement kaum aufzuhalten vermochte. Die Kleinbürger suchten sich den Großbürgern anzuschließen, das Industrieproletariat begann sich zu formieren. Die Volksmasse war immer noch die Bauernschaft, die Radetzky weiterhin für die einzige, wenn auch nicht mehr unbedingt verläßliche Stütze der österreichischen Herrschaft hielt. In optimistischen Momenten vermeinte er einen für Österreich positiven Wandel im Bürgertum zu bemerken, da »jeder Besitzer Angst vor dem Übergang der Nationalität zum Kommunismus hat«.

Die pessimistischen Stimmungen überwogen. Die jetzige und auch schon ein Teil der künftigen Generation sei durch die Revolution verdorben, könne daher »noch lange bloß allein durch die Furcht vor physischer Gewalt im Zaum gehalten werden«. Das war eine Aufgabe des Generalgouverneurs, die ihm die Zivilisten nur zu gern überließen: die Züchtigung und Bändigung eines Volkes, das er für unverbesserlich und unbezähmbar hielt.

Als Gerichtsherr besaß der Generalgouverneur »das unbeschränkte Straf- und Begnadigungsrecht« in allen Hochverratsfällen. Der Kaiser hatte ihn ermächtigt, »alle über Hochverräter geschöpften Urteile ohne jede Beschränkung kundmachen und vollziehen« zu lassen, was Strafumwandlungen und Gnadenerweise nicht ausschloß.

Es war eine schwere Last. Wie er seine Befugnisse auch auslegen und ausführen mochte, er konnte es nicht recht machen: Die italienischen Patrioten würden Strenge als Brutalität und Milde als Schwäche anprangern, seine Vorgesetzten in Wien könnten ihm das eine wie das andere als politischen Fehler ankreiden.

Und er lag mit sich selber im Widerstreit. Einerseits wußte er: »Hierlands haben allgemeine Gnadenakte nur immer die Wirkung gehabt, daß alsogleich wieder neue Verschwörungen hervortraten.« Andererseits war ihm klar, daß Härte »das Pazifikationsgeschäft« im Lombardo-Venetianischen Königreich erschweren würde. Von Natur aus zum Nachgeben, durch Erziehung zum Entgegenkommen neigend, litt er unter dem, was er tun mußte. »Die unaufhörlichen Verurteilungen und Bestrafungen, zu denen ich verpflichtet wurde, tun mich erdrücken, und doch ist nichts anderes zu tun, als wachen, und in steter Bereitschaft zu leben. Wahrlich eine traurige Existenz.«

Was hieß überhaupt Hochverrat? »Wer etwas unternimmt, wodurch die Person des Kaisers verletzt oder gefährdet oder eine Verhinderung der Ausübung seiner Regierungsrechte bewirkt werden soll, oder was auf eine gewaltsame Veränderung der Regierungsform oder auf Losreißung eines Teiles von dem einheitlichen Staatsverband oder Länderumfange des Kaisertums oder auf Herbeiführung einer Gefahr für den Staat von außen oder einer Empörung im Innern angelegt wäre« – der beging, nach österreichischem Recht, das Verbrechen des Hochverrats.

Genau das wollten national gesinnte, liberal-demokratische Lombarden und Venetianer: die Regierungsgewalt des Kaisers über Italiener nicht mehr anerkennen, die neo-absolutistische Regierungsform verändern, die italienischen Provinzen von Österreich losreißen, ein neues Einschreiten Sardinien-Piemonts herbeiführen und einen neuen Aufstand im Lombardo-Venetianischen Königreich anzetteln.

Und sie wollten es nicht nur in Gedanken, sondern zunehmend auch durch Taten: Agitation, Subversion, Aktion. Für Österreicher war das Hochverrat, nicht für Italiener. Sie beriefen sich auf das Naturrecht der freiheitlichen Selbstbestimmung, auf die Jahrhundertforderung nach Nation und Konstitution. Bereits die Bürger von Brescia hatten Haynau erklärt, durch ihre kraft eigenen Willens vollzogene Vereinigung mit Piemont befänden sie sich in ihrem Widerstand gegen die österreichische Fremdherrschaft auf legalem Boden.

Auf das positive Recht, die in der Habsburgermonarchie geltenden Rechtsnormen, auf die von ihnen erlassenen und zur Geltung gebrachten Gesetze beriefen sich die Österreicher. Staatsangehörige – und auch die Lombarden und Venetianer waren österreichische Staatsangehörige –, die gegen diese Rechtsordnung verstießen, mußten zur Rechenschaft gezogen werden. Dazu war der Staat verpflichtet. Das war er der Gesellschaft schuldig, der Recht und Gesetz garantiert werden mußten und Ruhe und Ordnung bewahrt werden sollten. Dabei wurde der Staat vom geltenden Völkerrecht gedeckt, das jeden Staat ermächtigte, Unruhen im Innern zu unterdrücken.

So sah es Radetzky, mußte er es sehen, sich ex officio als Generalgouverneur und Gerichtsherr pflichtgemäß verhalten. Er rechnete mit der »historischen Hinneigung der Italiener zur Verschwörung«, war überzeugt, »daß die Umtriebe der Umsturzpartei hier Landes allenthalben ihre Comités haben« und begegnete ihrem Voranschreiten: »Die unzufriedene Partei hier zu Lande wie überall geht ihren Weg fort, wir aber auch verfolgen unsern Gang und lassen nach gefälltem Urteil Pfaffen und Advokaten erschießen.«

Und eine Frau auspeitschen. Im August 1849 demonstrierten Mailänder gegen die Feier des Sieges über die Ungarn, vor allem gegen die Ehrung des Siegers – des verhaßten Haynau. Unter den Verhafteten, die mit Stockstreichen bestraft wurden, befand sich eine Signorina – ein liederliches Frauenzimmer, wie die Österreicher, eine Sängerin, wie die Italiener sagten. Die Kosten der Exekution stellte die Militärbehörde dem Magistrat in Rechnung, für verbrauchte Stöcke, Essig und sonstiges Zubehör. »Solche Taten entehren die Gerechtigkeit«, kritisierte Johann Philipp von Wessenberg, der 1848 österreichischer Ministerpräsident gewesen war. »Was die Sache verschlimmert, ist, daß die an ihrem Podex so profanierte Donna sehr schön, formosa corpore virgo, sein soll. Sie wird ganz interessant werden.«

»Sie schlagen Weiber«, hieß es fortan, was beinahe für unverzeihlicher gehalten wurde als härtere Maßnahmen gegen Verschwörer. 1850 erhielt ein Mann namens Ciceri zehn Jahre Festung, weil man bei ihm Mazzini-Scheine gefunden hatte – von dem in London lebenden Erzverschwörer Giuseppe Mazzini illegal ausgegebene Anteilscheine einer Nationalanleihe zur Finanzierung der Revolution. Der Denunziant, Dr. Alessandro Vandoni, wurde bei hellichtem Tag auf der Straße erstochen; der Täter entkam.

1851 wurde in Venedig ein Agent Mazzinis, Luigi Dottesio, wegen Einschmuggelns von Propagandamaterial gehängt, in Mailand der Bürger Antonio Sciesa wegen Anschlagens aufrührerischer Manifeste erschossen, in Mantua der Priester Grioli wegen versuchter Aufwiegelung böhmischer Soldaten füsiliert.

Eine regelrechte Verschwörung wurde 1852 aufgedeckt. Bei dem verhafteten Priester Enrico Tazzoli, dem Haupt des Mazzini-Komitees in Mantua, fand man eine Liste von Anleihezeichnern und Mazzini-Agenten. Es wurde bekannt, daß in seinem Haus über einen Anschlag auf Franz Joseph I. gesprochen worden war: Der Kaiser sollte in Venedig entführt und unter Morddrohung zum Verzicht auf sein Lombardo-Venetianisches Königreich gezwungen werden.

Es gab Verhaftungen und Verurteilungen. Eine Deputation Mantuaner Damen, mit dem Bischof an der Spitze, bat Radetzky um Gnade. Durch seinen Generalstabschef Benedek ließ er ausrichten: »Es bestehen höhere, unwiderrufliche Entschlüsse.« Radetzky schrieb am 11. Dezember 1852 seiner Tochter: »Mit dem Strange sind 5, 12 andere mit Festungsarrest auf 12 Jahre die vergangene Woche in Mantua und wegen Hochverrat und beabsichtigtem Mord am Kaiser exequiert worden, 38 andere werden noch folgen und heute trifft die Meldung eines gegen mich abgeschickten Mörders von Mailand ein, den man in sichere Haft gebracht hat. So leben wir, dem ohnerachtet heute großes Casino, Musik und Tombola, Ciniselli Kunstreiter, Abendunterhaltung sind vorzüglich.«

Zwei Monate später, im Brief vom 12. Februar 1853 aus Verona, erfuhr die Tochter Erfreuliches: »Den 7. war Ball sehr zahlreich und animiert«, und Erschreckliches: »In der Nacht vom 6.

zum 7. kam die traurige Botschaft von dem aufrührerischen Tumult in Mailand, der schon auf Mazzinis Anordnung in Lugano vorbereitet war.«

Die Österreicher waren von Turin darauf aufmerksam gemacht worden, das Truppen an die Grenzen geworfen hatte, um das Einsickern von Emigranten aus Sardinien-Piemont nach Lombardo-Venetien zu verhindern. Die Österreicher schienen dies nicht sonderlich ernst genommen zu haben. Es war Karneval – und im Karnevalstreiben begann die Revolte, überfielen Maskierte österreichische Soldaten in Mailand.

Am 6. Februar nachmittags, berichtete Radetzky, »brachen Haufen des niedrigsten Pöbels an verschiedenen Punkten mit Dolchen hoch tragend auf einzelne Posten, deren sie sich bemächtigten, sowie der zufällig auf der Gasse gehenden Soldaten. Die Wache an der Burg am hintern Eingang ward überfallen und mittelst eines Nagels am Schilderhaus aufgenagelt, so brachen sie von hinten in die Burg und wollten die Hauptwache überrumpeln, was verhindert wurde. 10 tote Soldaten mit ausgestochenen Augen, aufgeschnittenen Bäuchen und 54 Soldaten blessiert, meist gefährlich, sind eingebracht, 3 blessierte Offiziere.«

Die Österreicher schlugen zurück. »Die Offiziere«, berichtete Radetzky, »liefen in die Kasernen und sendeten starke Patrouillen aus, wodurch 449 Spitzbuben eingebracht sind; am 8. wurden 6 vor dem Kastell mit dem Gesicht gegen die Stadt gehangen und 1 tot geschossen, am 10. abends 5 und so wird es fortgehen«. Schließlich waren es 15 Hinrichtungen.

Die Polizei habe geschlafen, tadelte der Generalgouverneur. Die Regierung, bisher lasch genug, übertreibe nun die Buße: Die Stadt Mailand mußte den blessierten Soldaten eine lebenslängliche Rente und der ganzen Garnison eine Zulage zahlen. Das Vermögen der gefaßten wie der geflüchteten Empörer wurde beschlagnahmt. Und nicht die Militärs, sondern die Zivilisten drängten auf sofortige und strengste Bestrafung: Der Generalgouverneur werde ersucht, »die bei den gestrigen Auftritten eingebrachten Individuen sogleich standrechtlich behandeln und die standrechtlichen Urteile womöglich noch im Laufe des heutigen Tages mit dem Strang vollziehen zu lassen«, hatte ihm Innenminister Bach am 9. Februar 1853 telegraphiert.

Die Italiener hielten sich an den Generalgouverneur, erklärten ihn zum Hauptschuldigen. »Radetzky hielt die wiedereroberten Provinzen unter einem Joch von Eisen und erstickte alle Versuche in Blut«, urteilte der Historiker Adolfo Omodeo. Sein Kollege Alessandro Luzio billigte ihm wenigstens mildernde Umstände zu: Seine eiserne Überzeugung, das Habsburgerreich erhalten zu müssen, »erklärt die Grausamkeit Radetzkys, der guten Gemütes und im Grunde liebevoll war«.

Der französische Schriftsteller Henri Blaze de Bury, ein Zeitgenosse, versuchte ihn zu verstehen: »Auch an ihn trat der Zwang heran, die Durchführung der Kriegsgesetze anzubefehlen; in solchen Fällen zeigte sich der alte Soldat, wieweit sich seine großmütige Natur gegen diese traurige Pflicht sträubte und wie er mehr der Gnadengewährung zuneigte.«

Der alte Mann war mit dem, was er tun mußte, und wie er es tat, immer weniger einverstanden, mit der Welt und mit sich selber unzufrieden. »Die Stimmung im Lande wird täglich schlechter«, die nationale und konstitutionelle Entwicklung war nicht rückgängig zu machen, höchstens aufzuhalten. Und dies versuchte er, mußte er mit Mitteln versuchen,die ihm nicht gefielen und von denen er sich nur wenig versprach.

»Ich sitze und erwarte, was mit mir und den mir zugewiesenen Truppen geschieht, denn so kann es nicht bleiben, und es muß a oder b eintreten« – a wie Revolution, die er zunehmend fürchtete und b wie Reaktion, zu der er, der einstige Kritiker des Metternichschen Systems und des russischen Regimes, immer mehr hingedrängt wurde.

Dem von der Revolution gestürzten Staatskanzler schickte er ins Londoner Exil eine Geschichte des Feldzugs in Italien, sozusagen die Res gestae der Gegenrevolution, und gab der Hoffnung Ausdruck, Metternich bald wieder in Wien zu sehen. Das zaristische Rußland, an dem ihm nicht nur die Expansion nach außen, sondern auch die Repression im Innern mißfallen hatte, wurde ihm – seit der gemeinsamen Niederwerfung des ungarischen Aufstandes – zunehmend sympathischer, wenn auch nicht so weitgehend, wie es Prinz Alexander von Hessen, der Schwager des Zaren Alexander II., bemerkt zu haben glaubte: »Der alte Radetzky ist russisch bis in die Fingerspitzen.«

Immerhin sagte Radetzky nun von sich selber: »Ich plaudere wie ein alter Absolutist, und vergesse, in welchem Jahrhundert wir leben.« Doch nicht nur Italiener, sondern auch Franzosen und Engländer sorgten dafür, daß er es nicht vergaß.

»OB ES BESSER WIRD, zweifle ich, da man wohl nicht den König von Piemont zwingen kann, den statuto, den er beschworen, abzuschwören, und so bleibt der alte Zustand in Italien.« Er verschlechterte sich, jedenfalls für Österreich. Viktor Emanuel II. hielt am konstitutionellen System fest, in der Hoffnung, es eines Tages über die ganze Nation ausbreiten zu können. Und er hatte einen Ministerpräsidenten bekommen, der den politischen Willen wie die staatsmännische Fähigkeit dazu hatte: Graf Camillo Benso di Cavour.

Als Innenpolitiker gemäßigt-liberal, erwies er sich in der Außenpolitik als Diplomat alter Schule, der – je nach Situation – ebenso geschmeidig wie hartnäckig sein konnte. Sein erster Zug gegen Österreich war genau berechnet: Cavour protestierte gegen die nach der Mailänder Revolte verfügte Beschlagnahme des Besitzes der nach Piemont emigrierten Lombarden und Venetianer. Er rief den sardinischen Botschafter aus Wien zurück. Und er prangerte die andauernde Besetzung von Parma, Modena, der Toskana und Teilen des Kirchenstaates an – als Beweis für die anhaltende Absicht des Kaiserreichs, seinen Imperialismus und Neo-Absolutismus italienischen Staaten aufzuzwingen.

Cavours Demarchen waren weniger gegen Österreich gerichtet, als auf England und Frankreich gezielt. Das Echo war entsprechend. In London hatte Lord Palmerston wieder einmal Anlaß, das reaktionäre Österreich zu verdammen, und Sardinien-Piemont, den Vorkämpfer der italienischen Freiheit und Einheit, seiner ständigen Sympathie und seines allfälligen Schutzes zu versichern. In Paris regierte Napoleon III., der in den Fußstapfen Napoleons I. den europäischen Völkern die Segnungen der Französischen Revolution bringen und zugleich die Macht Frankreichs ausdehnen wollte. Der alte Carbonaro förderte die italienische Nationalbewegung, der neue Kaiser protegierte Sardinien-Piemont als Pufferstaat zwischen Frankreich und Österreich.

Als Cavour 1853 Österreich die Stirn bot, wäre Radetzky am liebsten wieder marschiert. Nach wie vor fürchtete er die Piemontesen nicht, doch er scheute vor den internationalen Weiterungen zurück. »Ein zweiter Krieg ruft Frankreich zuverlässig nach Italien.« Und ihn störte die Komplizenschaft »Lord Firebrands«, wie Palmerston genannt wurde, mit allen und besonders den italienischen Brandstiftern: »Solang England an der Spitze nicht aufhört, Europa zu Grunde zu richten, ist kein Absehen der Beendigung der Umsturz-Partei.«

Schon marschierten im Krim-Krieg Frankreich und England an der Seite der Türkei gegen Rußland – neben Österreich das andere Bollwerk der Heiligen Allianz. Die Habsburgermonarchie stand vor einem Dilemma: Einerseits mußte sie den Expansionsdrang Rußlands fürchten, andererseits hatte sie den Zaren im Kampf gegen die Revolution gebraucht und würde ihn weiter brauchen. Einerseits hätte sie im Verein mit Frankreich und England den russischen Imperialismus eindämmen können, andererseits wäre eine Hinwendung zum Westen ihrem reaktionären System abträglich gewesen.

Neutralität schien der Ausweg zu sein – auch für Radetzky. Rußland könne man freie Hand lassen, solange seine territorialen Forderungen nicht österreichische Interessen berührten. Die Westmächte könne man gegen Rußland marschieren lassen, wenn England seine revolutionäre Propaganda einstelle und Frankreich Piemont nicht gegen Österreich ermuntere. »Hierdurch gewinnt Österreich die Sicherheit seiner Staaten und die ruhige Stellung seiner Armee, was dem Grundprinzip der Finanzschonung entsprechen muß. Alles übrige deutet auf schwankende Unentschlossenheit und führt zum Abgrund. Ich glaube, der gerade Weg dürfte auch in der diplomatischen Welt zum Wahren führen.«

Der gerade Weg – das hätte der Stratege von 1813 eigentlich wissen müssen – war nicht einmal im Militärischen, geschweige denn im Politischen unbedingt der richtige Weg zum Ziel. In der Situation des Krim-Krieges war es überdies fraglich, welches der gerade Weg für Österreich gewesen wäre – eine eindeutige Hinwendung zu Rußland, eine eindeutige Hinwendung zu den Westmächten oder ein konsequenter Mittelweg?

Es wurde ein Zickzackkurs. Radetzky neigte mehr und mehr

zu den Russen, mit denen man Arm in Arm die Revolutionäre besiegt hatte und nun Hand in Hand den Balkan teilen könnte: für den Zaren die Moldau und Walachei, für den Kaiser Bosnien, die Herzegowina und Belgrad.

Das erinnerte an die Teilung Polens. Damals war freilich ein Dritter mit im Bunde gewesen, und dieser Dritte störte jetzt so sehr Radetzkys Neutralitätskurs, daß er – wie auch die offizielle Außenpolitik – einige Striche nach Westen abfiel. In der Hinwendung zu Petersburg war Berlin wie immer Wien um Nasenlängen voraus. Wenn Preußen in seiner pro-russischen Politik fortfahre, meinte er, bliebe Österreich nichts anderes übrig, als sich den Westmächten zu nähern.

Denn weil er »die Falschheit Preußens nicht verkenne und den festen Glauben hege, daß Preußen nur die schickliche Gelegenheit abwartet, auf unsere Kosten abtrünnig zu werden und sich mit den Feinden Österreichs zu verbinden«, war er durch dessen vermutete Abkehr vom gemeinsamen Mittelweg der deutschen Mächte und dessen befürchteter Kehrtwendung nach Osten alarmiert. Preußen wolle »sich hierdurch auf Kosten Österreichs vergrößern, es trennt sich von Österreichs Politik und zerreißt die Einigkeit Deutschlands«.

Preußen und immer wieder Preußen. Kaum war es – mit russischer Hilfe – in den von Österreich präsidierten Deutschen Bund zurückgezwungen worden, schien es – durch eine Anlehnung an Rußland – die Gewichte in diesem Bund zu seinen Gunsten verschieben zu wollen. Das gefährdete den Primat Österreichs, die Einigkeit im Deutschen Bund und damit dessen europäische Friedensrolle im allgemeinen und gegenwärtige friedensvermittelnde Aufgabe im besonderen, die ein gemeinsames Auftreten der neutralen deutschen Großmächte voraussetzte.

Nun, Preußen wie Österreich blieben in dem 1853 von Rußland begonnenen und 1856 von Rußland verlorenen Krim-Krieg neutral. Gewinn daraus zog nur Preußen. Seine faktische, doch mit Sympathieerklärungen an die russische Adresse verbundene Neutralität wurde in Petersburg als wohlwollend empfunden. Es konnte damit rechnen, daß ihm Rußland Gleiches mit Gleichem vergelten würde, wenn es daran ginge, Österreich vom ersten Platz in Deutschland zu verdrängen.

Österreich hingegen war nur in der Theorie neutral geblieben, hatte in der Praxis die Westmächte begünstigt und durch seinen Truppenaufmarsch die Russen am Einsatz ihrer vollen Kräfte auf der Krim gehindert. Das wurde in Petersburg als unfreundlicher, ja feindseliger Akt qualifiziert. Österreich verlor seinen Heiligen-Allianz-Bruder und behielt seinen machtpolitischen Erzfeind.

Durch den Krim-Krieg wurde das europäische Staatensystem umgestaltet – zuungunsten Österreichs, das es 1815 maßgeblich geschaffen hatte. England war noch mächtiger und reicher geworden; denn – wie Radetzky anmerkte – »durch den Krieg sind alle Werkstätten und Kaufleute beschäftigt, und das bringt Gold, und Gold ist der englische Gott«.

Frankreich wurde die Vormacht auf dem Kontinent, was Radetzky noch weniger gefallen konnte. Denn Napoleon III., der sich für den eigentlichen Sieger im Krim-Krieg hielt, war der Appetit auf Lorbeeren beim Essen gekommen. Die nächsten lockten in Italien. Der Franzose wollte es dem Österreicher heimzahlen, daß dieser im Krim-Krieg nicht offen an seine Seite getreten war. Der durch Volksabstimmung berufene Empereur wollte den Kaiser von Gottes Gnaden in die Schranken des 19. Jahrhunderts fordern. Der Neffe Napoleons I., der seinerzeit Italien geeint hatte, wollte die Habsburger ein für allemal von der Apenninenhalbinsel vertreiben, einen Nationalstaat errichten – mit und durch seinen Verbündeten Sardinien-Piemont.

Cavour hatte sich dem mächtigen und ehrgeizigen Nachbarn als Bundesgenossen angedient. Er hatte Piemont an die Seite der Westmächte geführt, 15 000 Mann auf den Kriegsschauplatz Krim geschickt und bei den Pariser Friedensverhandlungen die italienische Frage zum erstenmal auf einem internationalen Kongreß aufgeworfen. Der Samen war ausgestreut, das Korn wuchs heran, und ein Teil der Ernte konnte schon 1859 eingebracht werden: die Lombardei als Frucht des französisch-piemontesischen Krieges gegen Österreich. Und 1866 Venetien als Ertrag des preußisch-italienischen Krieges gegen Österreich.

Das sollte er nicht mehr erleben. Doch der alte Radetzky begann zu ahnen, daß er auf verlorenem Posten stand. Nun bereute er es, daß er 1849 Viktor Emanuel so nachgiebig behandelt hatte, in der Erwartung, mit der Monarchie in Sardinien-Piemont die Position Österreichs in Italien zu festigen. In Napoleon III. hatte er zunächst den Überwinder der Revolution, dann einen Opportunisten gesehen, dem »Absolutismus wie rote Republik gleichviel« gelte, »wenn ihm nur die Zügel der Regierung in Händen bleiben«. Und nun mußte er in ihm den Protektor der italienischen Nationalbewegung erkennen und fürchten.

Und die Heilige Allianz war endgültig zerbrochen. In Rußland war Nikolaus I. aus Gram über den Bündnisverrat Österreichs gestorben, und der neue Zar, Alexander II., dachte nicht nur daran, sondern sprach auch davon, daß es dafür bestraft werden müßte. In Preußen war König Friedrich Wilhelm IV., der dem Habsburger den Vorrang vor dem Hohenzoller einräumte, unheilbar erkrankt; in Prinz Wilhelm stand ein Thronfolger bereit, die Rivalität zwischen den beiden deutschen Großmächten mit dem Schwert auszutragen. Und in Wien herrschte ein Mittzwanziger, ließ durch sein Vorzimmer regieren – Franz Joseph I., mit dem der neunzigjährige Feldmarschall »nicht reden« konnte, sich immer weniger verstand.

»Ich bin froh, alt zu sein«, bekannte er der Tochter, und legte ihr nahe, die Kinder »vorzüglich in der Geschichte« unterrichten zu lassen. Die Geschichte sollte den Jungen als »ein Spiegel der Betrachtung der lebenden Zeit« dienen. Ihm galt sie als der Rückspiegel der alten, seiner Zeit.

# *Heldenberg*

»DA WIR ES NUN NICHT ÄNDERN KÖNNEN, so tragen wir jeder unser Bündel, solang es Gott will.« Die Vorsehung wollte dies länger, als ihm lieb sein konnte. Der Geist war immer noch rege, doch der Körper verfiel zusehends.

»Der berühmte Greis war schon ganz zusammengetrocknet und dadurch ganz klein«, bemerkte der preußische Gardeoffizier Prinz Kraft zu Hohenlohe-Ingelfingen, ziemlich forsch, doch nicht ohne Respekt. »Aber sein Geist war bis nach dem Essen ganz frisch; er bewegte sich langsam und schwerfällig, aber er ritt noch, nachdem er sich aufs Pferd hatte heben lassen, recht munter auf sehr frommen Pferden.« Und wenn er auch etwas Mumienhaftes an sich hatte, »seine Sprache war aber lebendig und klar. Seine unteren Augenlider waren gelähmt und hingen herunter, das innere Rot nach außen kehrend und fortwährend tränend. Aber seine Sprache war so herrlich, gewinnend und wohlwollend, daß man sich bald daran gewöhnte, wenn man mit ihm sprach.«

Wie alt war er eigentlich? Als Hohenlohe-Ingelfingen in Verona war, feierte man – ganz richtig – am 2. November 1855 seinen 89. Geburtstag. Aber »im Geheimen flüsterten die Adjutanten, er sei noch einige Jahre älter«. Sie glaubten einen neuen Tithonos vor sich zu haben. Für ihren Geliebten hatte Eos, die Göttin der Morgenröte, von Zeus Unsterblichkeit, aber nicht ewige Jugend erbeten – so daß er immer älter und kleiner wurde, bis er zu einer Zikade zusammengeschrumpft war.

»Ich bin über mich selbst ruhig und lebe soweit, als ein Alter gesund sein kann, gesund und zufrieden«, beschrieb der Greis sein Befinden. Doch zunehmend hatte er über seinen Gesundheitszustand zu klagen. »Heuer hat mir der Winter böse zugesetzt, und noch kann ich meinen Husten nicht verlieren«, vermeldete er bereits im Frühjahr 1853. Sein Augenübel wurde schlimmer, und im Herbst 1854 erkrankte er ernstlich, doch »für diesmal war es noch nicht der Wille Gottes, mich abzuberufen«.

Ein Jahr später wurde er »auf einmal mit Schwindel überfallen, und daher gezwungen, mich des Reitens ganz zu enthalten, darüber meine Meldungen Se. Majestät erstattet, aber nicht die Pensionierung erhalten, sondern aufs Fahren verwiesen und richte mich nun darauf ein«. Der Zuspruch aus Wien und der Wein aus Karlowitz halfen ihm dabei.

Den Wein liebte auch die Gemahlin, doch ihr bekam er nicht. »Der Wein hat sie verdorben, und nur der Wunsch nach selbem zeigt, wo es fehlt, der Unmut, daß man ihr keinen gewährt, erschwert den Gang der Krankheit, der heute noch keine Gefährlichkeit ausspricht«, schilderte er am 10. Januar 1854 den Zustand seiner Frau. Plötzlich wurde es schlimmer. Am 12. Januar 1854 starb die dreiundsechzigjährige Gräfin Radetzky an einer Lungenlähmung.

»Der Feldmarschall befindet sich körperlich vollkommen wohl und überstand die schwere Prüfung mit gewohnter Charakterstärke. Er hat sich auf zwei Tage nach Desenzano entfernt«, telegraphierte Ziviladlatus Rechberg am 13. Januar 1854 der Tochter, Gräfin Friederike Wenckheim. Der Witwer beantwortete das Kondolenzschreiben des Kaisers: »Nachdem der Allmächtige mein Leben nicht zugleich zu sich nahm, so hätte es seinen Wert verloren, wenn es beim Anblick so huldreicher allerhöchster Gesinnungen nicht mit frischer Kraft versorgt würde.«

Doch der Tod stand schon vor ihm, und er hatte seine Angelegenheiten zu ordnen, nicht zuletzt seine Finanzen. Dabei konnte er auf einen alten Bekannten und bewährten Helfer in Geldnöten zählen, Joseph Gottfried Pargfrieder. Er hatte als Armeelieferant so viel Geld verdient, daß er sich bemüßigt fühlte, der Armee und auch sich selber ein ausgefallenes und auffallendes Denkmal zu setzen: den Heldenberg in Klein-Wetzdorf bei Stockerau, unweit von Wien.

Einen Hügel neben seinem Schloß bestückte Pargfrieder mit Büsten von Theresienordensrittern und Trägern der Goldenen Tapferkeitsmedaille, von österreichischen Heerführern und Habsburgerkaisern. Und mit einem Obelisken, der sich über einer Gruft erhob, in welcher der Armeelieferant einst ruhen wollte, flankiert von zwei Feldmarschällen. Einen hatte er schon bestattet, Max von Wimpffen. Der ehemalige Generalstabschef des Erzherzogs Karl hatte seine sterblichen Überreste dem Pargfrieder vermacht, der für seine Schulden aufgekommen war. Der zweite Feldmarschall sollte Radetzky sein, der noch berühmter war und kaum weniger Schulden hatte.

»Schaun's, der Kerl, der Pargfrieder, kommt immer und quält mi, i soll ihm meinen Leichnam testamentarisch vermachen, daß er mi in seinem Park von Stockerau bei Wien begraben kann. Ich hab's ihm auch versprochen, aber t'an hab i's noch nit, denn i hab mer halt denkt, wann i's tu, stirb i glei, und i mag no nit«, soll Radetzky im Herbst 1855 zu Hohenlohe-Ingelfingen gesagt haben.

Am 2. November 1855 verfügte er testamentarisch: »Ich bitte meinen alten Freund Pargfrieder, bei welchem ich in seinem Park zu Wetzdorf am Heldenberg, zur Seite meines alten Freundes, Marschall von Wimpffen, beigesetzt zu werden wünsche, der Testamentsvollstrecker meines letzten Willens zu sein, dessen Ausspruch alles überlassen bleibt.« Pargfrieder hatte sich anscheinend bei seiner finanziellen Gegenleistung nicht lumpen lassen. Dank des »Wundermannes Pargfrieder«, schrieb Vater Radetzky am 7. Februar 1856 der Tochter Friederike, sehe er »ruhig dem Tag des Ablebens unbekümmert und Gott dankbar der letzten Stunde entgegen«.

Franz Joseph dachte an die Kapuzinergruft als würdige Ruhestätte für seinen berühmtesten Feldmarschall. Vorerst brauchte er ihn noch. Im Herbst 1856 begann er eine Rundreise durch das Lombardo-Venetianische Königreich, und dabei wollte er zwei Personen zur Seite haben: seine junge Frau Elisabeth, deren strahlende Schönheit vielleicht die italienischen Untertanen auf Moll stimmen könnte, und Generalgouverneur Radetzky, der für alle Fälle das Dur verkörperte.

Der Kaiser wurde enttäuscht. Das Eis war auch durch den Charme Elisabeths nicht zu schmelzen; selbst die Amnestie für politische Flüchtlinge und die Freigabe beschlagnahmter Güter machte nicht den erwünschten Eindruck. In Venedig kamen zum Empfang von 130 Geladenen nur 30, in Verona, beim »Bacchanale dei gnocchi«, versuchte das Volk, das Kaiserpaar mit Nokkerln zu füttern, wohl kaum, um es zu sättigen, eher in der Hoffnung, daß es daran ersticke. In Brescia ging Haynaus Gespenst um. Und bei der Galavorstellung in der Mailänder Scala trugen die wenigen Damen der Gesellschaft, die erschienen waren, schwarze Handschuhe.

Das Versagen seines Generalgouvernements entsetzte den Monarchen, und der Verfall seines Generalgouverneurs. »Den Feldmarschall habe ich entsetzlich verändert und verkindert vorgefunden«, schrieb er am 4. Dezember 1856 aus Venedig seiner Mutter, der Erzherzogin Sophie, einer Verehrerin des Feldmarschalls. Am selben Tag berichtete Radetzky, der Lunte gerochen hatte, seiner Tochter: »Se. Majestät sind äußerst gnädig gegen mich, dispensieren mich von allen Begleitungen, alles weitere ist unbekannt.« Am 19. Dezember fügte er hinzu: »Wundere Dich nicht, wenn Du hörst, daß ich meiner Dienstleistung enthoben bin.«

Die Spatzen pfiffen es von den Dächern, der Kaiser sei mit dem Vorsatz nach Oberitalien gekommen, den neunzigjährigen Generalgouverneur aufs Altenteil zu schicken. »Solang ich nichts schwarz auf weiß habe, weiß ich nichts und verspreche zu amtieren«, schrieb der Betroffene seiner Tochter, die auch schon davon gehört hatte. »Am Christbaum rufte man mich zu erscheinen, um teilzunehmen; beim Abschied versprach mir die Kaiserin Ihr Portrait, welches jedoch noch beim Maler in der Arbeit ist, und der Kaiser eines, das in Mailand in der Arbeit ist. Alles Übrige ist in der Erwartung.«

Er mußte nicht lange warten. Am 28. Februar 1857 unterzeichnete Franz Joseph I. in Mailand zwei Handbillets. Das eine ernannte den jüngeren Bruder des Kaisers, Erzherzog Ferdinand Max, zum Generalgouverneur des Lombardo-Venetianischen Königreiches, und den Feldzeugmeister Franz Graf Gyulai zum Kommandanten der 2. Armee. Das andere Handbillet enthob Radetzky, der beide Ämter bekleidet hatte, seiner Funktionen.

Der guten Form halber hatte man ihm den Rücktritt nahegelegt, sein Gesuch sofort angenommen, mit einem gnädigen Schreiben: »Ich befehle unter einem alles an, was auf Ihre künftige persönliche Stellung Bezug hat. Sie werden stets in jedem meiner Schlösser sowohl zu Stra, Monza, in der Villa Reale zu Mailand als zu Wien Meiner Burg, im Palaste des Augartens, dann zu Hetzendorf nach Ihrer Wahl, Mein herzlich gern gesehener Gast und Ich dadurch in der Lage sein, Mich, so oft Ich es bedarf, Ihrer weisen Ansichten und Ihres erprobten Rates erfreuen zu können.«

Mit neunzig Lebensjahren und zweiundsiebzig Dienstjahren war das nicht mehr zu früh. Dennoch traf es ihn, weil er sich ein Leben außer Dienst nicht mehr vorstellen konnte. Aber er war auch erleichtert: »Ich bin mit Achtzigtausend versorgt und bleibe hier.«

Retraite war für ihn geblasen, das Signal zum Rückzug, und Zapfenstreich. Nicht nur sein Leben ging zu Ende, das von Maria Theresia bis Franz Joseph gedauert, sondern auch seine Zeit, genauer gesagt, seine Zeiten, die er erlebt und überlebt hatte.

Eine Generation währe dreißig Jahre, sagen die Historiker. Radetzkys Leben umfaßte drei Generationen. Immerhin: Vom letzten Drittel des 18. Jahrhunderts bis in die Mitte des 19. Jahrhunderts hinein war die Welt, bei allen Divergenzen und Kontroversen, etwas Zusammenhängendes, fast eine Einheit gewesen. In letzter Zeit war diese Welt, die alte Ordnung mühsam genug zusammengehalten und erhalten worden. Nun – so sah es der Greis – schien sie zu verfallen und unterzugehen.

Das 1848/49 noch einmal befestigte System von 1815, in dem die vorrevolutionäre Welt restauriert worden war, ging unwiderruflich dahin. Das monarchische Prinzip war selbst in den drei konservativen Monarchien durchlöchert: In Preußen stand die »Neue Ära« bevor, in Rußland löste die Niederlage im Krim-Krieg Rufe nach Reformen aus, in Österreich war der Neo-Absolutismus nicht mehr lange zu halten.

Die Heilige Allianz war aufgelöst. Rußland machte Front gegen Österreich, Preußen gegen Österreich und den Deutschen Bund, das Habsburgerreich stand in Deutschland auf brüchigem Boden und in Italien auf verlorenem Posten. Das europäische Gleichgewichtssystem, das der Österreicher Metternich nicht zuletzt im österreichischen Interesse geschaffen hatte, geriet aus der friedenssichernden Balance. Frankreich, auf neue Grandeur und Gloire bedacht, griff nach der Hegemonie, konnte mit England aneinandergeraten, das die »Balance of powers« in Europa als Rückendekkung für seine Ausdehnung in Übersee brauchte. Radetzky befürchtete, die Rivalität zwischen England und Frankreich könnte dahin führen, daß »beide als Preis für Amerika fallen und Europa eine ganz geänderte Gestaltung erhalten wird«.

Ein eisernes Zeitalter zog herauf, was den alten Krieger kaum irritiert hätte, wenn die Kriege für die alten Ziele, nach alten Regeln und mit den gewohnten Waffen geführt worden wären. Der Feldherr, der seine Schlachten noch hoch zu Roß gelenkt hatte, sah Materialschlachten voraus. Und eine Verwilderung der Kriege, die Völker gegen Völker, und nicht mehr Staaten gegen Staaten führen würden.

Er erinnerte sich an die Lehre, die ihm der Podestà von San Giulio gegeben hatte. Der Bürgermeister war gerade dabei, einen Streit zwischen zwei Händlern zu schlichten, als Radetzky in die Amtsstube trat. Der eine Händler, der offensichtlich im Recht war, überzog derart, daß der andere verzweifelt sein Messer zog. Der Podestà fiel ihm in den Arm und wandte sich an den, der dies mit seiner Rechthaberei provoziert hatte: »Laß es gut sein. Bis jetzt war das ein Streit unter Menschen. Dir soll dein Recht werden. Aber benütze dies nicht, den andern zum Tier zu machen. Ein Tier denkt nicht mehr, einem Tier ist alles gleich. Davon könntest dann du hinwiederum Schaden nehmen.«

»Die menschlichen Grundwahrheiten sind überall gleich«, sagte Radetzky zu seinem Adjuntanten. »Erinnern Sie sich an jenen Podestà von San Giulio? Die Kriege, die ich mein Leben lang führte, waren wie nach den Worten dieses einfachen Mannes: Kriege in menschlichen Grenzen! Wenn man dem Feind das letzte nimmt, so bringt man ihn zur Verzweiflung und diese Verzweiflung verschafft ihm große Vorteile. Das Recht der Verzweiflung, alles tun zu dürfen, den Mut der Verzweiflung, der vor nichts zurückschreckt, weil er nichts mehr zu verlieren hat, und die sonderbare, noch nie erklärte Kraft der Verzweiflung. In keinem meiner Kriege habe ich es so weit kommen lassen. Das wäre nicht nur gegen jedes Menschen Recht, sondern auch gegen jede Kriegsweisheit gewesen.«

Er war alt genug, um weise zu sein. Auf seinem Alterssitz – der Villa Reale in Mailand oder dem Schloß in Monza – saß er wie in einer Theaterloge und verfolgte das Auftreten seiner Nachfolger mit der Kritik eines abgetretenen Hauptdarstellers, der die Rollen besser gespielt hatte und immer noch besser kannte als die Debütanten.

Der neue Generalgouverneur, der vierundzwanzigjährige Erzherzog Ferdinand Max, galt in Wien, aber noch lange nicht in Mailand als Liberaler. Er war auch keiner, es sei denn, man hätte den Versuch des vormaligen Marinekommandanten, sich von österreichischen Konventionen freizuschwimmen, als Liberalismus bezeichnet. Den Lombarden und Venetianern trachtete er entgegenzukommen, doch es blieb bei Gesten, denn die Politik, eine repressive Politik, wurde von seinem Bruder in Wien bestimmt. So setzte er sich zwischen alle Stühle, suchte als Kaiser von Mexiko sein Glück zu machen, endete kläglich – was Radetzky kaum verwundert hätte, wenn er es noch erlebt hätte.

Sein Nachfolger als Kommandant der 2. Armee, der achtundfünfzigjährige Feldzeugmeister Franz Graf Gyulai, war eine Fehlbesetzung, und das nicht nur in den Augen seines Vorgängers. Als Korpskommandant in Mailand hatte er sich so aufgeführt, wie Italiener es von einem österreichischen Militär nicht anders erwarteten; die Verachtung entbehrte jedoch des Respekts, den ihnen Radetzky abgenötigt hatte. Gyulai war ebenso arrogant wie borniert, eine Kommißnatur, welche die schlagkräftige italienische Armee zu einer Wachparadetruppe denaturierte. Jeder Offizier und jeder Mann, befahl er als erstes, habe bei Paraden einen schwarzen Schnurrbart zu tragen – also etwa einen blonden zu färben oder, falls überhaupt keiner vorhanden, selbigen mit Stiefelwichse zu simulieren.

Das war also der neue Militärbefehlshaber, der Österreichs italienische Provinzen gegen Viktor Emanuel II. und Napoleon III. verteidigen sollte! Gyulai selber traute sich das nicht zu. Doch sein Freund Grünne, der Generaladjutant des Kaisers, meinte: Was der alte Esel, der Radetzky, gekonnt habe, werde er auch noch können – und setzte 1859 seine Ernennung zum Oberbefehlshaber der österreichischen Truppen in Italien durch. Er konnte es nicht. Mit Gyulais tätiger beziehungsweise untätiger Mithilfe ging der Krieg gegen Frankreich und Sardinien-Piemont und mit ihm die Lombardei verloren.

»Ich nehme von Euch keinen Abschied, denn ich bleibe unter Euch«, hatte Radetzky am 1. März 1857 seinen Soldaten zugerufen. Es war ein Abschied, und bald konnte er seine Soldaten nur noch vom Rollstuhl aus besichtigen. Am 10. Dezember 1857 wurde er auf die Mailänder Piazza d'armi geschoben, zur Parade des Ulanenregiments Ferdinand II., König beider Sizilien.

Das war die letzte Freude des nun Einundneunzigjährigen. Seiner Tochter hatte er am 8. Dezember eine letzte Freude bereitet: »Liebe Fritzi! Unter einem sind in Absendung an Dich: 50 Bouteillen Asti, 12 Stück Straßburger Pasteten, 1 Laib Käse, 200 Stück Arsenal-Austern von Venedig, wünsche, daß alles gut ankomme und Deine Zufriedenheit erlange, kann nur sagen, ich lebe in Schmerzen.«

Kaum war er aus den Sielen, nahmen seine Kräfte rapide ab. »Husten und Krämpfe in den Füßen rauben mir die Nächte«, klagte er bereits zu Beginn des Jahres 1857. Der Husten hörte nicht auf, »Brustbeklemmung« kam hinzu. Am 21. Mai bestand er darauf – der alte Kavalier – die Gräfin Wallmoden zur Tür zu geleiten. Er glitt aus und brach sich den linken Oberschenkelhalsknochen.

»Nach einem viermonatlichen Tag und Nacht marternden Leiden« verspürte er Anfang Oktober eine leichte Besserung, die aber nur ein paar Tage anhielt. »In meiner traurigen Lage hat sich nichts geändert«, stellte er am 8. Oktober fest, fügte am 25. November hinzu: »Die Gesundheitslage hat sich nicht geändert und so lebe ich in jammervoller Zeit fort.«

Am 26. Dezember 1857 vervollständigte er sein Testament. Sohn Theodor war zum Universalerben eingesetzt, Tochter Friederike bedachte er mit Vasen, Kandelabern, silbernem Eßbesteck, vergoldetem Dessertbesteck, in Brillanten gefaßten Orden, Ehrendegen und Marschallstab. »Ferner das von Ihrer Kaiserlichen Hoheit, Erzherzogin Sophie gnädigst geschenkte Portrait Seiner Majestät des Kaisers, das auf meinem Schreibtisch steht.«

»Vor allem muß ich danken Seiner Apostolischen Majestät, unserem allergnädigsten Kaiser und Herrn für alle mir erwiesene Huld und Gnade, sowie meiner nächsten Umgebung dankend erwähnen, die mir meine Dienstpflichten so wesentlich erleichtert hat.« Für die Offiziere, die der Kaiser dem Feldmarschall a. D. als

Stab zugewiesen hatte, erbat er Beförderung, vor allem für seinen ersten Generaladjutanten Oberst Eduard Staeger von Waldburg. Seinen Oberstabsarzt Dr. Josef von Wurzian empfahl er der allerhöchsten Gnade, ebenso seinen ehemaligen Generalstabschef Benedek. Der Dienerschaft waren Legate zugedacht: »Meinem Kammerdiener nebst der sämtlichen Garderobe, Leib- und Bettwäsche, 5000 Gulden; meinem Koch 1500 Gulden; Zuckerbäcker Winker 800 Gulden; meinem Stallmeister 800 Gulden und dem Livrée-Personal jedem einen jährlichen Lohn samt der Livrée-Bekleidung.«

Im Testament von 1855 hatte er Geld für Messen in der Veroneser Domkirche und für die Armen der Stadt hinterlassen. Im Nachtrag von 1857 hieß es: »Nachdem ich nun seither Verona verlassen und bei meinem Abgehen von dort dessen Arme hinreichend bedacht habe«, seien jetzt »für heilige Messen, so in der Domkirche von Mailand zu lesen sind, zweihundert Gulden, und für die Armen allda dreihundert Gulden, zusammen fünfhundert Gulden gegen Erlagsbestätigung dem jeweiligen Erzbischof von Mailand nach meinem Tode zu obiger Verwendung zu übergeben.«

Viel hinterließ er nicht: Der gesamte Nachlaßwert betrug 61 740 Gulden und 284 Gulden Guthaben aus der Ordenspension. Mit auf den Weg nehmen konnte er nur das Guthaben seines Glaubens, die Hoffnung auf ein ewiges Leben.

»Als Mensch bewußt, meiner Urbestimmung folgen zu müssen, habe ich bei voller Geistesgegenwart und Gesundheit meine letzten Wünsche und Anordnungen niedergeschrieben und somit als guter katholischer Christ meinen letzten Willen im Namen Gottes, des Vaters, des Sohnes und des heiligen Geistes ausgesprochen. Als Christ bereue ich alle begangenen Sünden und Fehler und bitte um Vergebung, wenn ich jemanden wider meinen Willen beleidigt oder gekränkt habe.«

Am 31. Dezember 1857 beichtete er und empfing die Kommunion, die Wegzehrung. Ein paar Tage vorher hatte er noch tarockt, dann war der Husten schlimmer geworden, Dr. Wurzian stellte Lungenentzündung fest und erklärte, »der alte Herr werde das neue Jahr nicht erblicken«. Am 1. Januar 1858 verlor er die Stimme, das Gehör nahm ab, doch – wie Generaladjutant Staeger berichtete – »am längsten hielt sich das Auge, welches am Neujahrstage schon etwas zu brechen begann«. Am 2. Januar empfing er die Letzte Ölung, »morgens 4 Uhr, wo man vermutete, daß er sich nicht mehr bewußt sei, da er kaum mehr die Augen aufschlug, allein mitten in der Handlung machte er das Zeichen des Kreuzes«.

Der Todeskampf des Einundneunzigjährigen dauerte noch drei Tage. Er starb am 5. Januar 1858, 8 Uhr morgens, an Lungenlähmung. Sohn Theodor, Generalmajor a. D., und Generaladjutant Staeger waren bis zuletzt bei ihm. Er starb, wie er gelebt hatte, unter Soldaten. Und in der Villa Reale in Mailand, der italienischen Stadt, die er mehr gemocht hatte als sie ihn.

Bei der Einsegnung im Mailänder Dom blieben die für den Stadtrat reservierten Bänke leer. 40 Generäle, 80 Kompanien, 8 Eskadronen und 24 Geschütze geleiteten den Verblichenen, der drei Tage in der Villa Reale aufgebahrt gewesen war, zum Dom und von dort zum Bahnhof.

Die k. k. Fregatte »Donau« brachte den Toten von Venedig nach Triest. Am Spätnachmittag des 17. Januar, einem Sonntag, traf der Sonderzug auf dem Wiener Südbahnhof ein. Der Himmel war mit Schneewolken verhangen. Der in einem dreifachen Sarg verwahrte, einbalsamierte Leichnam wurde für eine Nacht im k. k. Arsenal deponiert – in dem von Franz Joseph geschaffenen Komplex aus Festung, Waffenlager und Waffenmuseum, das die Kaisertreuen für die Zitadelle der Habsburgermonarchie hielten, und die Kaiserkritiker für die Zwingburg des Neo-Absolutismus.

Die Trauerparade am nächsten Tag sollte demonstrieren, daß zwar Österreichs Held dahingegangen war, doch Österreich, das er erhalten hatte, in Größe und Glanz weiterlebte. Auf dem Glacis erwartete, mit der gesamten Garnison, Kaiser Franz Joseph – mit Siebenundzwanzig die verkörperte Reichshoffnung – »den ältesten Veteranen Meiner Armee, ihren sieggekrönten Führer, Meinen treuesten Diener«.

Den Kondukt eröffneten Dragoner, die in ihren weißen Mänteln Todesengeln glichen. Sechs Rappen zogen den Leichenwagen, zu dessen Seiten Husaren mit Fackeln schritten – vom 5.

Husarenregiment, das den Namen Radetzky »fortan und für immerwährende Zeiten« tragen sollte.

Ein Ritter in voller Rüstung, auf gepanzertem Rappen, folgte. Das war beim Leichenbegängnis eines österreichischen Generals der Brauch, unterstrich den Charakter Radetzkys: »Er ist ein Hohepriester unserer alten Ritterehre, hingestellt inmitten dieses letzten Kampfes der neuen mit der alten Welt«, wie das »Journal de Petersbourg« den Paladin der Reaktion zu rühmen wußte, »der in unserer aus den Fugen gehen wollenden Welt die Beispiele jenes Heldenmutes erneuert, die wir fast nur noch aus den Überlieferungen unserer ritterlichen Vorzeit kennen.«

Franz Joseph I., der vorletzte Habsburgerkaiser, zog seinen Säbel, und 20 000 Soldaten salutierten. Dann setzte sich der Kaiser »mit ergriffenem Säbel« – wie es hieß – an die Spitze des Trauerzuges. Das war eine Ehrung, wie sie keinem Österreicher bisher zuteil geworden war und keinem mehr zuteil werden sollte.

In der Stephanskirche, der nächsten Station, war ein großartiger Katafalk errichtet. In der Kreuzkapelle des Doms ruhte Prinz Eugen, dessen Namen man nun mit dem Radetzkys in einem Atemzuge nannte. Doch der allerletzte Ritter wurde nicht neben dem letzten Ritter bestattet, auch nicht in der Kapuzinergruft, der Grabstätte des Herrscherhauses, wie es Franz Joseph für angebracht gehalten hätte. Der letzte Wille des Helden war zu respektieren: die Beisetzung auf Pargfrieders Heldenberg.

Auf dem Wiener Nordbahnhof wurde der tote Feldmarschall, der die Reichshaupt- und Residenzstadt zwar würdig eskortiert, doch reichlich rasch passiert hatte, »einwaggoniert« und mit einem »Separattrain« nach Stockerau, von dort mit dem Wagen nach Klein-Wetzdorf überführt und in der Kapelle des Pargfrieder-Schlosses aufgebahrt.

Am 19. Januar 1858 wurde der Sarg auf den Heldenberg gebracht. Ihm folgten der Kaiser, die beiden noch lebenden Kinder des Verstorbenen, Theodor und Friederike, und der Kammerdiener Karl. »Zu Tausenden waren die Bauern zusammengeströmt«, berichtete ein Augenzeuge. »Sie knieten so, wie sie einst Waldmüller gemalt hat, auf den Stoppelfeldern.« Spalier standen die in Zink gegossenen, mit Goldbronze angestrichenen Büsten der tapfersten, jedenfalls höchstdekorierten Soldaten, die

1848/49, von Radetzky geführt, dem Kaiser das Reich und dem Armeelieferanten sein Vermögen erhalten hatten.

Pargfrieder nahm die teure Leiche in Empfang. Nur der Kaiser durfte mit ihm hinter dem Sarg die vierundzwanzig Stufen zur Gruft hinabsteigen. In der linken Nische lag bereits Feldmarschall Wimpffen, in der rechten wurde Feldmarschall Radetzky beigesetzt. Die kleine Zelle war nur ein Vorraum der eigentlichen Gruft, in der Pargfrieder ruhen wollte – in rotgeblümtem seidenen Schlafrock, hinter einer Ritterrüstung sitzend.

So wurde er 1863 bestattet. Ritter und Komtur des Franz-Joseph-Ordens war er noch zu Lebzeiten geworden. Pargfrieder hatte dem Kaiser den Heldenberg für eine Million Gulden zum Kauf angeboten, nach seiner Rechnung ein angemessener Preis für »19 Statuen, 142 Büsten, 11 Grenadiere, 4 Statuetten, 1 eisernes Kreuz, 28 kleine Kanonen, 34 kleine Mörser, 8 eiserne Bänke, 2 eiserne Laternen«, ein Invalidenhaus, einen Obelisken und zwei tote Feldmarschälle. Franz Joseph winkte ab. Pargfrieder machte aus dem geplatzten Geschäft eine politische Geste und schenkte dem dankbaren Kaiser das Ganze.

»Die Stimme der Wahrheit ertönt gewöhnlich am lautesten und eindringlichsten aus Gräbern und Särgen«, meinte Pargfrieder. Vom Heldenberg war sie nicht zu überhören. Klio kündete von den Ruhmestaten der Armee, in deren Lager Österreich war und blieb. Die Gruft (»Hier ruhen drei Helden in ewiger Ruh', / zwei lieferten Schlachten, der dritte die Schuh'«) zeugte von einer Zelebrität, die einen Stich ins Makabre bekommen hatte. Und die Parzen, die Schicksalsgöttinnen, schienen der Habsburgermonarchie ihr Geschick zugeteilt zu haben: Klotho spann zwar immer noch an deren Lebensfaden, doch Lachesis hatte schon das Ende bestimmt und Atropos hielt sich bereit, ihn abzuschneiden.

Auf der Spitze des Obelisken stand der Todesgenius mit gesenkter Fackel und harrte des Unabwendbaren. Ein Jahr nach dem Tode Radetzkys ging die Lombardei verloren, drei Jahre nach dem Tode Pargfrieders Venetien. 1918 – als das Vielvölkerreich zerbrach – ging der Heldenberg in den Besitz der Republik Österreich über. 1937, ein Jahr vor dem Anschluß Österreichs an das Großdeutsche Reich Adolf Hitlers, ließ Bundeskanzler Schuschnigg den Heldenberg renovieren. 1945 drangen Sowjetsoldaten in die Gruft ein, stießen auf Pargfrieder. »Als sie die Leich' berührten«, berichtete ein Wetzdorfer, »brach der Kopf ab.«

1950, acht Jahre vor seinem 100. Todestag, wurde Radetzky in einen Kupfersarkophag umgebettet, jedoch an Ort und Stelle belassen. Sein Reiterdenkmal, 1892 vor dem k. u. k. Kriegsministerium »Am Hof« in Wien enthüllt, steht heute, am Stubenring, vor einem republikanischen Regierungsgebäude.

Überall, wo Österreich gewesen ist, erklingt immer noch der Radetzkymarsch. Er erinnert die Menschen, die den Triumph der Ideen und Mächte von 1848/49 erlebt haben, an den alten Feldmarschall, der sie bekämpft, an das übernationale Reich, das er verteidigt hatte.

# Bibliographie


## Quellen

Briefe des Feldmarschalls Radetzky an seine Tochter Friederike. 1847–1857. Hrsg. von Bernhard Duhr. Wien 1892. – Briefe des Feldmarschalls Radetzky an seine Gattin. 1848–1851. Hrsg. von A. Hinnenburg. In: Österreichische Rundschau XVIII, 1909.

Denkschriften militärpolitischen Inhaltes aus dem handschriftlichen Nachlaß des Feldmarschalls Radetzky. Hrsg. von Friedrich Heller von Hellwald. Stuttgart und Augsburg 1858. – Ein Mémoire Radetzkys, das Heerwesen Österreichs betreffend, aus dem Jahre 1809. In: Mitteilungen des k. k. Kriegsarchivs, 1881. – Hauptumriß für eine allenfalsige Campagne mit Rußland gegen die Türkei. 1828. In: Mitteilungen des k. k. Kriegsarchivs, 1881. – Aphorismen über die Organisation des Heeres. In: Österreichische Rundschau XV, 1908. – Radetzky in den Tagen seiner ärgsten Bedrängnis. Amtlicher Bericht des Feldmarschalls vom 18. bis 30. März 1848. In: Archiv für österreichische Geschichte 95, 1906. – Die Relationen Radetzkys über Mortara-Novara. In: Österreichische Rundschau XVIII und XIX, 1909.

Erinnerungen aus dem Leben des Feldmarschalls Radetzky. Eine Selbstbiographie. 1766 bis 1813. In: Mitteilungen des k. k. Kriegsarchivs, Neue Folge I, 1887. – Aus meinem Leben. 1814 bis 1847. In: Österreichische Rundschau XIV, 1908.

## Biographien

Regele, Oskar: Feldmarschall Radetzky. Leben, Leistung, Erbe. Wien 1957. – Bibl, Viktor: Radetzky. Soldat und Feldherr. Wien 1955. – Kerchnawe, Hugo: Radetzky. Eine militärbiographische Studie. Prag 1944. – Schmahl, Eugen: Radetzky. Österreichs Ruhm – Deutschlands Ehre. Berlin 1938. – Wolf-Schneider von Arno, Oskar von: Der Feldherr Radetzky. In: Militärwissenschaftliche Mitteilungen Wien 3, 1934. – Hoettinger, Franz Ferdinand: Radetzky. Ein Stück Österreich. Leipzig und Wien 1934.

Schneidawind, Franz Joseph Adolf: Feldmarschall Graf Radetzky. Sein kriegerisches Leben und seine Feldzüge 1784 bis 1850. Augsburg 1851. – Heller von Hellwald, Friedrich: Feldmarschall Radetzky. Eine biographische Skizze nach den eigenen Diktaten und der Korrespondenz des Feldmarschalls. Stuttgart und Augsburg 1858. – Ebersberg, Julius: Vater Radetzky. Prag 1858. – Wägner, Wilhelm: Das Buch vom Feldmarschall Radetzky. Leipzig 1859. – Haymerle, Alois von: Josef Graf Radetzky. Wien 1886. – Richter, Hermann Michael: Radetzky. In: Allgemeine Deutsche Biographie, 27. Bd., Leipzig 1888. – Duncker, Carl von: Das Buch vom Vater Radetzky. Wien 1891. – Krones von Machland, Franz Xaver: Radetzky. Wien 1891. – Smolle, Leo: Radetzky. Sein Leben und seine Taten. Wien 1891. – Grasser, Carl: Feldmarschall Graf Radetzky. Sein Leben und Wirken. Wien 1892. – Helfert, Joseph Alexander von: Graf Josef Radetzky. Wien 1892. – Luzio, Alessandro: Radetzky. Chizzo biografico. Mantova 1899. – Ders.: Radetzky. Monografie storiche illustrate. I., Bergamo 1901. – Strobl von Ravelsberg, Ferdinand: Feldmarschall Radetzky. Wien 1907. – Brabec, Eduard: Der junge Radetzky. Wien 1915. – Molden, Ernst: Radetzky. Sein Leben und Wirken. In: Österreichische Bibliothek 10, 1916.

### Maria Theresia und Joseph II.

Koschatzky, Walter (Hrsg.): Maria Theresia und ihre Zeit. Salzburg und Wien 1979. – Tapié, Victor Lucien: Maria Theresia. Die Kaiserin und ihr Reich. Graz 1980. – Magenschab, Hans: Josef II. Graz 1979. – Benedikt, Ernst: Kaiser Joseph II., Wien 1936. – Criste, Oskar: Kriege unter Kaiser Josef II., Wien 1904. – Wandruszka, Adam: Leopold II. 2 Bde., Wien 1963–1965. – Ders.: Österreich und Italien im 18. Jahrhundert. Wien 1963. – Christoph, Paul: Großherzogtum Toskana. Ein Muster österreichischer Regierungskunst. Wien 1975. – Valsecchi, Franco: L'assolutismo illuminato in Austria e in Lombardia. 2 Bde., Bologna 1931–1934. – Noyer-Weidner, Alfred: Die Aufklärung in Oberitalien. München 1957.

### Französische Revolution und Napoleon I.

Zeißberg, Heinrich von: Quellen zur Geschichte der Politik Österreichs während des französischen Revolutionskriegs. 5 Bde., Wien 1882–1890. – Beer, Adolf: Zehn Jahre österreichischer Politik. 1801–1810. Leipzig 1877. – Wertheimer, Eduard: Geschichte Österreichs und Ungarns im ersten Jahrzehnt des 19. Jahrhunderts. 2 Bde., Leipzig 1884 und 1890. – Rössler, Helmuth: Österreichs Kampf um Deutschlands Befreiung. 2 Bde., Hamburg 1940. – Reden-Dohna, Armgard von (Hrsg.): Deutschland und Italien im Zeitalter Napoleons. Wiesbaden 1979. – Menzel, Benno: Napoleons Politik in Oberitalien. Magdeburg 1912. – Montanelli, Indro: L'Italia giacobina e carbonara. 1789–1831. Mailand 1972.

Kriegsgeschichtliche Abteilung des österreichischen Generalstabes (Hrsg.): Kriege unter der Regierung des Kaisers Franz. Krieg gegen die Französische Revolution. 2 Bde., Wien 1905. – Ders.: Krieg 1809. 4 Bde., Wien 1907–1910. – Ders.: 1813–1815. Österreich in den Befreiungskriegen. 10 Bde., 1911–1914. – Ders.: Befreiungskrieg 1813 und 1814. Einzeldarstellungen der entscheidenden Kriegsereignisse. 5 Bde., Wien 1913.

Gallina, Joseph von: Beiträge zur Geschichte des österreichischen Heerwesens. Der Zeitraum von 1757 bis 1815. Wien 1872. – Ders.: Reglements und Instruktionen für die Ausbildung der Truppe und ihrer Führer von der Beendigung des ersten Feldzuges gegen das Französische Kaiserreich im Jahre 1805 bis zum Kriege 1866. Wien 1882. – Horsetzky, Adolf von: Kriegsgeschichtliche Übersicht der wichtigsten Feldzüge seit 1792. Wien 7/1913. – Ottenfeld, R. v. und O. Teuber: Die österreichische Armee von 1700 bis 1867. Wien 1895. – Zimmermann, Jürg: Militärverwaltung und Heeresaufbringung in Österreich bis 1806. In: Handbuch zur deutschen Militärgeschichte 1648–1939. Frankfurt 1965. – Angeli, Moriz von: Zur Geschichte des k. k. Generalstabes. Wien 1876. – Regele, Oskar: Der österreichische Hofkriegsrat 1556–1848. Wien 1949. – Ders.: Generalstabschefs aus vier Jahrhunderten. Das Amt des Chefs des Generalstabes in der Donau-Monarchie von 1529 bis 1918. Wien 1966. – Peball, Kurt: Zum Kriegsbild der österreichischen Armee und seiner geschichtlichen Bedeutung in den Kriegen gegen die Französische Revolution und Napoleon I. in den Jahren von 1792 bis 1815. In: Napoleon I. und das Kriegswesen seiner Zeit, Freiburg 1968; hier auch Allmayer-Beck, Johann Christoph von: Das Nachwirken Napoleons als Feldherr.

Swinburne, Eduard von: Die Feldzüge des Feldmarschalls Radetzky und die Kriegsmaxime Napoleons I., Wien 1869. – Oncken, Wilhelm: Österreich und Preußen im Befreiungskrieg. 2 Bde., Berlin 1876–1879. – Ders.: Gneisenau, Radetzky und der Marsch der Hauptarmee durch die Schweiz nach Langres. In: Deutsche Zeitschrift für Geschichtswissenschaft 10, 1893. – Wehner, Otto: Über zwei Denkschriften Radetzkys aus dem Frühjahr 1813. Diss. Greifswald 1887. – Criste, Oskar: Der Beitritt Österreichs zur Koalition im Jahre 1813. Wien 1894. – Radetzky als Generalstabschef der Heere der Verbündeten im Jahre 1813/14. In: Jahrbücher für die deutsche Armee und Marine 103, 1897. – Kaulfuß, Otto: Die Strategie Schwarzenbergs am 13., 14. und 15. Oktober 1813. Berlin 1902. – Lauppert, Egon von: Zur Frage des Oberbefehls bei den Verbündeten im Sommer und Herbst 1813. In: Militärwissenschaftliche Mitteilungen Wien 1–6, 1924. – Cochenhausen, Friedrich von: Vor 125 Jahren. Politische und militärische Führung im Feldzug 1814. In: Wissen und Wehr 2, 1939.

Erzherzog Karl: Angeli, Moriz von: Erzherzog Karl als Feldherr und Heeresorganisator. 5 Bde., Wien und Leipzig 1896–1898. – Criste, Oskar: Erzherzog Karl von Österreich. 3 Bde., Wien 1912. – Allmayer-Beck, Johann Christoph von: Erzherzog Karl. In: Große Österreicher, Bd. 14, Wien 1960. – Franz I. (II.): Wolfsgruber, Cölestin: Franz I., Kaiser von Österreich. 2 Bde., Wien und Leipzig 1899. – Rauchensteiner, Manfred: Kaiser Franz und Erzherzog Karl. Dynastie und Heerwesen in Österreich 1796–1809. Wien 1972. – Metternich: Srbik, Heinrich von: Metternich. Der Staatsmann und der Mensch. 3 Bde., München 1925 und 1954. – Strobl von Ravelsberg, Ferdinand: Metternich und seine Zeit. 2 Bde., Wien und Leipzig 1906–1907. – Napoleon I.: Fournier, August: Napoleon I. 3 Bde., Wien und Leipzig 1904–1906. – Tulard, Jean: Napoleon oder der Mythos des Retters. Tübingen 1978. – Schwarzenberg: Kerchnawe, Hugo und Alois Veltzé: Feldmarschall Karl Fürst zu Schwarzenberg. Der Führer der Verbündeten in den Befreiungskriegen. Wien und Leipzig 1913. – Schwarzenberg, Fürst Karl: Feldmarschall Fürst Schwarzenberg. Der Sieger von Leipzig. Wien 1964. – Stadion: Rössler, Hellmuth: Graf Johann Philipp Stadion. Napoleons deutscher Gegenspieler. 2 Bde., Wien 1966. – Stein: Herre, Franz: Freiherr vom Stein. Sein Leben – seine Zeit. Köln 1973.

## Lombardo-Venetianisches Königreich und Risorgimento

Omodeo, Adolfo: Die Erneuerung Italiens und die Geschichte Europas. 1700–1920. Zürich 1951. – Seidlmayer, Michael: Geschichte Italiens. Stuttgart 1962. – Kramer, Hans: Geschichte Italiens. II. Von 1494 bis zur Gegenwart. Stuttgart 1968. – Lill, Rudolf: Geschichte Italiens vom 16. Jahrhundert bis zu den Anfängen des Faschismus. Darmstadt 1980.

Furlani, Silvio und Adam Wandruszka: Österreich und Italien. Ein bilaterales Geschichtsbuch. Wien und München 1973. – Benedikt, Heinrich: Kaiseradler über dem Apennin. Die Österreicher in Italien 1700 bis 1866. Wien und München 1964. – Kramer, Hans: Österreich und das Risorgimento. Wien 1963.

Helfert, Joseph Alexander von: Kaiser Franz I. von Österreich und die Stiftung des Lombardo-Venetianischen Königreiches. Innsbruck 1901. – Ders.: Zur Geschichte des Lombardo-Venetianischen Königreiches. In: Archiv für österreichische Geschichte 98, 1909. – Sandonà, Augusto: Il Regno Lombardo-Veneto 1814 al 1859. Milano 1912. – Grossmann, Karl: Metternichs Plan eines italienischen Bundes. In: Historische Blätter 4, 1931. – Greenfield, Kent Robert: Economics and Liberalism in the Risorgimento. A Study of Nationalism in Lombardy. Baltimore 1934. – Leonardelli, Faustino: Der Kampf gegen die pressepolitischen Maßnahmen der österreichischen Regierung in Lombardo-Venetien. 1815–1848. Diss. Wien 1955. – Putschek, Hans Jörg: Die Verwaltung Venetiens 1814 bis 1830. Diss. Wien 1957. – Rath, R. John: The Habsburgs and the Great Depression in Lombardy-Venetia 1814 to 1818. In: The Journal of Modern History XIII, 1941. – Ders.: The Habsburgs and Public Opinion in Lombardy. New York 1950. – Ders.: The Provisional Austrian Regime in Lombardy-Venetia 1814–1815. Austin/London 1969. – Schroeder, Paul W.: Austria as an Obstacle to Italian Unification and Freedom 1814 to 1861. Austrian History News Letter 3, 1962.

Deutsch, Wilhelm: Das Werden des italienischen Staates. Der Sieg der italienischen Einigungsbewegung im 19. Jahrhundert. Wien und Leipzig 1936. – Masi, Ernesto: Il Risorgimento Italiano. 2 Bde., Firenze 1938. – Omodeo, Adolfo: Difesa del Risorgimento. Torino 1951. – Pieri, Piero: Storia militare del Risorgimento. Torino 1962. – Kramer, Hans: Die Einigung Italiens im 19. Jahrhundert. Göttingen 1962. – Montanari, Mario: Die geistigen Grundlagen des Risorgimento. Köln-Opladen 1963. – Die deutsch-italienischen Beziehungen im Zeitalter des Risorgimento. Referate und Diskussionen der 8. deutsch-italienischen Historikertagung. Braunschweig 1970. – Holt, Edgar: Risorgimento. The Making of Italy 1815–1870. London 1970. – Beales, Derek: The Risorgimento and the Unification of Italy. London 1971. – Valsecchi, Franco: L'Italia del Risorgimento e l'Europa della nationalità. Milano 1978. – Herde, Peter: Guelfen und Neoguelfen. Frankfurt 1980.

Cavour: Romeo, Rosario: Cavour e il suo tempo. Bisher 2 Bde., Bari 1969 und 1977. – Valsecchi, Franco: Cavour. Ein europäischer Staatsmann. Wiesbaden 1957. – Confalonieri: Huch, Ricarda: Das Leben des Grafen Federigo Confalonieri. Leipzig 1934. – Garibaldi: Montanelli, Indro: Garibaldi. Stuttgart 1964. – König Karl Albert: Salata, Francesco: Carlo Alberto inedito. Milano 1931. – Mazzini: Vossler, Otto: Das politische Denken Mazzinis in den geistigen Strömungen seiner Zeit. München 1927. – Hales, E. Y.: Mazzini and the Secret Societies. London 1956. – Pius IX.: Martina, Giacomo: Pio IX, I. 1846–1850. Roma 1974. – Viktor Emanuel II.: Monti, Antonio: Vittorio Emanuele II., Milano 1941.

## 1848/49

Helfert, Joseph Alexander von: Geschichte der österreichischen Revolution im Zusammenhang mit der mitteleuropäischen Bewegung 1848/49. 2 Bde., Freiburg 1907–1909. – Friedjung, Heinrich: Österreich von 1848–1860. 2 Bde., Stuttgart 1908–1912. – Kiszling, Rudolf u. a.: Die Revolution im Kaisertum Österreich 1848/49. Wien 1948.

Taylor, A. J. P.: The Italian Problem in European Diplomacy 1847–1849. Manchester 1934. – Moscati, Ruggero: La diplomazia europea e il problema italiano nel 1848. Firenze 1947. – Filipuzzi, Angelo: La pace di Milano. Roma 1955. – Ders.: Le relazioni diplomatiche fra l'Austria e il regno di Sardegna e la guerra del 1848 al 1849. 2 Bde., Roma 1961. – Engel-Janosi, Friedrich: Österreich und der Vatikan 1846 bis 1918. Bd. I., Graz 1958. – Weiss von Starkfels, Richard: Pio IX e la politica austriaca in Italia dal 1815 al 1848. Firenze 1958.

Trevelyan, George Macauley: Manin and the Venetian Revolution of 1848. London 1923. – Ginsborg, Paul: Daniele Manin and the Venetian Revolution of 1848–49. Cambridge 1979. – Cusani, Francesco: Storia di Milano. 8 Bde., Milano 1862–1884. – Storia di Milano: Bd. XIV Sotto l'Austria 1815 al 1859. Milano 1960.

Commando del Corpo di Stato Maggiore – Ufficio storico: Relazioni e rapporti finali sulla campagna del 1848/1849. 2 Bde., Roma 1910 und 1911. – Pieri, Piero: L'esercito Piemontese e la campagna del 1849. Torino 1949. – Porzio, Guido: La guerra regia in Italia nel 1848/49. In: Nuova Rivista Storica 37/38, 1953/54.

Kriegsbegebenheiten bei der kaiserlich österreichischen Armee in Italien 1848/1849. 7 Hefte. Wien 1850–1852. – Welden, Ludwig von: Geschichte der Feldzüge der österreichischen Armee in den Jahren 1848/49. Wien 1875. – Kunz, Louis Hermann: Die Feldzüge des Feldmarschalls Radetzky in Oberitalien 1848 und 1849. Berlin 1890. – Lütgendorf, Kasimir von: Taktische und operative Betrachtungen über die Offensivoperationen des Feldmarschalls Radetzky von Ende Mai bis Anfang Juni 1848. Wien 1898. – Czeschka, Hugo von: Der Krieg Österreichs gegen Italien im Jahre 1848. Wien 1912. – Wolf-Schneider von Arno, Oskar von: Der Feldzug in Italien 1849. In: Militärwissenschaftliche Mitteilungen Wien 3/4, 1929. – Allmayer-Beck, Johann Christoph von und Erich Lessing: Die K. (u.) K.-Armee 1848–1914. München 1974.

Adam, Albrecht: Aus dem Leben eines Schlachtenmalers. Stuttgart 1886. – Benedeks nachgelassene Papiere. Hrsg. von Heinrich Friedjung. Leipzig 1901. – Blaze de Bury, Henri: Souvenirs et récits des campagnes d'Autriche. Paris 1854. – Bruna, Josef: Im Heere Radetzkys. Skizzen aus den Jahren 1848 und 1849. Prag 1859. – Dahlerup, Hans Birch von: In österreichischen Diensten. Berlin 1911. – Grillparzers Briefe und Tagebücher. 2 Bde., Stuttgart und Berlin o. J. – Hackländer, Friedrich Wilhelm von: Bilder aus dem Soldatenleben im Krieg. 2 Bde., Stuttgart 1849–1850. – Hohenlohe-Ingelfingen, Prinz Kraft zu: Aus meinem Leben. Bd. I., Berlin 1897. – Hübner, Alexander von: Ein Jahr meines Lebens 1848/49. Leipzig 1891. – Kolowrat-Krakowský, Leopold Graf: Meine Erinnerungen aus den Jahren 1848 und 1849. Wien 1905. – Mollinary, Anton von: 46 Jahre im österreichisch-ungarischen Heere. 1833 bis 1879. Zürich 1905. – Pimodan, Georges Graf von: Erinnerungen aus den italienischen und ungarischen Feldzügen. Pest-Wien-Leipzig 1851. – Schönfeld, Karl Graf: Erinnerungen eines Ordonnanzoffiziers Radetzkys. Wien 1904. – Schönhals, Carl von: Erinnerungen eines österreichischen Veteranen aus dem italienischen Kriege der Jahre 1848 und 1849. 2 Bde., Stuttgart und Tübingen 1852. – Thun, Leopoldine Gräfin: Erinnerungen an mein Leben. Innsbruck-Wien-München 1926. – Wattmann, Ludwig von: Memoiren eines österreichischen Veteranen. Wien 1901. – Wilhelm, Herzog von Württemberg: Ein Lebensbild. Stuttgart 1897.

Franz Joseph I.: Briefe Kaiser Franz Josephs I. an seine Mutter. 1838–1872. Hrsg. von Franz Schnürer. München 1930. – Herre, Franz: Kaiser Franz Joseph von Österreich. Sein Leben – seine Zeit. Köln 1978. – Benedek: Regele, Oskar: Feldzeugmeister Benedek. Wien und München 1960. – Haynau: Schönhals, Carl von: Biographie des Feldzeugmeisters

Julius Freiherrn von Haynau. Graz 1853. – Bartsch, Rudolf H.: Haynau und der Aufstand in Brescia 1849. In: Mitteilungen des k. u. k. Kriegsarchivs, 1903. – Heß: General Heß. Im lebensgeschichtlichen Umrisse. Wien 1855. – Bona, Ingeborg: Feldmarschall Heinrich von Heß. Diss. Wien 1944. – Hübner: Engel-Janosi, Friedrich: Der Freiherr von Hübner. 1811 bis 1892. Innsbruck 1933. – Rechberg: Engel-Janosi, Friedrich: Graf Rechberg. München 1927. – Schönhals: Berger, Anton: Schönhals. Graz-Wien-Leipzig 1922. – Felix Schwarzenberg: Heller, Eduard: Mitteleuropas Vorkämpfer – Fürst Felix zu Schwarzenberg. Wien 1933. – Kiszling, Rudolf: Fürst Felix zu Schwarzenberg. Der politische Lehrmeister Kaiser Franz Josephs. Graz und Köln 1952. – Windisch-Graetz: Müller, Paul: Feldmarschall Fürst Windisch-Graetz. Revolution und Gegenrevolution in Österreich. Wien 1934.

Bilger, Ferdinand: »Großdeutsche« Politik im Lager Radetzkys. In: Historische Blätter 4, 1931. – Schönbichler, Herbert: Radetzkys Stellungnahme zu den politischen Vorgängen 1847–1856. Diss. Wien 1950.

### Die letzten Jahre

Seidl, Eduard: Das Mailänder Attentat am 6. Februar 1853. In: Mitteilungen des k. u. k. Kriegsarchivs, 1898. – Luzio, Alessandro: I martyri di Belfiore. 2 Bde., Milano 1905. – Caizzi, Bruno: La crisi economica del Lombardo-Veneto nel decennio 1850 al 1859. In: Nuova Rivista Storica XLII, 1958. – Mazohl-Wallnig, Brigitte: Die österreichische Unterrichtsreform in Lombardo-Venetien 1848–1854. In: Römische Historische Mitteilungen 17, 1975. – Dies.: »Hochverräter« und österreichische Regierung in Lombardo-Venetien. Das Beispiel des Mailänder Aufstandes im Jahre 1853. In: Mitteilungen des österreichischen Staatsarchivs 31, 1978.

Wagner, Fritz: Cavour und der Aufstieg Italiens im Krimkrieg. Stuttgart 1940. – Valsecchi, Franco: L'Europa e il risorgimento. L'alleanza di Crimea, Firenze 1968. – Klemensberger, Peter: Die Westmächte und Sardinien während des Krimkrieges. Zürich 1972. – Morelli, Emilia: 1848–1859: I dieci anni che fecero l'Italia. Firenze 1977.

Beaulieu-Marconnay, August von: Radetzkys Lebensabend. Aufzeichnungen eines Flügeladjutanten. In: Österreichische Wehrzeitung 7–51, 1927. – Kandelsdorfer, Karl: Der Heldenberg. Radetzkys letzte Ruhestätte und Schloß Wetzdorf. Wien und Leipzig 1894. – Ders.: Radetzkys letzte

Ehrung. In: Streffleur, 1898. – Martin, Günther: Der Heldenberg. Führer durch die Gedenkstätte für Feldmarschall Radetzky in Klein-Wetzdorf. Wien 1971. – Vocelka-Zeidler, Sylvia: Schloß Wetzdorf. Pargfrieder, Radetzky, Wimpffen. Klein-Wetzdorf 1979.

# Personenregister

# *Bildnachweis*

Schwarzweiß-Abbildungen:
Bildarchiv der österreichischen Nationalbibliothek,
Wien 2, 3, 4, 6, 7

Bildarchiv Preussischer Kulturbesitz, Berlin West/Bildarchiv der österreichischen Nationalbibliothek, Wien 5

Farbige Abbildungen:
Heeresgeschichtliches Museum, Wien/Lessing/laenderpress 1, 8

# Franz Herre
## Kaiser Franz Joseph von Österreich
### Sein Leben – seine Zeit

504 Seiten. Mit zahlreichen, zum Teil farbigen Abbildungen. Gebunden.

»Herre schöpft aus allen verfügbaren, auch aus manchen bislang wenig bekannten Quellen und verbindet die Genauigkeit des Historikers mit der lebendigen, pointierten Darstellungsweise des Journalisten... Ein faszinierendes Porträt.« *Die Zeit*

»Er hat die Person Franz Josephs freigelegt, hat ihre für ein Monarchendasein im geruhsamen vorigen Jahrhundert an politischen und familiären Tragödien überreichen Lebensgeschichte nachgezeichnet, und dies mit einer Leichtigkeit zuwege gebracht, die keine Erinnerungen an den vergossenen Schweiß des Forschers aufkommen läßt.« *Stuttgarter Zeitung*

»Herre erinnert in Sicht und Stil seiner Biographie an die Oxforder Schule, die schieres Vergnügen bereiten kann. Er schreibt im Stil der historischen Reportage und vermittelt damit die Vergangenheit als nahe Gegenwart.« *Schwäbische Zeitung*

»Er ist ein so hervorragender Stilist, daß die Lektüre dieser 500 Seiten ein pures Vergnügen ist.« *Welt am Sonntag*

»Franz Herre hat sich wiederum als einer der besten historischen Schriftsteller ausgewiesen, die es derzeit im deutschsprachigen Raum gibt.« *Süddeutscher Rundfunk.*

ITALIEN
im Jahre 1799
HELVETISCHE REP.
DEUTSCHES REICH
FRANZÖSISCHE REP.
CISALPINISCHE REP.
KGR. UNGARN
OSMANISCHES REICH
Adriatisches Meer
Tyrrhenisches Meer
Jonisches Meer
KGR. SARDINIEN
KGR. SICILIEN
RÖMISCHE REP.
PARTHENOPÄISCHE REP.
GHZ. TOSCANA
HZ. PARMA
Ligurische Rep.
Venetien
Dalmatien
Kroatien
Corsica
(z. Frankreich)
Malta
(von 1798-1800 franz.)
(zum Osmanischen Reiche)
M.B. von Genua
Bern
Genf
Turin
Mailand
Verona
Venedig
Genua
Florenz
Bologna
ROM
Neapel
Palermo
Ischia
Capri
Elba
Liparische I.
östl. L.